海外漢文古醫籍精選叢書・第三輯

2011—2020年國家古籍整理出版規劃項目
2018年度國家古籍整理出版專項經費資助項目
中國中醫科學院「十三五」第一批重點領域科研項目
——我國與「一帶一路」九國醫藥交流史研究（ZZ10-011-1）

蕭永芝◎主編

蘭療方

蘭療藥解

〔荷蘭〕安米的爾　原著
〔日〕廣川獬　編譯

12

北京科学技术出版社

圖書在版編目（CIP）數據

蘭療方；蘭療藥解/蕭永芝主編．—北京：北京科學技術出版社，2019.1
（海外漢文古醫籍精選叢書．第三輯）
ISBN 978－7－5304－9997－9

Ⅰ．①蘭… Ⅱ．①蕭… Ⅲ．①方書—彙編—日本 Ⅳ．①R289.2

中國版本圖書館CIP數據核字（2018）第283829號

海外漢文古醫籍精選叢書・第三輯・蘭療方 蘭療藥解

主　　編：蕭永芝
策劃編輯：李兆弟 侍 偉
責任編輯：吕 艷 周 珊
責任印製：李 茗
出 版 人：曾慶宇
出版發行：北京科學技術出版社
社　　址：北京西直門南大街16號
郵政編碼：100035
電話傳真：0086-10-66135495（總編室）
0086-10-66113227（發行部） 0086-10-66161952（發行部傳真）
電子信箱：bjkj@bjkjpress.com
網　　址：www.bkydw.cn
經　　銷：新華書店
印　　刷：北京虎彩文化傳播有限公司
開　　本：787mm×1092mm 1/16
字　　數：330千字
印　　張：27.5
版　　次：2019年1月第1版
印　　次：2019年1月第1次印刷
ISBN 978－7－5304－9997－9/R・2554

定　　價：700.00元

海外漢文古醫籍精選叢書·第三輯

蘭療方

蘭療藥解

〔荷蘭〕安米的爾　原著
〔日〕廣川獬　編譯

内容提要

《蘭療方》《蘭療藥解》爲日本蘭方醫藥著作。《蘭療方》成書於日本享和四年（一八〇四），《蘭療藥解》刊於文化三年（一八〇六）。兩部著作的編譯者均爲日本江户時代後期的蘭醫廣川獬。書中采用直譯、義譯、省略語、素語（音譯）的四種翻譯方法，將傳入日本的荷蘭醫學著作《郎瓦兒粤邊貌窟》全書譯成漢文，删繁正誤，命名爲《蘭療方》；又將此書所用藥物的主要功效譯成漢文的《蘭療藥解》。《蘭療方》收録臨床各科七十二種疾病的病名、病因、病機、治則、方藥及其他療法；《蘭療藥解》解説《蘭療方》中藥物的主要功效，是前者的輔翼之作。兩書共同體現了江户時代蘭方醫學對疾病的認知以及對藥物功效、治療規律的理解，是比較研究中醫學、漢方醫學與西方醫學的重要文獻資料。

一　作者與成書

《蘭療方》卷之一正文首葉在書名下題署「阿蘭國安米的爾法方／日本崎陽吉雄永貴閲／皇都廣川獬譯／皇都栗崎德甫校」。日本江户時代將荷蘭稱爲阿蘭國、阿蘭陀、和蘭陀，故知此書係荷蘭安米的爾原撰，由日本廣川獬翻譯成漢文。《蘭療藥解》正文首葉題名「崎陽吉雄永貴閲／皇都廣川獬譯/皇都栗崎德甫校」，亦由廣川獬譯成。

安米的爾(アンミデル)，荷蘭人，生平簡歷不詳。

廣川獬，生卒年不詳，字子典，通稱龍淵，號廣門、瑶池齋，阿波(今屬日本德島縣)人，是江户時代後期的蘭方醫。廣川獬自少業醫，爲京都華頂宫家侍醫，入於長崎吉雄耕牛門下學習蘭方醫學。華頂宫是當時的日本親王宫室之一。除翻譯西方醫學的《蘭療方》《蘭療藥解》二書外，據《蘭療藥解》書末「廣川先生著目」所載，廣川獬自撰、編譯和校正的著作主要有以下幾類。雜著類《長崎見聞録》，記録有關中華、荷蘭與長崎的所見所聞。兒科類《嬰兒論》，清人周士禰著，廣川獬校正；《麻疹論》，大清春岳先生傳；《痘瘡論》，收載痘瘡治法。腹診類《按腹傳》，記載長崎鐵齋流按腹之法。眼科類《銀海論》，收録眼目諸疾治法。傷寒類《傷寒打碎辨》，載述傷寒治法。丹藥類《瘡毒煉丹録》，由長崎岡部氏原著，廣川獬校正。本草類《石菖品彙》，收録石菖種類，并繪製藥圖。又據《長崎見聞録》書末所附「廣川先生著目」，廣川獬尚有《啞科初言》一書，記述小兒初生之病治法。在廣川獬的著作中，尤以《長崎見聞録》和《蘭療方》《蘭療藥解》最具代表性。

吉雄永貴(一七二四—一八〇〇)，名永章，通稱幸左衛門、幸作，號耕牛，長崎人，爲江户時代中期的蘭學者、蘭方醫家、阿蘭陀通詞(荷蘭語翻譯)。吉雄耕牛精通醫學、本草等，又通曉荷蘭語，在與荷蘭人的交往互動中博采東西方醫學之長，最終成爲蘭方醫學吉雄流的開創者，門人達六百餘衆，其中就有《蘭療方》《蘭療藥解》的譯者廣川獬。

據「蘭療方凡例」所言：崎陽(長崎古稱)醫者岡部氏珍藏有一部西方醫學著作《郎瓦兒學邊貌

窟》，原書共有三卷三百余葉。廣川獬游學崎陽時，有人將岡部氏所藏《郎瓦兒粤邊貌窟》謄寫一部相贈。在廣川獬所獲之書中，「有既譯者，有未譯者……予乃時務之暇，或序之篇章，或屬之文字。其未譯者，質之譯人；魚魯誤者，正以復其宜。皈洛（京都美稱）後，尚事之，經星霜，垂九年，蓋除却煩而迂者，與地方异而難取用者，約爲二卷，更請校正於四方君子」。可知，廣川獬將三卷本《郎瓦兒粤邊貌窟》全書譯成漢文，校正魚魯之誤，删除煩迂及難以取用的方藥内容，於享和四年（一八〇四）編成《蘭療方》二卷。

《蘭療方》爲荷蘭醫學譯著，所載醫方中含有部分西洋藥物。據此書的「蘭療方藥解跋」所言，這些西藥「有形狀奇而罕用者，有任用异而難解者」。有鑒於此，廣川獬將《蘭療方》中的三百多種藥物譯爲漢名，列述其主效，揭示部分西洋藥物的提取和製造，編成《蘭療藥解》一書。譯者把《蘭療方》比作孫吴之術略，將《蘭療藥解》喻爲兵卒之名簿，既有戰術，又有兵卒，二者相輔相成，合成完璧。

二　主要内容

《蘭療方》全書二卷，主體内容包括内、外、婦産、五官科七十二種病證的治療醫方，其中含内科病三十六種、外科病十七種、婦科病十種、産科病（難産）一種、五官科病八種，總體以内科病爲重，書中未收載兒科病證及治方。

每種疾病先述病名，再討論病因、病機，最後列述數首治方或治法。譯者在多數醫方名稱之上標注了相應的荷蘭語名稱及日語發音。全書有方名者二百三十九首，其中有少數方名重複而組成藥物有异，另有少數方名重複且組成藥物亦同；此外，還有一部分醫方以「又劑」或「又丸」冠名。以上幾種情况的醫方總計約有三百首。書中對病證的治療除内服方藥外，還兼用針刺、按摩、吸藥等外用療法。

書中所述病名以中醫、漢醫病名爲主，如傷寒、瘧痰、黄疸、水腫、痰飲、蟲症、驚風、癲癇等。在漢和病名之下列出對應的荷蘭名稱，如卷之一「傷寒」一證，云：「傷寒，謂之聖京健。感冒，謂之拂兒挌烏獨黑乙獨。」對病因、病機，多從漢蘭結合的角度闡述，如卷之二「頭痛」一證，言：「此因或寒邪，或熱氣，或瘡毒，或瘀血，或酒毒，或濁痰，諸鬱蒸不解，遂翻登於頭神經而所致也。」所列之方，則多爲荷蘭藥方，根據功效不同歸納爲發劑、凉劑、寒劑、瀉劑、蜜導、解痛劑、解痛散、酒劑、熨劑、塗方、清劑、截瘧、清澄劑、解散劑、驅尿劑、健胃劑、健運劑等。每首治方的撰述方式，以中醫方劑的慣用方式表達，即：先出方名，方名之下簡述該方功效，其後是醫方的藥物組成（以大字列出具體藥名，用小字表述藥物劑量和加工方法），最後是該方的製備與服法。

《蘭療方》正文第二部分是「器物圖説」，由畫家山口素絢（一七五九——一八一八）繪製，共計載録二十三幅醫療器具圖和圖譜解説，簡述二十三種西方醫用器具的荷蘭名稱、形狀特徵、製作方法及主要功用等，有密氣銚、陰陽既濟爐、硝子陰陽爐、底滴爐、清濁量、伏鈹針、指環針、鈹針、喉痹針、鈎針、縮伸管、吹管、肉鑷、吸血匏、細口吸血匏、舌鎮、水銃、吸氣管、弦響子、肉鍋、漏針、磨油和輪架。

《蘭療藥解》不分卷，一册，采録《蘭療方》中所出藥物三百二十四種，按照當時的日語發音（以吕波）順序分部并排列，共分爲四十七部，例如，以部有一角、熊膽、威靈仙、茵陳；吕部載莨菪、鹿石、鹿油;波部録蠻紅花、琶冷素胡篤、法歇兒我兒篤、拔爾撒母等。

《蘭療藥解》在所載藥物的漢名之上標注有荷蘭名及日語發音,藥名之下列述該藥的主效,即主要效能。其中,波部載有「馬寫」一藥。據考,《詩·周南·芣苢》云:「采采芣苢,薄言采之。」鄭玄箋曰:「芣苢,馬舃。馬舃,車前也。」《蘭療藥解》中馬寫的主要功效爲通膀胱,降逆氣,「寫」當爲「舃」字通假,馬寫即車前草。此外,在《蘭療藥解》之部收有車前草汁和車前子兩種藥物,書中馬寫與車前草汁的效能略有差异,而與車前子通尿道、降逆氣的主要功效基本相同。苦葶(葶)歷一藥,同時出現在久部和天部中,兩處功效大體相同,係同一種藥物重出。

《蘭療藥解》書末繪有八幅藥物圖,載藥二十三種,是廣川獬特邀銅版畫家藤若子用蠻法(西洋畫法)繪製,有無漏子、陽起石、人魚骨、王不留行、紫稍花、龜膠、貫聚(衆)、鹿角膠、水銀蠟以及其他西洋藥物,主要描繪藥物的基本形狀和漢蘭名稱。

三 特色與價值

十六世紀後半葉,葡萄牙和西班牙人將西方醫學從南方傳入日本,被稱爲「南蠻醫學」。從江户時代初期開始,德川幕府實行鎖國政策,禁止西方國家與日本的交通往來,但荷蘭是唯一的例外,被允許在長崎與日本開展貿易,西方醫學亦由此通過荷蘭人傳入日本,最初主要集中於長崎一帶,後逐漸流布日本列島。當時的日本將西方人稱爲紅毛、蠻人,對西方諸國、方、字、書等,還有蠻國、蠻夷、蠻方、蠻字、蠻書等稱。以荷蘭爲代表的西方醫學傳入之後,日本醫家開始汲取其中實用和精華的内容，并與日本固有的醫學相結合，形成了本土的「蘭方醫學」，簡稱「蘭醫」。江户時代後期，蘭醫盛行於日本，對荷蘭醫書的翻譯也取得一定進展。從蘭方醫學的傳入到發展壯大，産生了衆多蘭醫著作，其中有相當一部分爲荷蘭醫學譯著，《蘭療方》《蘭療藥解》就是在這種背景下編譯成書的。同時，中醫學傳入日本形成的漢方醫學流派紛争，後世派、古方派、古今折衷派并存。部分古方派醫家熱衷於學習蘭醫的實學理論和有效的治療技術，將蘭方醫學與漢方醫學各自的優點相融合，形成了漢蘭折衷派。不難看出，儘管《蘭療方》《蘭療藥解》屬於荷蘭醫學翻譯著作，但全書的體例結構和行文特點等，仍然接近中國醫學和漢方醫學慣常的表述方式，書中四處可見漢和醫學的影子。

廣川獬認爲，對疾病的治療不可拘泥於蘭方和漢方，蘭方亦可治愈痼疾，尤有可取之處。他在「蘭療方跋」中提出：「當今升平，四方浴文華，聖人法方馴人病，馴則有病難除者，故取蠻夷偏僻法方，以却其痼疾，則應驗或不鮮矣。而徒泥着於古轍者，豈可謂之解事之人乎哉？然則何以免其有不解事之譏也矣。若夫知蠻方則爲受偏氣者，而非爲受正氣者，然有時可却受正氣者痼疾而後學之，則應謂有達識之見而表出於不解事人之外也。」因此，他將荷蘭人安米的爾之著譯成漢文，以供日本醫家參閲運用。

廣川獬對荷蘭原書的翻譯采取了四種方式，如其凡例所言：「翻譯有四等，曰直譯，曰義譯，曰省略語，曰素語。所謂直譯者，血謂之蒲兒度，直譯曰血；水謂之呿的爾，直譯曰水是也。所謂義譯者，私碌窟太兒謨窩邊，直譯之則食道開藥也，而考其方則爲利膈劑，仍譯曰利膈劑；斯篤福烏突直譯之則甘木也，而詳其物則爲甘草，仍譯曰甘草是也。所謂省略語者，蔑兒屈律須布刺失必太點私律白兒，稱之布刺失必太，以意義通焉；鐸落都⿰扌希漢斯篤福烏突，稱之斯篤福烏突，以意義通是也。所謂素語者，或布刺失必太，或鐸落都⿰扌希漢，諸無物可當，無義可譯，則姑稱其原語是也。」

廣川獬對每種病證的編譯體例基本相同，大體包括漢文病名、蘭語名稱、病因病機、療例（即治則）、醫方名稱、藥物組成和劑量、煎服用法、其他治法。例如，卷之一水腫病下曰：「謂之哇的爾須窟突。大抵辨二因爲要，一則或熱邪，或寒濁窒塞膀胱，以致溲便不利者是也；二則諸虛極，生化諸宦失其職，仍羅絡自含蓄水濕者是也。療例，實塞者，或疏利膀胱，或通開大腸；虛閉者，或健運臟腑，或分利水穀，宜隨證施治也。」此下羅列治療醫方，有解散劑、驅尿劑、健胃劑、健胃酒、除濕術、通尿劑、除濁劑、滲濕劑、驅水劑、熨方、浴湯等各種治方和其他治法。每種病證條理清晰，從對疾病機制的認識到治療方法、處方用藥等，內容完備，簡明曉暢。

《蘭療方》對每種病證均有病因、病機、治則的總結，體現了當時西方醫學對疾病機制和治療方法的認知。書中對某些疾病的認識，東方醫學或未述及，或論述有誤，值得參考借鑒。如此書凡例提到：「阿蘭醫説曰真神者寓於腦宫，以知覺寒暖、痛癢……腎液者屯於精囊，以泄於交接，是亦漢人所未論及也；又曰婦人産初宿乳使兒飲之，則吐瀉解胎毒，此爲天然良藥云云。是漢人以爲有毒，反所絞去者也。」這些內容可以爲東西方醫學的比較研究提供一定的參考。

《蘭療方》中的醫方多數以效能爲命名原則，少數用荷蘭原語音譯，亦即在凡例中提到的素語翻譯法。書中的醫方名稱體現了其主要功效，如治療傷寒的發劑、涼劑、寒劑、瀉劑、復陽劑、唤真劑、大黄舍利別，分別用於治療傷寒中的汗出、諸熱間歇不解、傷寒瘟疫及諸病熱多、傷寒胃實譫言及大便堅結、傷寒陰症四肢厥冷、真氣恍惚而四肢厥冷、大便不通。可以看出，書中多數方劑是以治療功效爲命名原則的。此外，有十六首醫方名稱采用了素語翻譯法，分别爲：傷寒方，大黄舍利别；驚風方，的裏亞迦、泊爾福剌窒列；癇症方，舍利别、阿芙蓉劑；卒厥方，腦泊耶胡；黴瘡方，胡微的蔑母杰設兒、須捈裏馬蔑母杰設兒、亞剌捌；大麻風方，私的爾吉窊的兒；傷損方，的列并底那、秡爾撒母；喘息方，貌郎篤班杰拂私的員；陰痿方，私欲剌亞多；疳瘡方，布剌失必太、瓦胡剌兒篤。以上用荷蘭原語音譯的，多爲西方以一定方法加工製造的藥物，且其製造法在書中亦有詳細描述。

《蘭療方》所載醫方大部分爲複方，組成藥味較少，常常不超過五味，但劑型及用法多樣，兼用各種外治療法。所用劑型有湯劑、丸劑、散劑、酒劑、油劑等，既可内服，又可外用。在治療方法方面，除了用内服方藥治病外，還有其他療法如食療、吸藥，亦有按摩、刺絡等外治之法。如書中記載了誘嚏方、熨方、蜜導方、貼方、傅方、石蒜貼、驅毒貼、嗅烟方、浴方等豐富的外用藥方。載録的藥物種類有動物、植物、礦物藥和人工製造藥。其中，對動、植、礦物藥名稱采用的是直譯法，將藥物的荷蘭語名稱直接翻譯爲對應的漢和藥物名稱，這些藥物基本均可見於中國本草著作的記載；通過一定方法加工製造而成的藥物，則采用素語翻譯法。

《蘭療藥解》爲解説《蘭療方》中藥物主要功效的譯著，是《蘭療方》的羽翼之作。書中共收載藥物三百二十四種，有動物、植物、礦物和製造藥。除製造藥外，其餘藥物基本可見於中國本草著作，多數爲中醫方劑中的常用藥物，如動物藥牡蠣、人魚骨、猪脂、蛇骨、黄牛膽、野猪膽、蝮蛇、鮒魚、龜甲、鯉膽，植物藥茵陳、薄荷、馬齒莧、柏葉、人參、防風、牡丹皮、桃仁、當歸、獨活、丁香、款冬花、野菊花、麻黄、桂枝、茯苓、附子、黄連、黄芪、甘草、乾薑、紅花，礦物藥芒硝、礬石、代赭石、丹礬、礜石等。此外，有三十四種藥物屬於人工製造藥，名稱采用素語翻譯法，包括：波部，番打麻、琶冷素胡篤、法歇兒我兒篤、秡爾撒母；都部，鐸落都漢斯篤福烏篤、鐸落都漢母爾那亞杰兒；留部，爾沙鑾失、爾達草；遠部，阿窟裏幹絓兒、罌粟舍利別；加部：哥爾都皮、可喜、瓦刺突瓦刺斯；與部：橐吾、丹礬；武部：母偱密乙那；宇部，胡微的馬篤；乃部，腦洎耶胡；久部，苦蒂；不部，稀刺失必太黜順、貌郎篤班杰拂私的員；古部，昆設爾拂亞；天部，的裏亞加、的列并底那；安部，安及立加、阿芙蓉、亞兒訛匿粵；左部，撒兒剥禮絓列私多；女部，咩垤；之部，荏油、私欲刺亞多；惠部，諳戹利私鹽；世部，舍利别；寸部，須布裏馬等。《蘭療藥解》對藥物功效的解説，有助於更好地理解《蘭療方》的組方用藥規律和治療法則，兩書合用，一方一藥，相輔相成。

分析書中的内容及特色可知，《蘭療方》《蘭療藥解》二書是折衷漢、和、蘭醫學的著作，融東西方醫學於一體，通過廣川獬的翻譯架起了溝通東西的橋梁。見載於荷蘭人原作中的一些西方用藥，竟然在中國藥學著作中也有記載，説明當時的東西方有許多共用的天然藥物；當然，二書還載録了部分西洋製造、功效獨特、療效可觀的藥物。這些共通或相异的内容，在中醫學、漢方醫學與蘭方醫學的疾病治療規律和藥物功效比較研究方面，爲學者提供了具有較高價值的醫學文獻。例如，日本學者美濃順亮參考《神農本草經》《本草拾遺》《開寶本草》《本草綱目》等中國歷代重要本草古籍，對比日本《和漢藥の事典》《原色日本藥用植物圖鑒》《日本藥局方》等著作，逐條解釋《蘭療藥解》記載的藥物，并以表格形式一一對比藥物的荷蘭藥效與漢和藥效的异同，分别標以一致、部分一致、不同、無用例、誤譯、不明等類别，[1]從一個角度對《蘭療藥解》進行了較好的研究。

四　版本情况

《蘭療方》現存版本有日本享和四年（一八〇四）成書的刻本，但刊刻年不明確，藏於京都大學圖書館、京都大學圖書館富士川文庫、早稻田大學圖書館、東京大學圖書館鶚軒文庫、東北大學圖書館狩野文庫、大阪府立圖書館、市立長崎博物館、杏雨書屋、楂蕣書屋、無窮會神習文庫。[2]中國中醫科學院圖書館藏有此書的一種傳本，著録爲文化元年甲子（一八〇四）刻本。[3]經過筆者仔細核對，中國中醫科學院藏本與早稻田大學藏本同屬一種刻本。

《蘭療藥解》現存版本有兩種，一爲鈔本，藏於京都大學圖書館；一是日本文化三年（一八〇六）刻本，收藏於静嘉堂文庫、京都大學圖書館、京都大學圖書館富士川文庫、早稻田大學圖書館、東京大學圖書館鶚軒文庫、東北大學圖書館狩野文庫、大阪府立圖書館、杏雨書屋、乾乾齋文庫、楂蕣書屋、無窮會神習文庫、龍門文庫。[4]

---

[1]〔日〕美濃順亮．江户期における薬学（第一報、第二報）「蘭療藥解」詳解［C］//京都光華女子大学短期大学部研究紀要四十七．二〇〇九，十二：六一—一四七．

[2]〔日〕國書研究室．國書總目録：第八卷［M］．東京：岩波書店，一九七七：二二二．

[3]薛清録．中國中醫古籍總目［M］．上海：上海辭書出版社，二〇〇七：三八九．

[4]〔日〕國書研究室．國書總目録：第八卷［M］．東京：岩波書店，一九七七：二二二．

本次影印所采用的《蘭療方》和《蘭療藥解》底本，均爲日本早稻田大學洋學文庫所藏刻本。

此本《蘭療方》藏書號爲「C275」，二卷一册，和裝，四眼裝幀。封面題簽書「蘭療方　全」。書首繪有一幅題爲「LANRIOOHOO」的圖，展示長崎沿岸的交通往來場景。圖後依次爲享和四年（一八〇四）皆川願「蘭療方序」、享和三年（一八〇三）廣川獬「蘭療方跋」，以及「蘭療方凡例」「蘭療方目録」和「器物圖説目録」。正文處烏絲欄，四周單邊。每半葉八行，行十八字。版心白口，無魚尾，書口上部刻書名「蘭療方」，下部鐫葉次。多數醫方在框綫上方的眉葉刻有該方的荷蘭名稱及日語發音。全文以「。」句讀。書末有山口素絢所繪「器物圖説」及識跋。

此本《蘭療藥解》藏書號「C276」。封面題簽書「蘭療藥解　全」。書首繪有一圖，描繪長崎海邊的自然風光。圖後依次爲文化元年（一八〇四）三谷撲撰「和蘭療方藥解序」、文化二年（一八〇五）廣川獬題「蘭療藥解跋」以及「蘭療藥解分韵目次」。正文處烏絲欄，四周單邊。每半葉八行，每兩行上三分之一合并爲一個文本框，框中内容爲藥物的漢文、蘭文、日文的藥物名稱；對應的下方兩行以小字形式描述藥物的主要功效。全文以「。」句讀。版心白口，無魚尾，書口上方刻書名「蘭療藥解」，下方有葉次。正文之後載藤若子所繪藥圖及其所撰跋文，之後列出「廣川先生著目」。書末可見刊刻牌記，鐫有藏書與刻書機構、刻書年代、刊刻和發行者姓氏、住址等信息，所記刊刻時間爲「文化三年丙寅夏六月」。

總之，《蘭療方》《蘭療藥解》爲蘭方醫學譯著。二書總計收載除兒科以外的臨證各科常見病證七十二種，收録醫方三百首左右，載述天然及製造藥物三百二十四味。對每一種病證的記載，其翻譯行文和撰述方式類似於中醫方書，内容則折衷融合了漢、和、蘭醫學的精華，重點介紹了較多的西方醫藥知識。全書條理清晰，從疾病機制的認知到治則歸納、治療方藥、外治療法等，内容充實，便捷適用。書中所用醫方多爲複方，藥味較少，劑型和用法多樣。兩書合用，一載方，一述藥，相輔相成，堪稱完璧，有助於理解蘭方醫學對疾病的認識和組方用藥原則，是比較研究東西方醫學异同以及東西方在特定歷史背景下相互交流融合的重要文獻史料。

何慧玲　蕭永芝

蘭療方
全
洋学文庫
文庫8
C 275

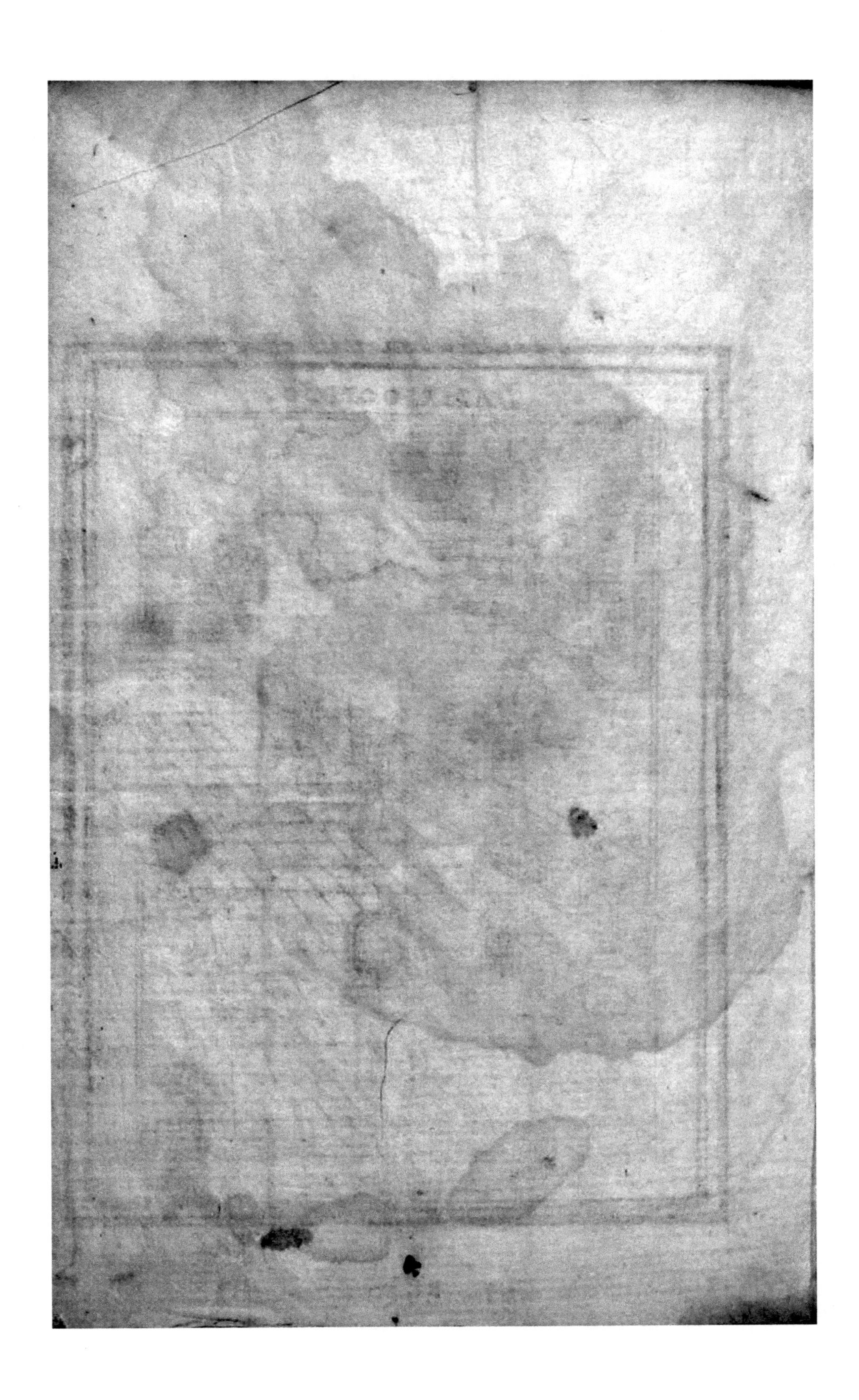

LAWRIOOHOO.
有自然者
醫則為
之臣僕也
41- 8015

蘭療方序

蓋距今四五十年前世称紅毛藥方者只有外科而已及其学益盛又傳其内科之一二而西人醫家者流乃至以淺紅毛內科為秘此謂小技惡知其風之一変也故西紅毛內科之術与其差譯家子每一巻而書於從由孫幹

阿蘭陀之一二而通西生大本者自
西醫之術以一端之可了也其藥
方十九条土治業陀者也載其名西生
摘要遂西醫之摘与小引之而抱
以愛廣川生自少業醫求博學兄
業往遂瓊浦適獲紅毛內科一書
大半抱譯者因更著讀壽考補洋
其務久之譯完其所藥說其所

按耶因改爲先生曰紅毛療家先以先
覺學者傳取一言而下圖不識醫道
發理以爲呼學貴實見之博明知
毛藥方要先言之而他以之不
哉明知內科之術學者亦豈醫宗
之手也於紅毛之方精深其之方也
知人而用之明其能取知其時而以
究一劑之用爲能也先人而用之能

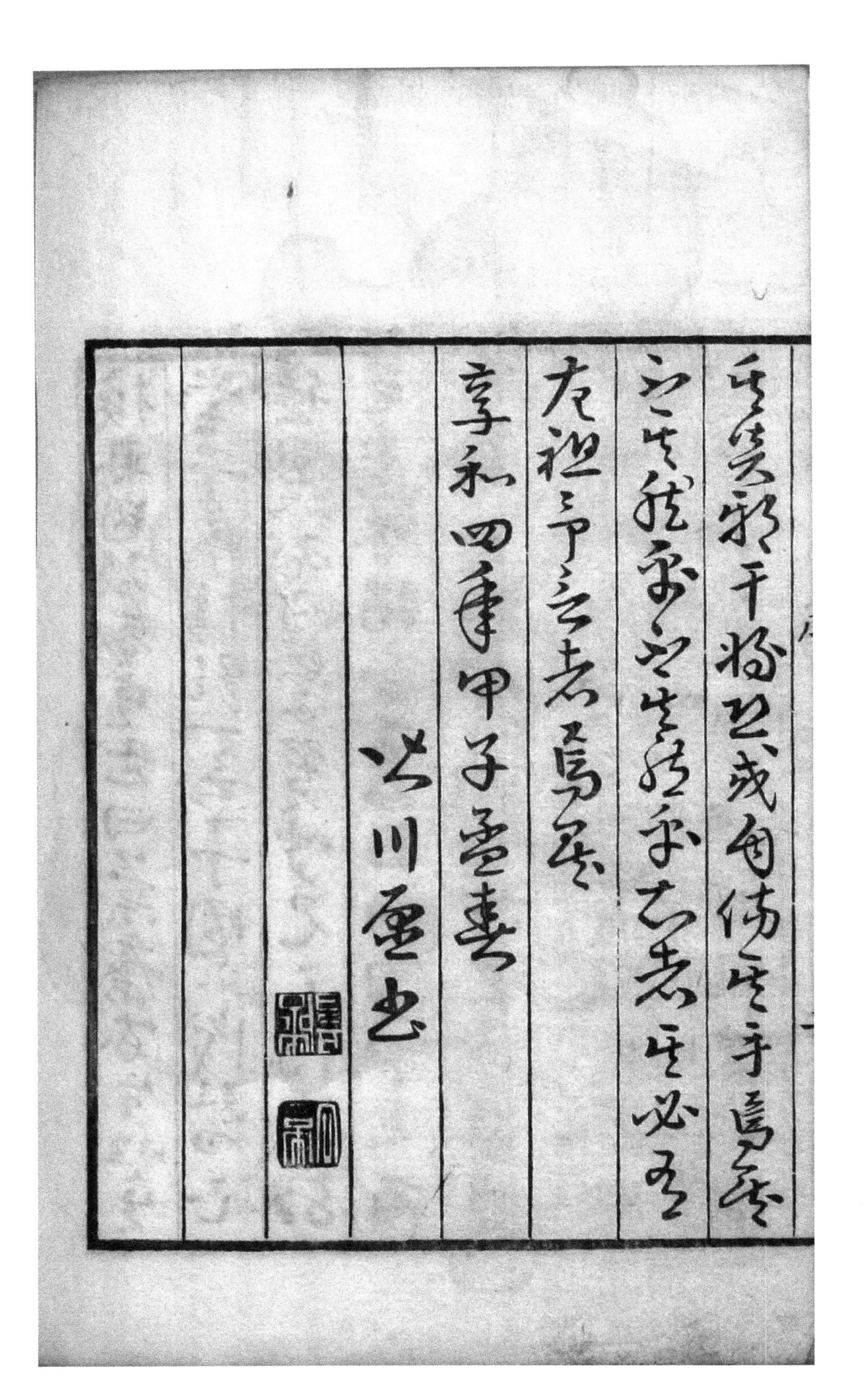

蘭療方跋　呆林

獬嘗論曰。學蘭療者可謂不解
事之人也。不知學者可謂亦不
解事之人也。何以論之。曰蠻國
受天地之偏氣。語言情態衣服
飲食。異於
吾東方及支那者

甚遠矣。而今捨吾聖人法方反
欲學彼蠻人法方。豈可謂解事
之人乎哉。又論曰。當今昇平四
方浴文華。聖人法方馴人病。馴
則有病難除者。故取蠻夷偏僻
法方。以劫其痼疾。則應驗或不

鮮矣。而徒泥著於古轍者。豈可謂之解車之人乎哉。然則何以免其有不解車之譏也矣。若夫知蠻方則爲受偏氣者。而派爲受正氣者。然有時可却受正氣者痼瘵。而後學之。則應謂有違

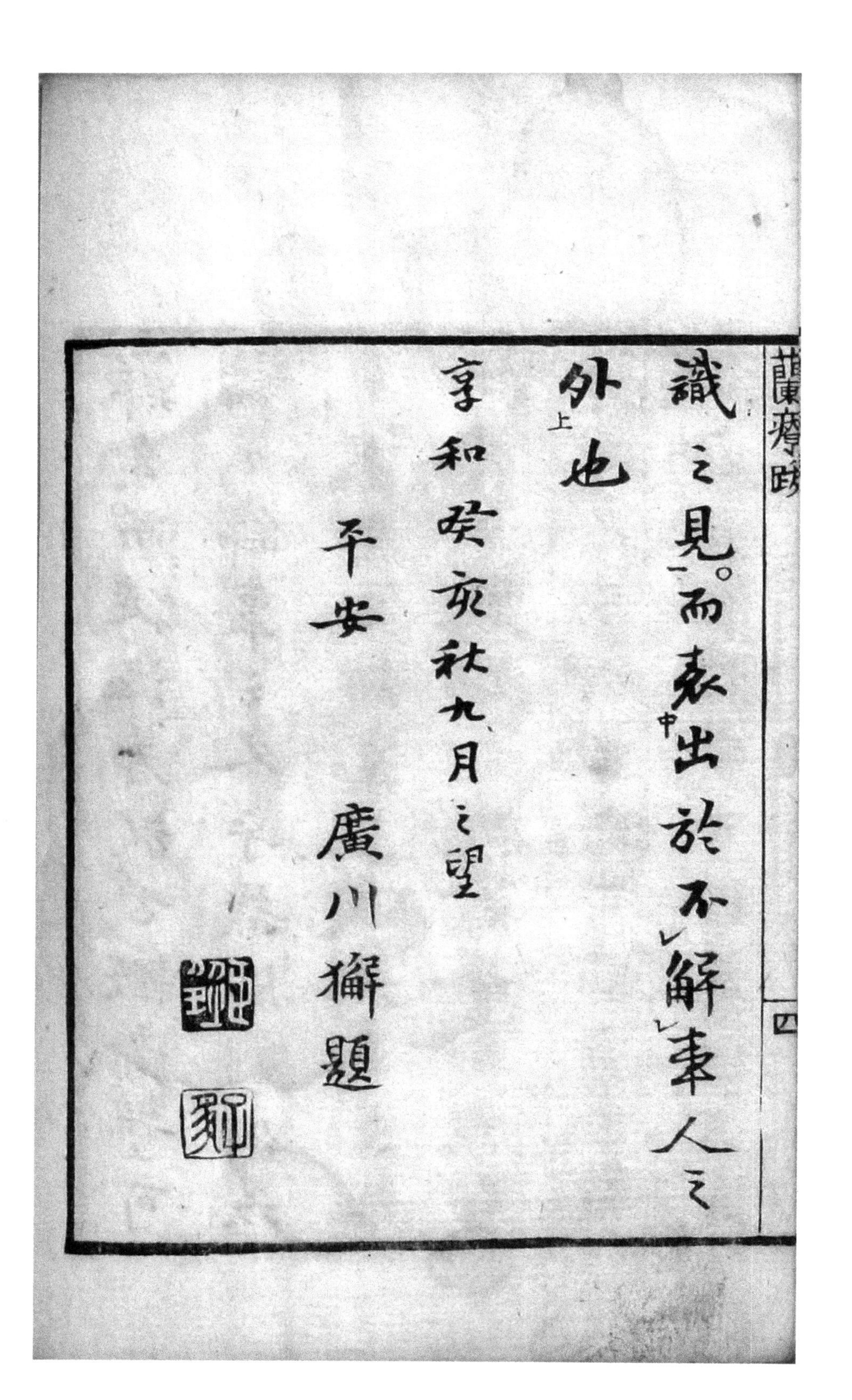

蘭療跋　四

識之見。而衷出於不解事人之外也

享和癸亥秋九月之望

平安　廣川獬題

蘭療方凡例

一阿蘭醫流。多泒而大同小異。猶漢人醫流有古今諸說異同者矣。今所譯崎陽醫岡部某者所珍藏書名曰郎尼兒粤邊貌窟。通計三百餘帋為三卷。獮嘗遊崎陽。有人謄寫其書以畀予。予熟翻之其中有既譯者。有未譯者。既譯者以國字記焉。未譯者以蠻字記焉。予乃時務之暇。或序之篇章。或屬之文字。其未譯

者質之譯人。魚魯誤者正以復其宜。皈洛後
尚事之。經星霜垂九年。蓋除却煩而迁者。與
地方異而難取用者。約為二卷。更請校正於
四方君子。翻譯於是全成。因攺名曰蘭療方
也。

一蠻醫論說恐血道凝結液絡粘稠。與漢人所
謂病者從氣血凝滯而成。竟皈一同轍矣。
而考療方多用樹脂。脂固粘物。屢用則凝血

道窒液遂。或致氣閉。或発愛息。是論與方何為齟齬。蓋以邦土飲食相違然者歟。今如斯法方槩不敢取也。

一翻譯有四等。曰直譯。曰義譯。曰省略語。曰素語。所謂直譯者。血謂之蒲児度。直譯曰血。水謂之呿的爾。直譯曰水是也。所謂義譯者。私碌竄太児謨竄邉。直譯之則食道開藥也。而考其方則為利膈劑。仍譯曰利膈劑。斯篤福

蘭療方凡例

烏突直譯之則甘木也。而詳其物則為甘草。仍譯曰甘草是也。所謂省略語者。蔑兒屈律須布剌失必太點私律白兒。稱之布剌失必太以意義通焉。鐸落都拂漢斯篤福烏突稱之斯篤福烏突以意義通是也。所謂素語者。或布剌矢必太。或鐸落都拂漢諸無物可當無義可譯。則姑稱其原語是也。

一翻譯者直譯為要。然反迂於達意者有之。如

此書則要達意故多用義譯覽者勿異一言
一句與原書齟齬也

一阿蘭醫說曰眞神者寓於腦宮以知覺寒暖
痛痒是漢人所未論及也又曰腎液者包於
精囊以泄於交接是亦漢人所未論及也又
曰婦人產初宿乳使兒飲之則吐瀉解胎毒

一此為天然良藥云云是漢人以為有毒反所
絞去者也又曰膽液敗黑則意識失常或能

喜。或能憂。或能怒。或能懼。是漢人所謂心疾。而名癇症者耳。諸如斯病因治法。與舊說懸隔者多。當須前知以無異也。

一蘭方奇藥多。或考正諸蠻書。或尋質諸譯人。以記製造之法。又如藥物彼地有此地無。則熟考其證方。姑用代藥製其劑。而以備其便用。蓋亦婆心至切自忘愚陋之所致也耳。

一每劑首冠蠻字記方名。以存其[illegible]筆焉。看者從左吟讀乃是蠻語也。又卷末圖藥銚蒸炉鍼針等。以備參考。至如瘍醫要器。則姑略焉。非內科所專用故也。

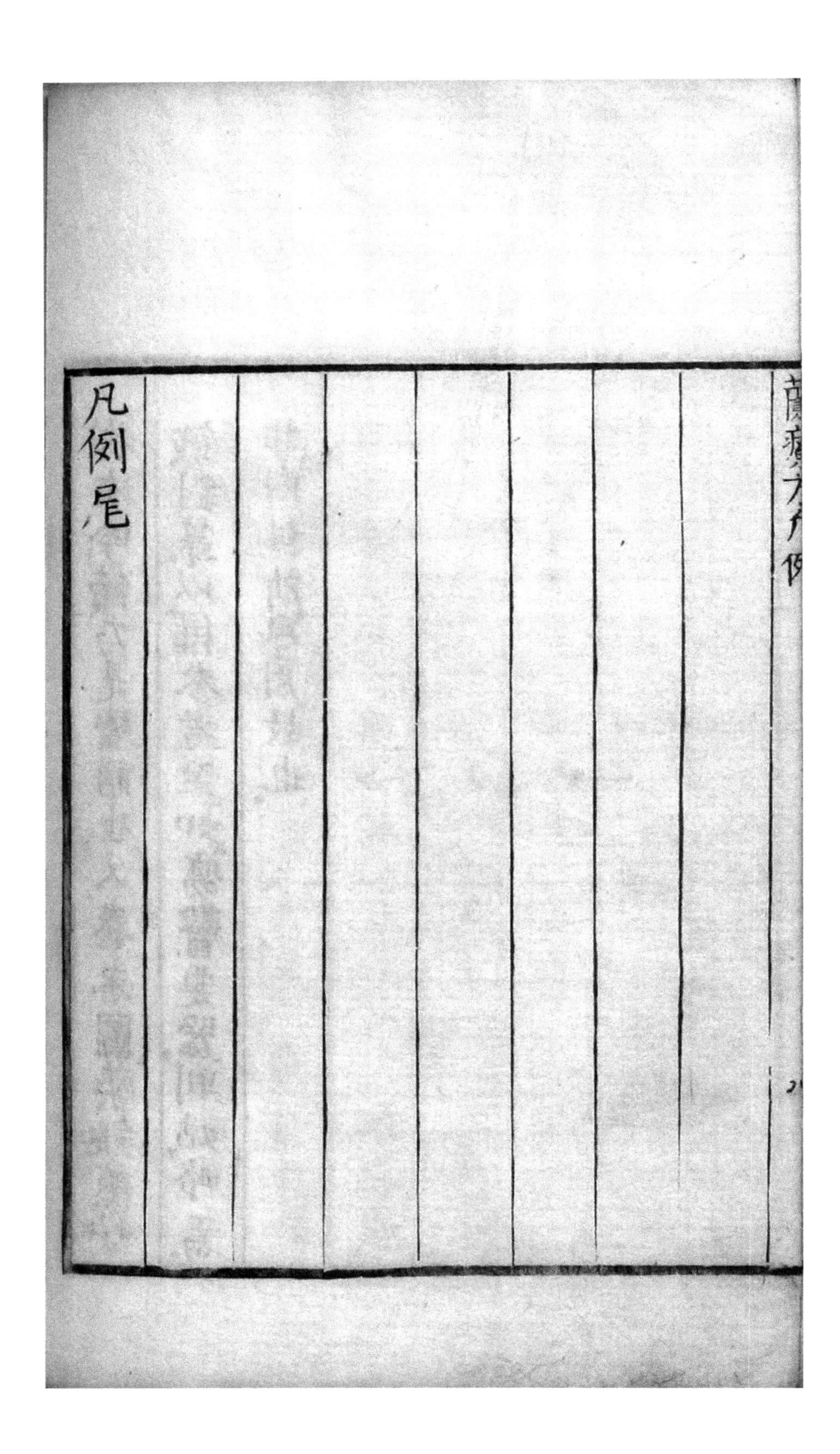
蘭療方凡例

凡例尾

蘭療方目録

蘭療方目錄

蘭畹方目録　廿三

通計三百十二方

蘭療方目録尾

器物圖説目録

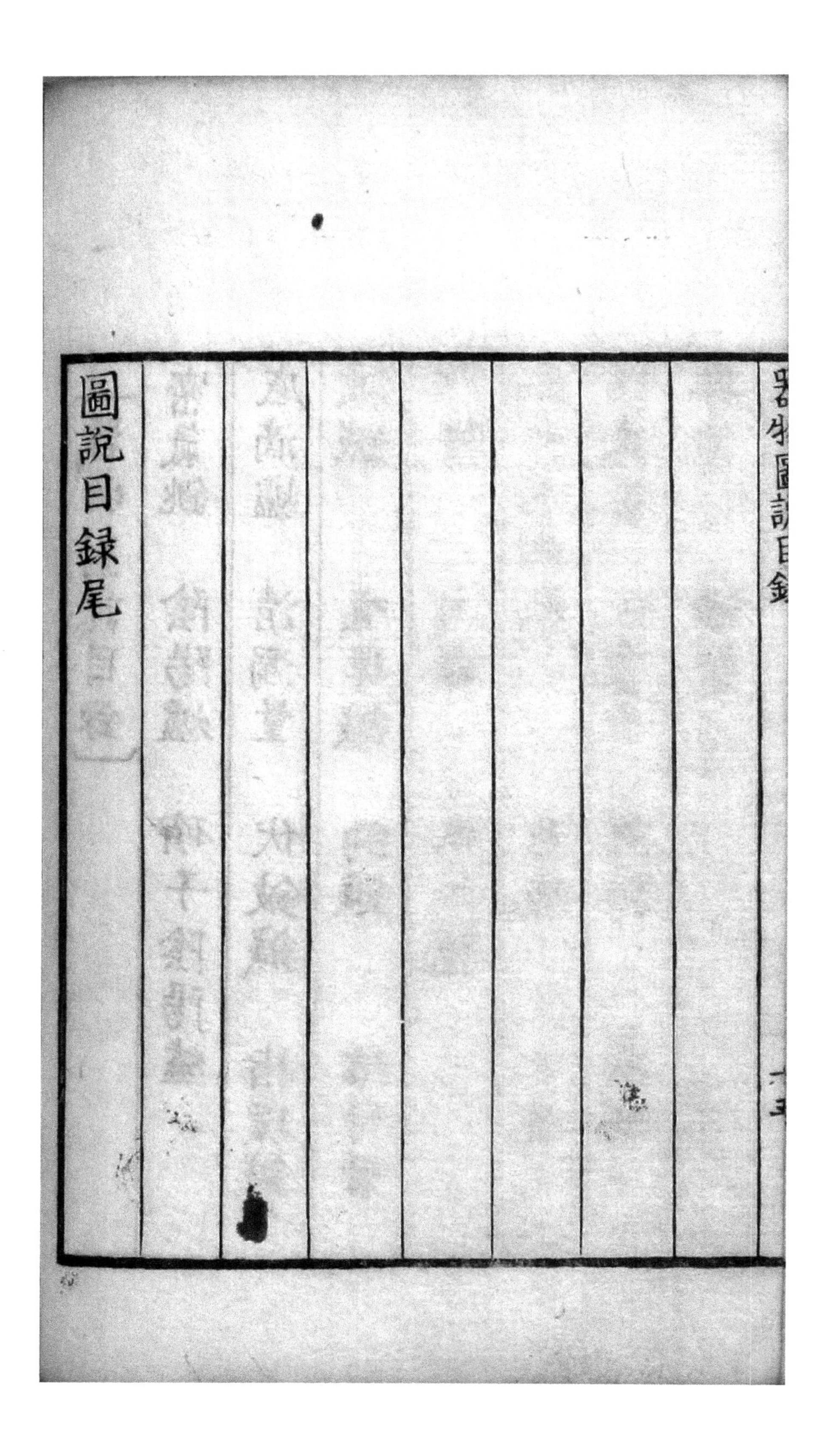
圖說目録尾

蘭療方

阿蘭國安米的爾法方

崎陽　吉雄永貴　閲

日本　皇都　廣川　獬　譯

皇都　栗崎德甫　校

傷寒

傷寒謂之聖京健。感冒謂之拂児格烏獨黑乙獨。凡感觸風寒者。肌膚不密。邪氣随而襲之過

塞蒸氣　人身有蒸発氣者。從毛竅脱去。邪風襲入以遏塞。則欝聚而醸熱也。遂醸成烈熱。熱謂之哥爾都。哥爾都有二道。曰真。曰假是也。真者如傷寒痢疾。及痘瘡麻疹之類是也。假者如金瘡打撲。及火傷湯爛之類是也。真者法解熱為主。假者法療原症為主。又有暫留。有間歇。有番替。所謂暫留者。発熱連日暫留而不退之謂也。所謂間歇者。有間而發。有間而歇之謂也。所謂番替者。前熱退則後熱至之謂也。

スエートデレイヘンデミッデレン
ZWEET DRYVENDE MIDDELEN.

療例邪热在皮膚者。発汗以解之。在腑膜者。涼和及従尿道解之。在臓内者。攻撃以解之。此為大畧之法也。又諸如氣血衰弱鬱火起伏。亦為無根假火。法使血液健運。則鬱火自解散也。

發劑 主発汗。若血燥難汗出。則加瓦刺突四戔 白芷一戔 的里亞 迦三分製見驚風 桂枝油二三滴。無則代桂枝亦可 水百六十戔

右件。先煮白芷去滓。加二味。調勻分服。

又劑 主感冒四時 泊夫藍三分 獨活 桂枝油二滴

クウルミッテレン Koel. middelen.

右三味。煮熟去滓加燒酒二三滴分溫服。

涼劑 主諸熱間歇不解者 哥爾都皮五分 綠豆一錢 爾沙鑾矢五分無則以草菓代之

右三味。煮熟去滓加臭橙醋三滴服之。

又劑 治膚熱血熱及婦人熱入血海等 哥爾都皮五分 牡丹皮一錢 爾沙鑾矢三分

右三味。煮熟去滓加燒酒服之。

又劑 主諸煩渴者 大麥八錢 蜜十二錢 醋八錢 水

カヲウドミッテレン
KOUD MIDDELEN.

百廿戔　右件同煮。麥熟為度。

寒劑　治傷寒温疫。及諸病熱多者　諳厄利斯塩　大人五分　小児三分。

従諳厄利斯國出。故名之。若無則以芒硝代之　硝石五分　哥爾都皮　一戔蠻物。解熱妙品。雖然今難得。故姑従譯人某所傳製造任用。石膏三百戔。黃蓮黃芩肉桂各三十戔。黃吾葉百戔。牟角人中白烏梅各十戔。右同研羅。以酒糊調匀為錠。晒乾可

右三味。先煮二味。湯成去滓。内塩及醋調匀服之。

又劑　治傷寒瘟病煩渇讝言。或諸陰熱血燥鄭聲亦服之。　瓦剌突瓦剌

ピュルゲール
PURGeeL.

蘭療方　三

斯生地黄三戔。無則以代之　可爾都五分。無則代黄連可　石膏一戔　右三味。先煮二味湯成去滓内石膏調匀服之。

瀉劑治傷寒胃實讝言。及諸大便堅結者　大黄　營實　砂糖各二戔　右三味。煮熟去滓。加姜汁頓服。

又劑治諸血燥大便不通者　大黄一戔　杏仁四戔研　諳卮利斯塩　甘草各三戔　右四味。煮熟去滓。加燒酒頻頻服之。

カレイステール
CLYsteel.

蜜導方 治血燥大便不通者　椿實油一戔　蜂蜜八戔　醋二戔　右三味調勻微火二三沸。適寒温。用水銃射入穀道須臾當大便通也。

復陽劑 治傷寒陰症四肢厥冷者見卒厥　喚真劑 治前症見傷損

大黄舍利別 主大便不通 製造見藥解

痛風

痛風謂之伊倔多。寒湿謂之攸爾聖根乙児百應而又隨痛處異其名。在肩謂之獨碌尒矢葛

ペインステルレン
Pynstellen

布刺綸在手謂之矢刺偪刺在膝謂之我納偪刺在脚謂之剥達偪刺又白虎歷節痛謂之拂里健垤伊偪多蓋走痛者為熱毒留痛者為寒毒此由濁液涂著於筋脈而所致也療例或驅發或疏散或寒凉或溫熱或瀉利或滋潤宜隨症處方也

解痛劑主諸痛熱多去附加桂毒多加石蒜更可

續断十戔　漆葉三戔　附子五分　砂糖十戔

右四味。以水醋各半。煮熟去滓。頻頻服。

又劑　野薔薇實三錢　接骨葉二錢　牽牛子四錢半生半炒　鳳仙實一錢微炒

右四味。研末。醋水各半湯。加砂糖十錢。調勻送下日三次夜二次。以痛解為度。

又劑主風毒血痺諸疼痛者　當歸　白蠟各四錢　漆葉二錢　甘草五分

右四味。煮熟去滓。分溫服。

チンクチウル TINCTUUR.　ゲブラント GEBRAUD.

蘭療ノ

又散　療風濕痺痛或走痛及痰飲結痛　羊躑躅花酒蒸為末

右件砂糖二拾戔酒二合調匀每服五分日二次以痛解為度

黑霜方　主風湿瘡毒諸痰痛或痢毒痔瀉或諸吐血瀉血又傳貼留腐止血為妙也

蝦蟆燒存性二兩　胡微的一戔　漆葉二戔半末

右三味每用一戔或二戔白湯加燒酒服日一二次以痛解為度

酒劑　治濕痺濕疝血液不足及瘡毒内伏筋肉痰痛等　躑躅花二十戔

リニメンキュム　ストーフセル
Linimentum. Stoofzel.

烏蛇條一　天雄四戔　肉桂　宿砂各十戔　砂糖一斤

右六味。以燒酒四百戔。釀一七日。漉取頻頻服。

熨劑　治風濕疼痛及脚氣鶴膝血痺委弱等　接骨木二百戔莖葉同用之

韶腦二十戔　食塩百戔

右三味。以燒酒四百戔。煮熟布釀屢熨。熨後塗猪油為可。

陸方

的列並底那油二戔　燒酒四戔　硇砂精

蘭療方

一錢製硇砂精法。硇砂三十錢。片腦一錢。番椒一錢臭橙醋三錢。各研調以蒸爐取之。密器貯勿使氣脫也　右件調匀。用布釀疊重三襲。掩著痛處。當發微紅為驗也

又方　療諸疼痛者　鮒魚生一尾　没藥四錢　米醋少許　右三味。研如膏。貼痛處。

カンピュルウイン
CAMPHOR WYN.

韶腦酒　治筋肉麻痺冷痛者　韶腦四錢燒飛　丁香二錢研　燒酒八十錢　右三味。調匀。煮熟塗之。

韶腦油　治諸血燥攣拘疼痛者　韶腦四錢燒飛　清油四十錢

カンヒョルヲーリ
CADPlURolI。

猪油戔二十　右三味調匀微火煮。以塗患處。

食療

河豚不拘多少。以淡塩味煮熟頻食鮮血絡寛骨筋為妙

發劑治痛有表者　寒劑治壓節熱痛方見傷寒　者見同證

瀉劑治實痛者　瀉濁劑治疼痛屬痰見同證　者見痰飲

驅毒劑主痰痛見微瘡　消毒劑主疼痛見痔疾　石蒜蒸

見痢疾　舎利別治筋疼痛　私的見吉窊的見見痼症

治諸痛猛烈百方無効者製造見大痲風

クウルーダランキ
KoeldarDK.

瘧疾

瘧疾。謂之黜先波先垤哥爾都。每日發謂之大傑禮窟設哥爾都。間日発。謂之安垤連大偶設哥爾都。三日発謂之垤児電大偶哥爾都。此由濕邪潛著於腑膜。以釀成列熱。致癖習起伏之候也。療例。先解邪熱。次截癖習。蓋用截劑。更解殘熱為要。如次年再発。則殘邪隱伏而所致也。

清劑　治瘧熱不解。或加哥爾都皮。
甜番椒　三分　爾沙蠻矢

五分。無則以常山一戔代之　柴胡二戔　甘草五分

右四味。以水四百戔煮取二百戔去滓。加醋二三滴分服。

又劑　肉桂　爾沙蠻失各五分　橐吾葉四戔

右三味。煮熟去滓分温服。

又劑主陰瘧或勞瘧等　瓦剌突瓦剌斯四戔以當歸芍藥代之

甜番椒一戔以肉桂代之亦可　爾沙蠻矢五分。以常山草葉代之亦可　天雄五分以附子代之亦可

コヲールツウェギテーメン
Koortswegteemen.

右四味。煮熟去滓、加燒酒、頻頻服。

截瘧方 治瘧熱癖習。輕者四五發。重者六七發服之

阿魏五分 大蒜一戔 草菓一戔

右三味。以燒酒糊。丸彈丸大。發日五更三丸

用冷酒送下。

又劑 爾沙鑾矢二戔以常山三戔草菓五分代之亦可 大蒜

甘草各一戔 右三味。煎熟湯成去滓、加燒酒、

發日蚤昧頓服。須臾當吐爲効。

エーテンゲチッセン
EETeDGEDEZED.

又劑　野薔薇實　接骨葉各二戔　大黃一戔

常山四戔　右四味。煮熟去滓。加醋頓服。須臾

當瀉爲効。

又劑　白芥子研二戔　百草霜　天雄各五分

右三味以醋調勻。貼百會。有試効也。

又吸毒膏製造見眼疾　加軽粉附子細末各五分。以貼

腎俞。及湧泉等。有試驗也。

食療

鮧魚不拘多少。以酒煮熟食。主効鮮骨膜熱。活腎腰脈

発劑主熱在皮膚者。方見傷寒。凉劑主或初熱。或餘熱倶用之。方見同證

寒劑主諸熱甚者。方見同證。貘郎篤班傑擗私的員主諸截方無効者。新汲水。五更呑下五七丸。治瘧聖方也。見喘息

石蒜蒸発日五更熨百會湧泉為妙。見痢疾

黄疸

黄疸謂之瘤兒須窟突。凡人身為膽府。藏蓄黄汁。黄汁從膽脈降。而入十二指腸。十二指腸者

カラールソイール
Klaarzuiver.

託居於胃下口。而泌穀以製大便之職官也。若或濕邪襲入。以激乱膽脈。或膽府衰弱以失其分。則黄液浮乱於肌表。遂致此證也。療例。清澄膽府。涼解肌肉。發開汗孔。疏通膀胱。宜隨症處方也。

清澄剤 治諸黄疸

槖吾葉 四錢　黄連 二錢　石决明 五錢 去麁皮　肉桂 一錢

右四味。煮熟去滓。加蘿蔔汁頻々服。

Eeten Gedezen.

蘭療方

又劑　茵蔯四錢　石决明二錢　肉桂一錢　諳厄

利斯塩五分　右四味。煮熟去滓。加臭橙醋頭

頻服。

食療

鯉魚以燒酒煮食　黃雌雞以塩梅煮罨食

驅尿劑主濁液侵腨脛者見水腫　滲濕劑主前證見皺瘡

水腫

水腫謂之哇的爾須窟突。大抵辨三因為要。一

則或熱邪或寒濁窒塞膀胱以致溲便不利者是也二則諸虛極生化諸官失其職仍羅絡自畣蓄水濕者是也療例實塞者或疏利膀胱或通開大腸虛閉者或徤運臓腑或分利水穀宜隨證施治也

ONT BINDEN.

解散劑主腫在表者　桂枝　白芷各一戔　可喜黑炒四戔

右三味煮熟去滓加燒酒調匀頻服

驅尿劑主腫滿小便不通不拘虛實服之　桑葉灰汁六十戔

ピスデレイヘン
PISDLYVED •

ンケンウエッケルフルーグテーヘ
MAAG verkwekken •

蘭

紅豆炒四戔 桂枝一戔 可喜カラヒイ三十戔無則大麥代之可

右四味煮熟去滓加燒酒調匀頻々服

又劑 硬飯炒四戔 瞿麦二戔 大麦炒五戔 萓

草根三戔 右四味煮熟去滓加臭橙醋頻々服

又劑 主前證 奇良炒 商陸 紅豆炒 可喜

炒過各三戔 右四味煮熟去滓分溫服之

健胃劑 主臟府衰弱小便不通者 鐸落都稀漢傑里應格爾

列斂見健忘四戔製造 大麦炒五戔

ゲドロウグキユンデン　フルウインゲ
Ge Droeg Bunden.　Vel wine.

右二味。煮熟去滓。加桂枝油。分溫頻々服。

健胃酒主前證　肉桂　宿砂各二十戔　洎夫藍一戔

菴羅菓四戔　砂糖二百戔　燒酒四百戔

右六味。調勻經一七日。漉取。每服半戔。日三

次。劑盡為度也。

除濕術療諸水濕病速驗不可言也　用帘褁被。被下敷石灰

許多。使病人臥其上。被濕則屢易為可。

通尿劑主濕熱內鬱小便不通者。見小便閉　又劑見脚氣　除

濁劑主尿道有濁液者見痢疾　滲濕劑主同證見黴瘡　瀉水劑主小便癃閉者見大便閉　驅水劑見脚氣　運胃劑主胃虛尿不利者見健忘　酒劑主前證見痛風　活真酒主同證見中風　健胃酒主同證見胃虛　桂枝酒主同證見藥觧　麥酒主同證見脚氣　大蒜膏主同證見膈噎　熨方不拘虛実見痛風　又方見難產　石蒜蒸主虛腫熨蒸臍及小腹見痢疾　浴湯主尿不通諸方無効者見小便閉

痰飲

ツルウベルウイトデレイヘンデ
TRoeBeL UitDRYVeDDe.

痰飲謂之拂律飲。此由設乙奴机里尓支欝不利。遂濁液膠凝粘稠而所致也。若變化則或頭痛。或目眩。或耳鳴。或咽腫。或嘈囃。或嘔吐。或結核。或麻痺。或癱瘓。或夢怪。或発狂。不可一一名狀也。療例先驅痰追飲次疏神經即設乙奴清机里尓又隨變化候處方為要也

驅濁劑 主痰飲胸塞。及留飲腹鳴等 金櫻子 接骨木。白芥子。 生姜各等分 鐸落都稀漢斯蔦福烏突

三分

右五味。煮熟。去滓頓服

カラール ソイヘル
Klaar zuiver.

清澄劑 主咳喘聲嗄及喉腫 喉腫加桔梗為可

欵冬根 三戔 鉛霜 三分 薄荷油 姜汁 各三滴

右四味。先煮三味。湯成去滓。内鉛霜。調匀服。

ピュルゲール
Purgeel.

瀉濁劑 治飲澼胸痛。痰結骨痛或痰塞狂惑。或痼瘕失心。或癲癇昏倒或風毒疼痛。或狐狸邪祟等。

野薔薇實 白牽牛子 甘遂 大戟 大黄 鐵砂 風茄児 各等分

右七味。研羅。強人一戔。弱人五分以砂糖湯

加焼酒送下

解痛劑主身躰疼痛見痛風　滲濕劑主留飲見黴瘡

除濁劑主前證見痢疾　湧吐劑主胸痛狂惑等見胸痛

吐濁劑見癇證　除濁劑主痰飲逆氣多者見眩暈

大黄水主濕痰見黴瘡　大蒜膏主胃腸衰弱痰多者見膈噎

胡微的蔑母傑設兒主禎痰變諸證者見黴瘡

虫證

虫證謂之胡兒綿此由過食腥滑油脂漸鬱蒸

フホールド ウユルメン ドーデ゙ヂン
VOOIDE WUIMEN DOODENEN.

以化成諸虫而或面黄少氣力或腹滿時疼痛。

或胸硬嘔吐。或微熱起伏者即是也。療例。攻擊

虫塊。除却腐液。利和胸腹運化脾胃。調養良液

是爲大略也

殺虫劑　金櫻子　二戔　大黄　一戔　尔ルバ沵ガ蠻ウ矢ヒ　五分。

無則以海人草

苦楝皮代之

右三味。煮熟去滓。加醋二三滴頓服。

逐虫丸　史君子　三十箇去殼生用　川楝子　二戔　黑

ウルメンピッレン
Wurmenpillen.

ガルフルメンゲセル
Galvermengzel.

魚一戔。說見蘭療藥解　尓沙蠻矢二分無則以胡黄連烏梅代之

右四味。研篩以醋糊丸。減飲食。每用一錢。日三次。以虫下為度。

五膽丸 療大人勞熱。小兒疳虫。或咳痰心悸。或骨热盗汗。四肢羸瘦等。

野猪膽八戔　鯉魚膽浸黄柏粉晒乾五戔　鰻鱺膽八戔

蝮蛇膽　熊膽各四戔　雞舌香　蜜香　藍板　尿石　奄羅菓各四戔

右拾味。研篩以焼酒糊丸。桐子大。或五分。或

三分日三次以哥喜湯無則太麥炒黑代之送下劑盡更製之連服以取効也

驚風

驚風癇瘈諸角弓反張攣急謂之蕃對布的列金倔此由邪熱侵神經及諸筋脉真元不能勝任而所致也療例或解邪熱或鎮衝氣或利氣道或寛筋脉又實者攻擊以挫重勢虛者温養以呴真陽宜随證處方也

テリアッカ
THeRIACA.

的里亞迦療大人卒厥。小児発驚。或疫毒瘴邪。或頭痛痰咳。或嘔吐下痢。或瘟毒。酒毒或胸悶痞悶。或腹内疼痛。若熱湯加醋送下。若厥冷者熱湯加焼酒送下。大人弾丸大。小児減之。如徳亞西有国名達馬斯谷。能製此薬。近時紅毛人於咬𠺕吧多製之。然不如達馬斯谷所製也

蝮蛇　黒炒百戔。法生活者浸焼酒三日去頭尾血筋腹内充纏紅花。縫合内土器塩泥密封以炭火焼一伏時為度。又聚蝮蛇膽以製造此為最佳之品也

大薊根　三十戔去皮陰干　没薬　二十戔　百薬煎　八十戔　款冬花　五十戔山中自然生多苦味者陰干　甜椒　三戔

スチルレーンデプゥデル
StILLeII De Poe DeR.

蘭療方

華茇二戔 雞舌香四戔 蜜香四戔 肉桂四十戔
麝香一戔 龍腦四戔 右十二味。細末調蜂蜜。
擣萬杵。次加燒酒。再擣萬杵。內礶密蓋。埋土
中百日為度。

鎮方 治諸驚證。及氣逆悸動者
蝲蛄石各一戔 辰砂一五分或加黄連一戔有試驗也 珊瑚 琥珀精
右四味。研篩。每服二分。白湯加薄荷油二滴。
調匀服之。

フルクウイッケンデミツテル　サルホラチーレ
Velk wikkend de middel. salvolatile.

又方　代赭石二両醋浸炒　硝石　沈香各一戔

右三味。研羅。毎服一戔。菩提樹露。或生姜湯送下。

泊尓福刺窒列　治産後血暈。及諸発驚卒厥等

硇砂精十戔　薄荷油五戔　大蒜根七戔研取液

右三味。調匀貯密器。用時先煮米醋二十戔。内泊尓福刺一戔。攪調以嗅之

活溌劑　治発驚胸窒不知人事者

泊夫藍五分　抜尓撒謨

[蘭療方]

蘭療方

三滴　薄荷油二滴

ストツプデレイヘンラ
Stofdlyvende・

右三味。先煮泊夫藍。去滓。如二味調匀分服。

托毒劑治諸毒内伏。発驚攣急者。瓦刺突瓦刺斯五戔

的里亞迦五分　右二味先煮一味。湯成去滓。

内的里亞迦調匀。頻々服。

発劑主風寒及痘麻致発驚者。方見傷寒。　寒劑主諸大熱発驚者。方見同

證。　瀉劑主角弓反張甚者。方見同證。　瀉濁劑治発驚猛力者。

見痰飲。　鎮真劑同見失心風。　逐癇丸同見癲癇。　復

陽剤主発驚属陰者方見卒厥　五膽丸主虫動発驚者方見虫證

舎利別主癇痰攣拘。寛気催眠。以阿芙蓉剤麝香湯送下。方見癇證

主前證見癇證　脳泊耶胡主昏晦気脱者方見卒厥　喚気散

主気息不通者方見縊死　鎮血剤主血気上逆見難産　安魂剤

見煩悶

癲癇

癲癇謂之発連瑆西乙的。此由濁痰飛登。衝入脳宮神真所舎神識昏晦而所致也。此病属頭巓故名以癲字也

療例。驅逐痰飲。鎮降翻氣調和設乙奴神氣活動通路

運環机里尔。胃液化製要物為大要也。

ハルレレマレデスチルレロデ

VaLLeDD StILLenDe.

鎮癇丸　反鼻膽二戔　大黄四戔醋浸晒乾　鉛霜無則

以水銀蠟代之　雌黄各二兩　麝香二分　龍腦一戔

斯篤福突三戔　右七味研篩。以生漆調匀為

丸。每服三分用燒酒送下。日三次。省念慮。要

酣眠。至一七日為度也。

又丸　鐵砂　大黄醋浸炙乾　蟾蜍去腸內水蛭十八條。縫合

且炒。各八戔　鯉魚膽一戔　右四味。研篩。以酒糊丸。每服一戔。溫酒加砂糖。調勻送下。以九盡為度。

鎮癇丸 主陽證見癇證　五膽丸 主陰證見虫證　吐濁劑 主實證見癇證　湧吐劑 見胸痛　瀉濁劑 主實者見痰飲

貎郎篤班傑拂私的貞 治癲癇。每一丸。砂糖水服。七日為度。製造見喘息

癇證

ガルフルツイヘレンデ
Galversulvelellde.

蘭療方

癇證。謂之喜剝昆琨兒。此由膽腑衰弱不清潔所謂膽汁敗黑病即是也。所以或孤疑。或恐懼。或惑迷。或嗔怒。或悲哭。其情態無常。痴愚不可言者即是也。

療例。清澄膽腑。通調神經。兼滋養血液。又如病人實者與吐劑以取痰物。是亦清膽之一計也。

清膽劑主喜怒悲笑。意志無定分。或加麝香更效。　秋海棠汁五錢　莖葉同搗絞取。　大黄汁二十錢　猪膽一錢　燒酒經久亦可　四十錢

右四味。先溫二味。内海棠猪膽調匀。

ハルレンデスチルレンデピッレン　VALLEDDSTILLEDDEPILLED.　ボッリユヘ　BORUS.

分頻々服。每日製劑。至七日為度。

吐濁劑主癇痰或癲狂或胸内痰痛崎陽譯人某傳曰。吐濁劑二戔。紫丸三分。調匀服之神效不可言也。

胡黃連　竹節人參　苦參

山梔子各一戔。或加黃柏一戔。更有試驗也

右五味。研羅。強人二戔。弱人一戔。塩湯加蘗蔞汁頓服須臾當吐。吐後與塩湯。且吐且與。吐定為度若不定者。麝香湯。加姜汁服之。

鎮癇丸主癇狂猛力多言者

莨菪四戔　蕃草實三戔　鉛

セイローフ
SYrooP.

霜五戔　薑黃三戔　右四味。研篩糊丸。每服一戔。日三次。以温酒送下。

又丸　風茄児一戔　蝮蛇三分

右二味。研篩。調酒頓服。

舍利別（セイラツプ）主膽腑衰弱。喜怒失常。或夜眠不安。或氣逆悸動。或咳喘不解。或溏瀉不退。或婦人崩漏。或男子遺精。或小兒遺尿。俱服之。

罌粟芭二十顆　雞舌香　川芎各二戔　砂糖百戔

右四味。以燒酒五合。浸三味。經宿。煎減二合。

ロウダニウムリグイジュム
loudanum liquidum.

去滓入砂糖。更煎膠凝為度。每服弾丸大。以温酒或桂枝水送下。

阿芙蓉剤主癇瘨発狂。四肢拘急。或諸疼痛不寐。或久瀉腹痛等。

阿芙蓉三分　焼酒二十五戔　右二味。研調頻々服。

鎮真剤主氣逆多言見失心風　又剤主神氣惑乱見衂血

除濁剤主膽腑不清見眩暈　瀉濁剤主前證見痰飲　湧吐

剤主膽汁敗黒症見胸痛　安魂剤主癇瘨心煩。見煩悶　鎮安

剤主癇病氣逆見悸動。眩暈　五膽丸主癇症或鬱火起伏。或氣逆悸動。及

變化諸症。見蟲症

鎮癇丸　主癇病變化諸症見癲癇

寛筋膏　主癇瘈筋攣痰痛見大麻風

失心風

失心風謂之獨尓歇意驚。此由人務勞倦加之有驚動失意而所致也。又有瘀血頑痰妨於神經原。在腦裏即意識所依託之處也遂致狂惑者。療例鎮降驚氣安頓真神或屬痰與血者。吐瘀瀉濁以挫重勢亦為可。

ムウ デ スチルレン ミッデル
Moe De stilleN MiDDel.

鎮真剤　大黄　鐵砂各一戔　藍板五分

右三味。煮熟去滓加醋。調匀服之。

又剤　降神香　無名異末各二戔

右二味。先煮一味。湯成去滓内無名異。調匀服之。

又剤　瓦刺突（ガラット）瓦刺斯（ガラス）三戔　辰砂　琥珀各一戔

野猪膽三分　右四味。先煮瓦刺突。湯成去滓。入三味。攪調頓服。

吐濁剤主猛実者見痫症　瀉濁剤主同症見痰飲　鎮血剤主血氣上逆見難産　安魂剤見煩悶　舍利別主由驚動失意而起者。麝香湯加焼酒。調勻服。見痫症

中風

中風謂之藍密拂黑獨。卒中風謂之私毫布西乞。此由設乞奴此翻曰神經線白色粘滑。如絡遍身。而主知寒暖痛痒。蓋漢人未論及之物也。机里爾液此翻曰靈化液原根曰大机里尓。形如大舌。而暗紅。託在胃下脾与十二脂腸之間。而主職製化液氣滋養遍身。是亦漢

フルケウエッケンデミッテル
Verkwekkende Middel.

人未論及之物也。俱衰弱。以失生化之分配。或四肢麻痺。或口眼喎僻。或語言堅澁。或骨節失機關者即是也。療例疏通設乙奴。運循机里尒。以化活血液。為大要也。

活真劑 主神經線不利者

天雄五分浸醋一夕炮之　肉桂一戔

椶櫚實二戔浸燒酒曬乾　湑夫藍二分　麦芽黒炒二戔

右五味。煮熟去滓。加燒酒頻々服。

又劑

毋爾那亞傑兒三分說見健忘　傑里應格爾

ニースフル　ウエッケン
nies ver wekken.
フルーウイング
ver wiing.

列斂二戔說見同症　黄芪一戔

右三味。煮熟去滓分服。

活真酒主腎脉不足。腰脚冷痹或男子遺精。或婦人帶下等

附子十戔　桂實十五戔　胡椒二戔　白斂二十戔　泊夫藍一戔　砂糖　右六味。釀燒酒四百戔一七日。

漉去滓。每服半戔。日三次。酒盡爲度。

誘嚏方主口眼喎僻者

瓜蔕三分　麝香一分

右二味。研篩。以鼻吸入。須臾當嚏出。爲驗也

ストフセル
STOOFZEL.

熨法 治口眼喎僻。先掌中塗蓖麻油。次藥碗入熱湯。以握熨喎僻在右則熨左。在左則熨右。朝午夕三次。至一七日為度也

活真劑 主設乙奴不足見健忘

運胃劑 主机里尓不和見同症

澄血劑 主血液不利見痘瘡

健胃丸 主机里尓衰弱見胃虛

健胃酒 見同症

酒劑 主血液不足見痛風

大蒜膏 主胃虛或腹皮麻痺見膈噎

葱白膏 主前症見陰痿

的里亞迦 主神經不利者見驚風

韶腦酒 主冷痺見痛風

韶腦油 主血燥麻痺見同症

和痛油 主口眼喎斜及疼痛見湯火瘡

熨劑 主血

痺瘵弱見痛風　又剤見難産　復陽剤主卒中昏睡見卒厥

腦泊耶胡仝見同症　喚真剤仝見傷損　喚氣散仝見

縊死　泊尒福剌窒列仝見同症

健忘

健忘謂之栗窟篤拂尒瘤黙獨黒乙獨犬凡由人思慮妄動以設乙奴煎熬房勞過多以良液涸竭延致机里尒衰弱遂神識不能振而所患也又有痰血頑痰妨於神經遂致相類之症者

フルクウエッケンデミッテレン
Verkwekkende Middelen.

辨別施治為要療例活溌神經運動胃腸兼滋養良液其屬血与痰者吐瀉濁等劑宜随症處方也

活真劑　治諸倦怠或虛氣悸動者

鐸落都抪漢毋尓那亞傑兒　三分。蠻物。用雜舌香為主。聚合諸氣藥以製造。蓋運活設乙奴妙物也。若無則以附子桂実雜舌香的里亞迦代之為可

斯篤福烏突　琥珀

沉香　各五分　野猪胆　二分　右五味。先煮四味。去滓加野猪胆及燒酒。調匀頻々服。

デンクウエックウルクフーグミー
DeKKeDDe weKKe Verk ...

蘭療方

運胃剤 治胃虚變諸症者。脾胃動轉則机里尓润活。机里尓润活、則設乙奴亦活溌也。

鐸落都捬漢傑里應挌尓列斂 一戔薹物用窩砂為主。聚合諸化穀品。且煎熬以製造也。無則以宿砂神曲。桂実香附子等代之為可。

檳榔 四戔 可喜 四戔炒黒。無則以麦芽代之。 右三味。内生姜一戔。煮熟去滓。分温加焼酒。頻々服。

吐濁剤 主痰飲妨脳宮。使人喜忘者見痫症喜忘者。見傷損 清血剤 主有痰血使人 瀉血剤 主前症。見大麻風 桂枝酒 主前症。見

薬解

カラールソイヘレンテ
Klaar zuivere de.

虛勞

虛勞謂之格尓必叔。此由神心欝結。念慮妄動。或房勞過多。或飲食失度。或勞力背分。或寒暖乱節。而設乙奴欝塞机里尓膠凝。咳痰激動。血液燥竭即是也。療例活通設乙奴。滋養机里尓。清澄陰热。滋化血液。蓋病初起。速施治爲要。若經久則活氣既絶。血液亦尽。無如之何也。

清澄剤　主骨热。或加石膏地黄。若兼痰咳者。加款冬花白芥子爲可。　哥尓

サードフルソイヘレンデ
SaaD VeR SuIVeReD De.
ナットマーケンデ
Nat Maa KeD De.

都皮五分　茵蔯一戔　草菓　肉桂各五分

右四味。煮熟去滓。加蘗蔞汁。調匀服。

滋潤劑主血液燥竭者。　肉桂二戔　瓦刺突尾刺斯三戔

無則以生地黄代之　泊夫藍三戔　右三味。煮熟去滓。

加桂枝酒或麦酒。頻々服。

澄精劑主精液涸竭渴而眠者。　瓦刺突瓦刺斯二戔　尿

石　好茗各一戔　臭橙醋三分　右四味。先煮

二味。湯成去滓。內石茗。調匀服之。

活真剤主真元労倦者見健忘。運胃剤主脾胃衰弱飲食不甘。或胸腹痞満。大便溏瀉。四肢労倦者見健忘。清澄剤主虚熱起伏者見労瘵。

癆瘵

癆瘵謂之爹粼倔。此由天稟有設乙奴。神氣活動通路机里尓。食液化製要物筋骨脉絡五臓六腑。倶不足衰弱。遂諸液腐敗醸成一種悪熱而所致也。又有癆熱醸成奇虫者。人以為虫致労。何知労致虫。所謂虫者非是病原也。癆多延類。故人謂癆虫傳染而實不然。熟試以同姓族致同症。譬猶療例。活湲設乙奴運化机癘風延類者然矣。里尓。驅除悪虫。清澄毒熱。蓋病初起。要速施此謀。若經久活氣竭尽。血液大敗。則不可治也。

テーリングピッレン
TEERINGPILLEN.

逐癆丸 療諸労氣血衰弱者。活湲設乙奴。運環机里尓。実労療之聖方也。

蛇屎 四戔。取屎法。堀土作坑内蛇四五條。餌之以酒蒸飯。炙肉膂等。經久則有屎。聚取任用也

秋石 製見綱目

黒魚 説見蘭療薬解

肉桂 各十戔

蠻紅花 一戔

麝香 三分

龍腦

鰻鱺油 以底滴爐取之 各五分

右八味。研篩。以焼酒糊丸。桐子

カラールツイヘル
Klaas Zuisler,

大每服三分或五分朝午夕三次以塩湯加臭撜醋送下。

清澄剤主骨蒸労熱。或疲熱壊症。或瘧熱不鮮等　柴胡二戔　亀甲一戔　尿石　草菓　肉桂　奄羅菓各五分無則以烏梅代之　右六味煮熟去滓。分温頓々服

宿砂煎主胃弱見胃虚　清涼剤主骨熱見虚労　清澄剤主痰咳見痰飲　活真剤主神経衰弱見健忘　運胃剤主胃腸衰弱見同症　滋潤剤主血燥見虚労　昆設尓拂解見薬

ウヲーテルトレッケン
Watertrekken.

溺死

溺死。謂之哇的尒窩弗尒列乙甸療例。以喚水散吹入鼻孔。逆舉動搖。當吐水許多。更以醋吹入。再逆舉動搖。當復吐水許多。仍與蘿蔔汁及復陽劑。食以麦粥為可。

喚水散　藤實一錢去殼末　瓜蔕五分　細辛二分

右三味。研羅調勻。以管吹之。

復陽劑　主陽氣衰脫。加燒酒服之。見卒厥。　喚真劑　主前症。見傷損。

喚氣散主活氣窒塞見縊死　的里亞迦主同症見驚風

腦泊耶胡主同症見卒厥　泊尔福剌窒列主氣息不通者

見驚風　桂枝酒主前症見藥解　麥酒氣息通後服之。見脚氣

縊死

縊死謂之粵的吉越粵兒頻獨須的尔邊療例。

抱擧縊人。以解繩。使之仰卧。左手掩口鼻令氣含畜

右手搯和喉嚨令氣通伸更令一人挽髮提起真氣以喚

氣散吹鼻孔。与復陽剤。蘇後以熱粥調養為可。

フルクウイッケンデ
Verkwikkende.

嚏氣散　麝香一字　龍腦三分　薄荷塩一字

右三味。研調。每用一分。吹鼻竅。當嚏而蘇也。

復陽劑見卒厥　嚏真劑見傷損　的里亞迦以

桂枝酒服之見驚風　腦泊耶胡見卒厥　泊尔

福刺窒列見驚風

卒厥。

卒厥。謂之設印哥百（セインカツペ）。此由或痰飲。或瘀血。或虫

現。或食積。俱窒塞於神經線。及驚動失意真神

フルウアルメンデ　ミッテル
Verwarmende Middel.

昏晦而所致也。療例或復真陽。或活神經或退痰飲或吐食積或驅瘀血或逐虫塊宜隨症以處方也

復陽劑　主大人卒厥小兒陰癇及諸急症痰厥加白芥子姜汁。食厥加可喜宿砂。瘀血加桃仁玄胡。虫症加烏梅蜀椒。

天雄浸醋晒乾五分　泊夫藍三分

蜜香五分　丁香油三分

右四味以水八拾戔。燒酒三拾戔。先煮三味。取四拾戔。去滓。加丁香油。調勻頻々服。

蘭療方　一三

ノヲサキタ
Masaiarae

腦泊耶胡主諸卒厥。提起真元。活潑神經。天竺製造為最佳。紅毛製造次之。而今不傳製造。故姑隨譯人所造任用亦為可。

船来。故姑隨譯人所

膽　烏蛇膽　泊夫藍各五分　天雄　胡椒

麝香三分　龍腦　熊

柑柗　黄連　宿砂　乾姜各一戔　陽起石

四戔　藿香青葉　甜番椒　肉桂各二戔　沉香

蜜香　百藥煎　雞舌香各三戔　右十九味

碾末。糯米糊丸。金箔為衣。或二分。或三分以

生姜湯。加薄荷油送下。

喚真劑 見傷損　安塊劑 見煩悶　瀉濁劑 主痰廢見痰飲

驅血劑 主痰血衝逆見傷損　瀉血劑 見經閉　的

里亜迦 見驚風　喚氣散 見縊死　泊児福剌室

列 見驚風

痘瘡

痘瘡。謂之金垤児扑窟(キユテルポツク)。此為人身因地一発臓

内悪毒。蓋与時運疫毒感動而所患也。療例。放

苗則疏散為常。従起脹至灌膿則托毒化毒為

ストロフヲイトテレイオヘンデ
StoFfuitDIJvende•

可。如結痂後。則解毒兼滋血爲要。或毒太多。則始發急刺尺澤委中。兼與攻擊劑亦爲可。毒輕者不可必拘池。

托毒劑 痘放苗後用之可。

王不留行 穿山甲各二戔 泊夫藍三分

右三味。煮熟去滓。加燒酒分温頻々服。

又劑

的里亜迦三分 野蚕茵一 蘩根一戔

右三味。先煮二味。湯成去滓。内的里亜迦。加

カウルツライトデレイヘン　ブルウドソイヘレンデ

KOERTS UIT DRYVED.　BLOED SUIVEREDDE.

燒酒二三滴。調匀分温服。

澄血剤主起腹灌膿。氣滯加黄芪 肉桂。血滯加牛角地黄。　王不留二戔

甜番椒無則以肉桂 丁香代之　芍薬　紅花各五分

右四味煮熟去滓。加燒酒。分温服。

寒解剤主毒熱煩躁者。或加蘗薑汁二戔　可尓都皮五分

尾刺突尾刺斯三戔。無則以生地黄代之

右二味煮熟去滓。分温頻々服。

滋潤剤主血液乾燥或餘毒内伏者　尾刺突尾刺斯三戔

ナットヘーケニデ

黄連五分 犀角五分細末 右三味。先煮二味。去滓内犀角調匀頻々服。

發劑初熱用之。見傷寒 涼劑主放苗熱不退者見同症 寒劑主毒熱太多見同症 滋潤劑主血燥見虚勞 瀉劑主熱多欲驚者見傷寒 托毒劑主毒内伏見驚風 活真劑主真元衰弱見健忘 活潑劑解熱定驚見驚風 安魂湯主心煩見煩悶 清膽劑主真氣煩乱見痌症 喚真劑主厥冷見傷損 復陽劑主同症見卒厥 運胃劑主胃虚見健忘 清澄劑主餘熱不

シケルプテヲイドデレイヘンチ・
SCHLPTeUIT DRYVeDDe・

解。見虚労

的里亞迦　主腹不満者。見驚風

解毒露　主毒熱太多。見黴瘡

麻疹

麻疹。謂之麻。設連此為亦因地一発。腑内疾毒。与時運一種悪疫相搏而所致也。療例散熱清毒為主。或伏毒腹痛者。瀉毒亦為可。唯如熱剤則始未不可倶服也。

発毒剤　主初発疹者

獨活　藁吾各三戔　鼠粘子二戔

右三味。煮熟去滓。分温服。

フルーザグテンデ　クウルダランキ
VeRZagteDDe. KoeLDRaNK.

又劑主疹毒表鬱者　防風一錢　桂枝五分　漆葉三錢

右三味煮熟去滓。分温服。

清涼劑主疹発後鬱熱多者　哥尒都皮　鼠粘子各二錢

右二味煮熟去滓。分温服。

和解劑主疹発後腹痛者　臭橙皮四錢　蜜香一錢

甜番椒五分。無則以胡椒代之　麦糖四錢

右四味先煮三味。湯成去滓内麦糖。調勻服。

涼劑主初熱見傷寒　寒劑主熱多見同症　寒解劑主熱多血

燥ニ見ニ痘瘡ニ　滋潤劑主ニ液燥火盛ニ。見ニ虚労ニ。　又劑主ニ同症一見ニ痘瘡ニ

活潑劑主ニ毒欝ニ見ニ驚風ニ　托毒劑主ニ毒内伏ニ見ニ前症ニ　瀉劑主ニ腹痛ニ見ニ傷寒ニ

的里亜迦主ニ毒内欝ニ見ニ驚風ニ

癜風

癜風。謂ニ之窩牟羅布ト。此由ニ痰濁頑凝ニ。或黒紫。或赤白。有ニ色無ニ瘡者是也。療例黒紫及赤者。傳貼或刺絡瀉血為ニ可。白色者。傳貼兼ニ与活血劑ニ。刺絡瀉血為ニ不可一。

レグト　テーゲンギフト　ステルキウアーテル
LEG T. TeGenGIFt. SterKWater.

蘭療方

猛強露主瘢風白癬諸濕瘡等　丹礬二錢　石灰十錢

灰汁八十錢。製造見大麻風　右三味。調勻以文火煮。

取四拾錢陰之。以色減為度。

解毒散主瘢風疥疹諸頑瘡等　蒺藜子　皂莢　大黃

各等分　川芎　甘草各半減　右五味。研篩。每用

一錢。以溫酒送下。日二三次

貼方療白斑者　鉛霜不拘多少　番打麻同

右調勻。屢貼。自然消滅為妙。

驅毒剤主諸頑毒見黴瘡　消毒剤主諸湿瘡見痔瘡

滲湿剤主前症見黴瘡　大黄水主前症見同症　莃刺失

必太黙須主諸頑瘡以梅醋研調塗之製造見痔瘡　私的尓吉

窊的兒主前症甚者製造見大麻風　貌郎蔦班傑拂私

的員主同症燒酒研解屢傳製造見喘息

癰疽

○癰疽謂之翁蔦私爹金倔（オントステイキン）此由膏粱食毒及念慮

欝結而所致男多発背腹女多発乳胸前兆則

フルプラーチェン ストッフデレイヘンデ

VerPlaatsed. StoE DeyVeD De.

洒淅悪寒。或煩渴悪心。或筋肉攣急。有痛處者是也。療例。初発則解熱逐毒。瘡潰則和血抵毒。膿尽後活真養血。蓋瘡未潰而痛為實。甚者瀉之。瘡既潰反痛為虛。々者和之。是其大略也。

托毒剤 主癰瘡乳腫。或加野蚕蝮蛇午房子等。

尾刺突尾刺斯 無則以地黄代之二戔　薏苡仁　犀皮 無則以穿山甲代之　續断各一戔

右四味。煮熟。去滓分温服。

轉移膏 主瘡始発。随意轉移。轉移三寸為限。若過此限則藥力不徹也

ザルヘン
ZALVEN.

檜脂　靈砂（無則以水銀蠟代之）　大豆（各等分）　大黄汁（不拘多少）

右四味。研調。塗腫處以逐之移處則塗韶腦酒加蝮蛇末以延之。自然轉移為妙也。

傳方（主熱腫凝結者）

鉛霜（無則以煤及茗代之）　紫糖（各等分）

大黄汁（不拘多少生者研絞取）　米醋（少許）

右四味。同研調以屢傳之。

又方（主諸陰瘡瘸蝕者）

附子（黑炒）　蝮蛇（同末等分）

ベイトミッテル　リニメンチュム
BYtMIDDL. LINIMENTUM.

右二味。以野猪油。加焼酒。煮熟。乗熱醸筆以屢塗。知烈熱為度也。

塗方　蕨粉拾戔　鳩屎一戔　大黄汁四戔

右三味。以米醋二十戔。調匀煮。如膠貼之。

腐薬主努肉硬腫或取黒癒亦用之　蠅頭　雀屎　丹礬各等分　巴豆半減

右四味。焼酒研匀。貼瘡頭。黒癒則先刺。後傳為可。

又方主諸痰肉頑提者　毛莨生葉研二戔　葛上虫三筒

ゲーステリイキウアーテル
Geestelyk water.

右二味研調傅腐脫如意。

靈露主諸瘡腐蝕堅肉涵腐為妙　蟾酥二分　鷄子清一箇

烟草脂三分　右三味研調勻屢傅之。

発毒剤初起服之見麻疹　清涼剤主熱不解見同症

寒剤主熱多見傷寒　托毒剤主瘡難発者或加桂枝丁香見痘瘡

澄血剤主諸瘡膿難成者見同症　滋潤剤主諸瘡血燥見同症

滋潤剤主血竭毒心多見虚労　解毒露主大便難見黴瘡

塗方主瘡疼痛見痛風　石蒜貼主硬腫見疥癬　塗方

主前症見黴瘡 清涼貼 主腫痛見傷損 和痛油 主同症見湯火

瘡 的列並底那 和痛愈瘡見同症 稜尔撒毋 解痛

愈瘡見同症 尾胡刺爾度 解熱愈瘡見痔瘡 私的

尓吉窊的兒 破瘡去瘀見大麻風 須捺里馬黑私 主惡

瘡蝕腐去瘀肉生好肉屢墜之見黴瘡

疥癬

疥癬。謂之須屈兒沸突。是由湿邪游鬱於肌膚而所致也。療例疏表驅毒為要。或毒伏者托之。

スイゲン ウアーテル　ストッフライトドレイヘンデ
ZUYGEN WATER. STOF UIT DRYVELDE.

或毒甚者瀉之亦為可。蓋雖表淺之物。無頑毒甚於此。宜連用適方。以收効也

驅毒劑 主初中後俱用之。或始加酒製蝮蛇。後加黒炒奇良亦可。

蒺藜　漆葉　皂莢 各二戔

右三味。煮熟去滓。分温服之。

吸湿露 主湿蝕者。或傳腫瘡消散為妙

車前草汁　芭蕉葉汁。　桃葉珊瑚汁　槖吾葉汁 各等分

右四味。調匀。入礶密封。経久更可。

ゲーステレイキヲーリ Geestelykoli.　スポウルト SPoelT.　レグト LEGT.

靈油 主疥癬臁瘡及諸湿瘡　桐油二拾戔　部脳二戔燒飛

烟草脂五分　右三味。研匀傅之。

灌洗剤 主諸湿瘡煩痒。及凍瘡等。凍瘡者。以燒酒煑傳。　草烏頭十戔

番椒三戔　礬石四戔　右三味。以醋四拾戔煮

取廿戔。去滓屢灌。若湿蝕甚者。加丹礬少許。

更驗也。

石蒜貼 主疥癬煩痒。乳瘡腫痛。痰飲留結。黴瘡硬腫等。　石蒜根不拘多少

右一味。研如泥加醋少許。再研匀以貼之。

ステルキレゲトミッテル
StIKLeGtMIDDeL

又貼方主消腫逐毒　鉛霜　大風子油等分

右件同研調塗之有驗也

驅毒貼主頑毒蝕爛　鷄屎　烟草脂各等分　胡微

的馬篤少許蠻物說見黴瘡　右三味以桐油研匀以

傅次燒胡麻黑者為可薰之後二三日忌湯水灌

之。

驅毒劑主疥疹見黴瘡　滲湿劑主餘毒不解者見同症

凉劑主有熱者見癰瘡　托毒劑主毒不発尽者見痔瘡

大黄水 主痳疹不解者見黴瘡　解毒露 主前症見同症　霊露 主膿不尽者見癰疽　腐藥方 主餘毒凝結者見癰疽　大風子油 主痳疹不解者製油法見大麻風　尾胡刺兒篤 主煩痒者見海瘡　擀刺失必太黜須 主毒凝結者見同症　私的尓吉窊的兒 主前症甚者見大麻風　石灰貼 主疹煩痒者見疝氣　薫方 主膿不尽者見傷損　又方 主前症見痈瘡

黴瘡

黴瘡。謂之私斑説枇密。是由或感觸烟瘴湿蒸。

ストップフライドデレーヘンデ
Stofdrijvende.

或觸染賣妓穢惡。以內攢經久遂釀成此症也。

療例。毒在表者。驅発逐散為主。毒在裏者。疏通瀉利為主。又誤治經久屬黴勞者。解毒兼滋潤為要。蓋黴瘡為頑毒。要用王法取寛効。若用覇法促速驗者。反致廢痼之症。今滔々乎皆然也。

驅毒劑 主毒在腦膜頭痛加川芎

漆葉　崖椒各二戔　桂枝一戔

右三味煮熟去滓。加燒酒頻々服

又劑 主毒在筋骨疼痛

合歡皮　秋海棠　大黄各一

ウイッテメンゲセルー
Witte Medezel.

ツルーウベルーライトデレイーン
Troezeloltdrjven.

戔　白糖五分　右四味。煮熟去滓。加燒酒。分温服。

滲湿剤　主諸湿瘡連用為可　硬飯三戔　可喜二戔　白糖一戔　右三味。煮熟去滓。分温服之。

胡微的莪母傑設児　主黴毒入筋骨疼痛及鼻爛陰蝕等　胡微的馬突三分五厘。臺物無則用白々霜代之。白々霜製造見瘡毒錬丹論

大黄汁百戔　砂糖四十戔　右三味。研調分冷服。日三次。一七日。剤尽為度。

シユブリマーチュスメンゲセル
Suplimatusmengzel.

須摛里馬茂母傑設兒主前症更甚者　須摛里馬點
私二分。製造法。丹礬。水銀。硝石。食塩。礬石各
四戔以米醋少許研勻。燒飛如製生々乳
法須摛里馬試真假法。點石灰水中。紅恰如血為真也。　大黃汁百戔
蜂蜜四十戔　右三味。先研須摛里馬一時。次
合二味。更研一時。分冷服。朝午夕三次。一七
日服盡。禁忌魚肉酒酪餅油。食麥粥以調護
為可。

ヤラッパ
Jalappa.

亞辣捌　須摛里馬為物大孟烈也。故服後必用
此方。以解藥毒。或諸藥煩者。亦主之。加

ラバルバルウアーテル　　テーゲンギフト
Rhabarbar Water.　TeGeNGIFT.

蘭療方

芒硝更可　火炭母研一戔　蘗蔞汁生用搗絞取二十戔

大黃汁生用。五戔。若無則乾物煎取亦可。

右三味。研勻。分三次冷服。

消毒丸主黴毒骨痛寒湿脚痛等　鳳仙實　大黃醋製各十戔

桃膠　白糖各五戔　附子炒一戔

右五味。同研羅。以燒酒糊丸。如梧子大。每服三十丸。

大黃水主諸惡瘡頑毒不解　大黃三十戔　接骨葉二十戔

リニメンチュム　　テーゲンギフトウアーテル

Linimentum. Tegengiftwater.

石灰（三寒月浸水三旬。晒乾）　食塩（各二十戔）　米醋（百戔）

右五味。水三百戔同入蒸爐。煮取露百戔。每八戔。朝午夕三次。冷服。

解毒露（治諸瘡及打撲腫痛）　崖椒實（研）　大黄（各等分）

右二味。以陰陽炉。取露。加醋以傳患處或加砂糖。調匀服之。

塗方（主諸疼痛）　白梅（去核研）　檽膠（各等分）　接骨葉（半減）

右三味。調匀貼之。

エーテンゲチーセン
eeteII GeIIeeZeII.

食療　河豚以淡塩味煮食。解血絡寛筋骨使藥力能透徹。打撲折傷大麻風皆食之為可。

驅毒剤主毒在表見疥癬。　解痛剤主筋肉疼痛見痛風。

消毒剤同見痔疾。　寒解剤主毒熱在筋肉見痘瘡。　涼解剤見痱瘡。　瀉剤主毒内伏見傷寒。　驅血剤主毒在血分下者見傷損。　瀉血剤主前症見大麻風。　托毒剤主氣血衰弱毒難発者見癰疽。　又剤見疽瘡。　驅毒剤見痱瘡。　滋潤剤主血燥毒入骨見痘瘡。　澄血剤主血燥甚見同症。　酒剤

主毒沉痼見痛風　寬筋骨主筋骨疼痛見大麻風　舍利別治筋骨疼痛見痼症　貌郎篤班傑佛私的員主痼症見喘息

消毒丸主毒入骨見痳瘡　黑霜方主疼痛見痛風　灌洗劑主潰爛煩痒見疥癬　又劑見陰門煩痒　靈露主腐蝕煩痒見癰疽

猛強露主前症甚者見癜風　尾胡刺兒突主腐蝕者見痳瘡

揥刺失必太黜須主前症甚見同症　私的尓吉浨的兒主前症更甚見大麻風　鷄子油主蝕痛見傷損　和痛油主臃痛見湯火瘡　大風子油主蝕痛見大麻風　靈油

主前症見疥癬

的列並底那　主腫痛見傷損

稜尔檝母　主煩痛不解及蝕爛不愈見傷損

長肉油　主腐蝕不愈見傷損

清涼貼　主熱腫或濕爛見傷損

石蒜貼　主腫痛及蝕爛見疥癬

傅方　主熱腫見癰疽

吸濕露　主濕爛不愈見疥瘡

驅毒貼　主蝕脫煩痒見疥癬

接續膏　主腐蝕見傷損

墜方　主疼痛見痛風

熨方　主筋骨疼痛見難產

又方　見傷損

又方　見痛風

石蒜蒸　主筋骨疼痛及瘡腫煩痛者見痢疾

薰方　主濕爛見傷損

又方　主同症見大麻風

又方　見瘡

痔瘡方　主瘡硬腫不潰見癰疽

大麻風

大麻風。謂之黙蠢都齊吉。初起膚肉頑凝麻痺。或肌肉黒白班。或指頭巻攣。皆為前兆焉。雖是属癘毒与食毒。然全由父母傳承。血毒遠。加醫治為要。至眉毛落。眼目蝕。鼻腐指裂。則藥力難徹也。療例連用大風丸。或百日。或二百日。以試効否。其間随病人虚實。或一七日一次。或二七日一次。用殺虫散。以取血虫。虫尽則更用瀉血

カンフチヤノートピッレン
kanvoetlanotPillen.

散。以取痰血。蓋二散用後一日。服蓬砂丸。以鎮血热為可。又砭鍼以取痰血。亦隨虛實為要。仍禁忌房劳肉食酒餅臭惡。若犯禁忌則致劳復。不可治也。

大風子丸 白癩則加烏蛇一條

大風子八箇去皮浸酒一夕研　大黃五錢　雷丸　細辛　川芎　肉桂各三錢　龍腦　胡微的各一錢

右八味。研匀。酒糊丸。桐子大。每服三十丸。以灌送湯送下。

ヲンデルラーテン　ウルメンドーデン　スプウレン
Onderladten. Wurmendoodeden. Spoelen.

灌送湯　硬飯三戔　蕀藜　漆葉　桃仁
芍藥　木瓜　紫根各一戔　甘草五分
右八味。入姜。以水二戔。煮。取一盞。
殺虫散。　雚黄　欝金各五戔　大黄　金櫻子
牽牛子各十戔　吏君肉八戔　右六味。研羅。每
一戔。朝減食。以温酒服。々後當腹痛。瀉虫也。
瀉血散　金櫻子　大黄各三十戔　葛上虫十箇
蟹爪　干漆各四戔　右五味。研羅每五戔。夜

臨寐以温酒服。次朝空腹服二戔。當瀉瘀血

後食粥調養為可。

ゴウドレイムピッレン

GOUDLYmPILLeN.

蓬砂丸 主血熱諸症

蓬砂十戔 鉛霜 尿石

蛇木 蠻物。無則以紫檀代之。各五戔 鐵砂二十戔

右五味。研末。以醋糊丸。桐子大。每服一戔。日

三次。塩湯送下。

フルロークテ

VerTOOkte.

薰方 主瘡裂破難愈者

人言一戔 雄黄 辰砂各四戔

沉香二戔 黒胡麻三戔 百草霜二十戔

チヤノウトヲー リ　ウエンキベラーウ ゲ子ーセン
Tla Doetcli. WenkBtdauwGeneezen.

右六味研勻屢薰患處

療眉毛脱落方　銅粉　白鮮皮各等分

右二味研赤醋調先用柗葉點刺後塗之次日更白芥子半夏姜汁研調以塗連日交如前法至百日則當眉毛成也

大風油丸主癘風稍愈殘毒不尽者　大風子油法用子三斤去殼研爛瓷器盛之密蓋入滾湯中文武火煮至黑色如膏即是也　白蛇一條

辰砂一戔　胡微的五分　合歡木霜不拘多少　大風油

スプウルレイジンゲ　メラーツレーキウエギチーメン
Spoelleidinge. Melaatsziekwegneemen.

蘭療方

匀適可丸為要也。右五味。研調丸。弾丸大。每服三丸。日三次。以毒尽為度也。

断癘丸 主病差更服此丸。鎮蔵血熱。以防再発為要。或加胡微的一戔更為可。

大風子四十戔 柗葉十戔 琥珀四戔 珍珠一戔

蜜香 蓬砂各四戔 人中白二戔

右七味。研匀糊丸。每服一戔。日三次。以断癘灌送湯送下

断癘灌送湯 枸杞子二戔 木瓜一戔 大黄五分

アルツハンステルキウアーテル　スピールフルザグテンデ

Artsvansterkwater. Spiervetzagtende.

川芎　甘草各三分　生姜一戔

右六味。以水一盞。煮熟去滓服之。

寛筋膏　主癱風痰血凝結。黴瘡骨筋疼痛。痛風煩痛痌瘓筋攣等。崎陽訳人某傳寛筋膏一劑加腎氣丸二百戔。研勻分。一七日服。亦為可。

蚯蚓二百戔以燒酒二百戔浸之。三日。　砂糖一斤　右二味。研調分服。朝午夕三次。以溫酒送下。一七日服盡為度也。

私的尓吉窂的兒（ステルキワーテル）　主鵞掌頑癬。瘢風癱風。浸淫癮疹。及腐蝕。或生肉。或破瘡。又風毒寒湿疼痛反覆百方無効者。屢傳有験矣。蓋藥力猛烈無甚於此。唯浸灌用之。勿

誤內服也。礜石　砒石同煅　輕粉　巴豆各三戔

丹礬　礬石　石灰各六戔　灰汁百二拾戔。灰汁製造法。擣杉椿三樹。各等分。燒為灰五合。烟草脂四戔。用梅醋四百戔。煎取百二十戔。

右八味。調勻。內硝子器。密封。勿令氣泄也

又方　主諸頑瘡。疥癬。蝕瘡。難愈。又破瘡驅毒。　須揥里馬黙私二戔

丹礬　巴豆各三戔　黑鯖鈴頭　班猫各一戔

毛莨汁四十戔。不拘莖葉。擣絞取　右六味。研勻。內硝子器。密封為可。

大黄水 主血熱大便硬見黴瘡 解毒露 主毒熱不解。見同症

尾胡刺児突 主前症。見疳瘡 須[扌希]里馬茂母傑設

児 主頑毒在骨節見黴瘡 驅毒貼 主破毒。見疥癬 吸湿露

取淋濁見同症 石蒜貼 和毒滯見同症 霊油 主速愈。見同症

的列並底那 和血。見傷損 稜尓撒母 和血速愈。見同症

貎郎篤班傑拂私的員 主痰血太多。服拾餘丸必吐悪血。後将息。

見喘息

傷損 附金瘡

蘭療方　四十八

傷損謂之翁傑未葛。金瘡謂之馮獨。凡金瘡及折傷。含畜瘀血。醸成血熱。致大便秘。小便紅之候也。療例。逐瘀血解血熱為先。滋潤補澤為後。雖然如去血過多。則不可亦一槩拘也。若病人苦多渴。則作麥湯服之。又食麥粥以調養。經百日復原。食禁忌嗔怒大言大笑鹹酸熱酒熱羹等。勿飲冷水。血見寒則凝縮。遂致不可治之候也。

ブルウドソイヘレンデ　フルクウイッケンデ　ブルウドソイヘレンデ

BLOEDSUIVERENDE. VERKWIKKENDE. BLOEDSUIVERENDE.

驅血劑　大黃一錢　桃仁四錢　漆實五分

右三味。先煑三味。湯成去滓。內薄荷油。分溫服。

喚真劑 主真氣恍惚者。四支厥冷加乾姜附子。　蜜香二錢　肉桂

鷄舌香各一錢　泊夫藍三分

右四味。以密蓋銚煑熟。分溫服。

活血劑 主瘀血凝留者。　合歡皮四錢　王不留行二錢

肉桂油三滴　斯篤福烏突三分

蘭療方

右四味。煮熟去滓加燒酒三滴。分温服。

遏血劑 主血流不禁者

母伷蜜乙那三分無則以天靈蓋黑炒代之

可 沉香 梠花各一錢 食塩五分

右四味。先煮三味。湯成。去滓。入母伷蜜乙那。

調匀分服。

又劑 熊膽一錢 燒酒不拘多少 右二味。微火温

解。以灌傷處。或服亦可。

又散 主同症摻之 馬屎黑炒 石灰浸雪水三旬。曬乾各等分

ブルウドステルーペンテ

Bloenstelpende.

フレースフルザグテン　フルロークテ　エイエルヲーリ
Vleesverzadeten. Vellookt. Eyerolii.

右二味。研勻。以搽。或調卵清。以塗亦為可。

鷄子油　主傷損金瘡湯火燒爛等

鷄子　不拘多少。淪去殼及白。鍋熬用布絞取。

蜂蜜　燒酒　右三味。調勻以塗。定痛滅瘢為妙也。

薰方　主金瘡傷損速愈。

黒胡麻　不拘多少　鼠屎　少許

右二味。調勻。燒烟。薰傷處。經宿即愈。

長肉油　主諸瘡蝕脫肉不成者。

黄牛膽　燒存性一錢　鷄子油　燒酒　各二錢

右三味。調勻以塗。速驗也。

アーシーヱーレプレイステル　クウルゲスメールド

Aadeerpleister.　koelgesmeerd.

蘭療方

清涼貼主傷損熱腫湯火熱痛　銀臺根不拘多少。無則以水仙根代之

可燒酒少　右二味。研勻屢塗。以痛定為

度。

又方主打撲腫痛　崖椒　爾達草無則以蘩蔞代之。各等分

右二味。以醋研調。塗患處。

接續膏主打撲墜落筋骨痿弱者　黃明膠一錢　糯米

丁香各二錢　桂枝三錢　右四味。研羅。以酒醋

各等分。煮至凝膠。適寒溫。以貼患處。熱多減

バルセム　テレビンテイナ　ストーフセルキュンヂン

Balsem. Terebinthina. Stoofzelkunnen.

酒増醋。寒多減醋増酒為可。

熨方　主打撲折傷。或欲正骨則先熨之。次施手術後貼接骨膏為可。

詔腦四戔

食塩一合　焼酒一合　右三味。以水四百戔煮熟。醸布以熨至一七日為度。

的列並底那　主傷損腫痛。諸瘡疼痛。風毒肉痛。寒毒筋痛等。

杉脂一斤　麻油二十戔　片腦五戔　右三味。漫火煎。漉去滓内硝子器。密封。経久為可。

稜尓撒母　主傷損疼痛。悪瘡腫痛。長肉愈疵。此為聖藥也。

檜脂十戔

熊膽五分　琥珀七戔　乳香　没藥各五分

右五味。以亜設篤窩那油。文火煉熟。漉去滓。內壷密封。經久為可。

復陽劑主氣閉厥冷見卒厥。　惱沙耶胡主前症。見同症

的里亜迦主前症。見驚風　涼劑主血熱。見傷寒　寒解劑主血熱太多。見痘瘡　澄血劑主血氣凝留。見同症　墜方主諸腫痛見痛風　韶腦油主血燥筋攣。及疼痛。見同症　和痛油治前症。見湯火傷　解毒露主熱腫。見黴瘡　尾胡刺兒突主前

ペインスチルレンヲーリ

Pijnstillende olie

症見癬瘡

湯火傷

湯火傷。謂之希兒貌朗獨蝎意度。療例逐火毒。沽好血。痛多者。滋潤為要。痛既定。尚湿爛者。乾收亦為可。

和痛油　主湯火瘡疼痛。蓋滋潤聖方也。故血燥攣拘痛亦除墜之。

猪油　蜂蜜各等分　燒酒少許

右三味。調匀屢除墜痛處。以痛定為度。

ゲステレーケン
GESTREEKEN.

蘭療方

又油　鷄子油製法見傷損　蜂蜜各等分　燒酒少

右三味。調勻。上微火。適寒温。屢塗爲佳也。

和痛貼主浮爛煩痛　薯蕷不拘多少研　蜂蜜各等分

燒酒少　右三味。同研如膏。以塗痛定爲度

涼劑主血熱見傷寒　清涼劑主火毒。見麻疹　發毒劑主前

症。見同症　寒解劑主火毒多。見痘瘡　托毒劑主毒多見癰疽

塗方主疼痛。見痛風　清涼貼主瘀血凝結。見傷損　韶腦油

主疼痛。見痛風　長肉油主蝕脫。見傷損　吸濕露主浮爛。見疥癬

的列並底那（主疼痛。見傷損）秡尓撒毋（主瘡難愈。見同症）

尾胡刺尓多（主火毒多。或加蜂蜜調塗之亦可。見疳瘡）

犬咬傷

犬咬傷。謂之獨烈封是黒粤篤。被咬傷毒入腦神經（宮原）則成犬鳴致犬態遂促命期往々皆然矣。療法。急砭瀉瘀血。次以人尿灌浄。摻以丹礬末。仍与消毒剤。食以杏仁粥。禁忌房労飲酒。若誤犯禁忌。則恐有危變之候也。

テーゲンギフトウアーテル　テーゲンギフトミッテル

TeGeDGiFtWater. TeGDGiFtMiDDel.

蘭療方

消毒剤主犬毒蛇毒等　鐵砂研羅　枇杷實搗碎各二戔

右二味，調勻。以砂糖湯送下。

消毒水主諸獸虫毒。屢塗之　椰漆不拘多少　烟草脂少許

右二味，調勻屢塗。更椰漆半盞，加姜汁服之。

発毒剤主毒蠹。見麻疹　驅毒剤主同症。見黴瘡　寒剤主毒熱多。見傷寒　寒解剤主前症。見痘瘡　亜刺拶主同症。見黴瘡

通屎剤主毒熱大便秘者。見便秘　驅血剤主瘀血入心。見傷損

鎮真剤主発驚矢心風。見　驅毒貼破毒凝結。見麻疹　府齒

乘方主前症。見癰疽私的尔吉窊的兒主前症甚者見大麻風靈油主解毒愈瘡。見疥癬石蒜蒸主解毒薰目二三次。至七日為度。見痢疾

鼠咬傷

鼠咬傷謂之謨百斯黒奥蔦。被咬傷。則致危篤之候也。療法。先黐膠彈丸大。烟草脂豆大。同研匀以貼。次綿實燒烟薰之。仍作消毒劑服之。又犬毒諸方選用亦為可。

私的尔吉家的兒主諸悪獣毒虫咬傷。若無則丹礬以水研代之亦為
可。私的尔吉製造。見大麻風　消毒剤見大咬傷

蜈蚣傷

蜈蚣傷。謂之生獨百乙黒奥蔦。被咬傷則熱腫
煩痛。不可忍也。法烟草脂。以米醋研調屢塗。又
毒劇者。私的尔吉家的兒屢塗亦為可。

蝮蛇咬

蝮蛇咬。謂之遏埵兒黒奥蔦。被咬傷。則身熱心

乱致危篤之候也。療法。先灌人尿。次陰埊拗漆。及服之。又劇則陰埊私的尔吉察的児。無則蠅頭烟草脂。各等分。研匀埊為可仍作消毒剤服之。又大毒諸方、選用以服亦為可。

馬咬傷

馬咬傷。謂之把亞児獨黑粤篤被咬傷。則大热煩痛不可勝也。療法。先煮人尿以灌。次紫糖用燒酒解陰埊之。更午房子三十戔鼠屎一戔調匀

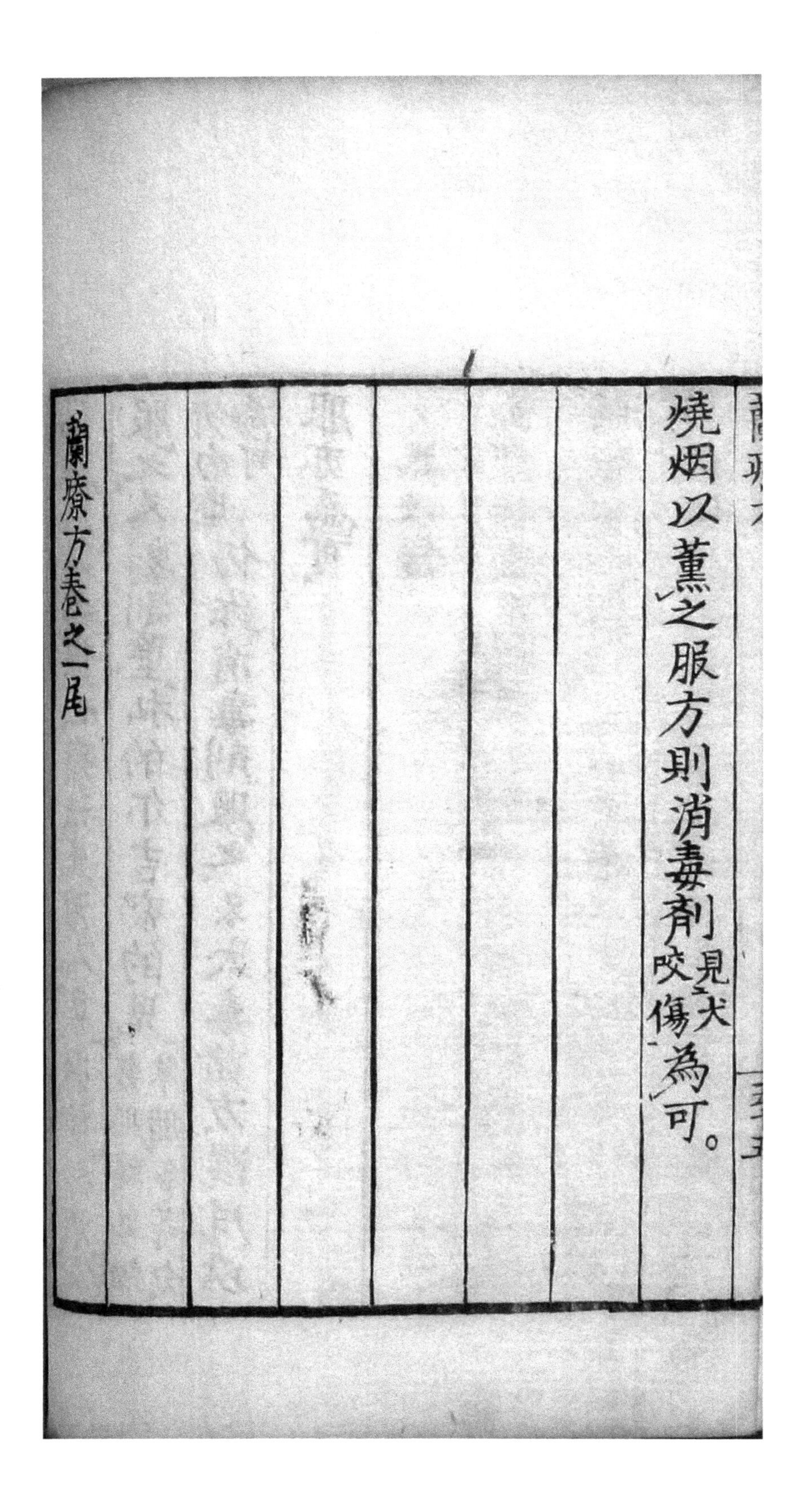

燒烟以薰之服方則消毒劑見犬咬傷為可。

蘭療方卷之一尾

ヘルゼ子ンフルーツイヘレンデ
HERZENENVERSUIVERENDE.

蘭療方卷之二

頭痛

頭痛謂之髟拂突百應此因或寒邪或熱氣或瘡毒或痰血或酒毒或濁痰諸鬱蒸不解遂翻登於頭神經而所致也療例清澄腦宮疏通神經又屬實者瀉利剌絡屬虛者鎮降和散是其大略也

清腦劑主諸濁氣飜鬱者　野菊花三錢　琥珀　川芎

ブラールテレッケン　ニースプウデル　ピュルゲール
Blaartrekken. Niespoeder. Purgeel.

齒癈方

酒[illegible]各一戔　薄荷油三滴　右四味。先煮三味。湯成去滓。加薄荷油。或茶末調勻服之。

瀉劑 主逆鬱腐實者　大黃燒酒製一戔　薔薇實二戔　諳危利斯塩五分　右三味。先煮四味。湯成去滓。内塩再上火。二三沸分服。

誘嚏方 主寒邪濁痰凝塞在上神経者　瓜蔕一戔　麝香少許　右二味。為極末。每一分。鼻吸當多嚏也。

發疱方 主濁氣在上神経者　大蒜一頭去麁皮

アーデルラーテン　ホンタ子ル

Aderlaaten. Hontadel.

右一味。研解以貼患處。須臾疱起。仍用三角鍼刺破。當水流而愈也。

嚏毒膏主前症　班蝥　巴豆各一箇　右二味。細末。以番打麻調匀。貼患處。當汁流而愈也。

刺絡方主或左額或右額或肩背。或後髮際等。　除濁剤主痰飲致頭痛者見上眩暈　瀉濁剤主前症見痰飲　湧吐剤見胸痛　鎮安剤主婦人月信不順致頭痛者見眩暈　活真剤治屬氣欝塞者見健忘　鎮真剤治前症見失心風　胡微的蔑毋傑設

兒主瘡毒致頭痛者見徽瘡　石蒜蒸見百會湧泉見痢疾

眼病

眼病。謂之窩瀰失吉。此由痰熱悪血侵眼神經。発疼痛致翳膜者即是也。又有神經及諸液俱衰弱漸減却照鑑者。所謂虚眼也。療例或清涼或疏散或瀉利。兼刺絡為可。又從神經及机里尓衰弱而起者。或清澄或滋潤或活神或運胃等剤。選用為可。

カラールーツイフェル kl??rzuiver.

フリースベルデル vlisbelder.

清劑 主濁氣鬱灼者　柏實　菊花　決明子各二戔

薄荷油三滴　右四味。先煑三味。湯成去滓。内

薄荷油。調匀分服

清瞖方 主瞖膜星障者　雀屎　麝香　龍腦各少許

右三味。以燒酒研調。帋漉。屢點爲可。

又方 主湿鬱濁血等症　鐵砂末　橐吾研絞取液　芭蕉

葉同　馬舄葉同　燒酒各等分　醋少許

右六味。調匀經久更可。以紙漉。屢點之。

ホンタヂル　アーンピュンテン

Hontanel. Aanpunten.

又方　薄荷油　燒酒　大黃汁各等分　礬石少許

右四味。研勻。以紙漉屢點為可。

點方　主眼昏濁者

珍珠一字　麝香　龍腦各少　熊膽一分　燒酒三滴

右五味。以蜂蜜研勻。紙無滓為度。

吸毒膏　主濕腫疼痛等

番打麻二十錢　橐吾葉　桃葉珊瑚各四錢　甘草三錢　鹿油十五錢　椰子油十錢　胡麻油七十錢　鉛丹五十錢

ヘーゼルヲイトアフフルヲイト
[illegible]

右八味。除鉛丹。漫火煮。二三時。以布漉去滓。内鉛丹攪勻。更煮至色黒。點水以試。適軟硬為可。

取塵方　主塵侵眼目澁痛者　水仙根汁　右一味。以紙漉取點入。須臾塵當出也。

清澄劑　主濁邪鬱灼者見黄疸　涼劑　主熱鬱者見傷寒　寒剤　主大熱者見前症　瀉劑　主濁痰上攻者見痫症　清膽劑　主神氣鬱結設乙奴不利眼目朦朧者見痫症　活真劑　主設乙奴衰弱眼目不明

了者見健忘 滋潤劑主机里尔乾燥。眼目不了了者見虛勞 石

蒜蘞熨肩背湧泉見痢疾

耳聾

耳聾。謂之度拂窩兒。大凡濁氣。凝塞於鼓膜。諸聲音先應此膜而送於神經也則設乙奴即神經失知覺之道路馬。又如老人及病勞人。則設乙奴。机里尔。衰弱而致此候也。療例。疏散清澄。兼鎮降為要。或設乙奴。机里尔。衰弱不能以辨鼓膜應響者。宜活

ヲーイトビシンデン
OOtBINDeN.

ヲールセーニウ スチリーン
OOrZenuwstillen.

神劑。運胃劑服之。又不拘虛實。用弦響子一名弦響

耳金。圖見卷末。参按為可 以激通聽經為要也。

鎮聽經方 主鼓膜聽經不利者 菊花 梔子 好茶

琥珀 戔各一 右四味。煎熟湯成。去滓加薄荷

油。調勻服之。

又散 紫蘇子 無名異 戔各十 川芎 戔四

右三味。研羅。每用一戔。以燒酒送下。

疏解劑 主聽經不利者 全蝎十九箇 洗淨炙。 川芎 戔二 牽

ベドルュイベン　ニースプウデル　ストフピュルゲール

BEDRUIPEN. NIESPOEDER. STOFPURGEER.

齒癢方

牛子四錢　右三味。研羅。每用一錢。臨夜卧。以温酒。送下。當耳鳴且大便瀉。是其驗也。

降毒丸主瘡毒上攻者　天靈蓋燒黑二十錢　大黄醋製三十錢　尿石二十錢　鐵砂四錢　右四味。研羅。以燒酒糊丸。每用一錢。白湯加醋送下。

誘嚏散主濁氣在上焦聽經不應者　瓜蔕研末一錢　皂莢三分　右二味。研篩。用管吹鼻。須臾當嚏也。

點滴方主耳鳴聤耳等　麝香少許　礬石一字　荏油二三

蜆殻

右三味。研調勻。以滴入。日三次一七日為度

入方　治諸方無効者

霊液　罌粟許

右滴入最妙。多用恐蝕人脳。非急切則勿軽用也。

清剤　主濁邪鬱塞見眼病

発毒剤　主風毒翻鬱見麻疹

瀉剤　主邪毒上實見頭痛

鎮真剤　主實氣翻鬱及痰鬱等。見心風

大黄水　主濁毒鬱塞見黴瘡

胡微的茂母傑設児　主前症見同症

清膽剤　主假火上鬱見癇症

五膽丸　主痫火虚热上鬱者見虫症

活真剤主聽神經失健運者見健忘労　澄精剤主腎火上讋者見虛

運胃剤主胃腸衰弱不能以滋聽經者見同症　刺絡法

主實邪及瘀血凝結者。兩耳前後。及曲池尺沢交刺之可　石蒜蒸熨肩背湧泉見痢疾

衄血

衄血謂之匿胡私蒲兒度。此由或熱邪或驚氣翻登遂侵腦宮。腦者与鼻通故致此候也。療例實者降火瀉利。虛者清潤澁血。邪風者驅逐散解。

ブルーウドステルペンデ・スチルレンミッテル
BLoedstLPende. StILLenMIDDeL.

又瘀血者或腦後髪際或尺沢曲池俱刺絡瀉血宜隨症施治也。

鎮真劑 主諸衂血 野猪膽 無名異各五分 沉香二戔 醋三滴 右四味。先煮沉香。湯成去滓內三味。調匀分服。

遏血劑 主衂血。吐血。崩漏。痔血等 毋偱密乙那五分。無則天蓋燒黑代之可。 代赭石一戔 艾葉三戔 右三味。以酒水等分。先煮艾葉。湯成去滓。內二味。調匀頓服

ステルペンデウァアーテル

又剤主氣逆悸動吐血衄血者　石榴花　黄連　沉香

琥珀各等分　右四味。研羅。以焼酒頻々服。

過血露主諸血症　柗葉十斤　柏葉五斤　食塩三斤

右三味。以蒸炉取露。毎用十戔。加醋。調勻分

服。

瀉剤主屬邪者見頭痛　又剤見傷寒　鎮真剤主前症見

心風　鎮安剤主虛動見眩暈　過血剤見傷損　留血

剤見吐血　安魂剤見煩悶　澄腎剤主虛火上衝見虛勞

舎利別（主淡血、見痼症）　熨方（主諸血症、見尿血）　石蒜蒸（主前症、見痢疾）

臭瘡

臭瘡。謂之匿胡私。翁蔦私。爹金偑。大凡痰濁翻登。以薰灼軟骨（臭内有之如骨如内是也。）粘膜（羅臭内骨空脉絡神経倶充之）則致瘡腫疼痛。劇則至腐爛蝕尽者即是也。療例寒解。疏通逐毒。活血。或誘嚔刺絡。宜随症處方施術為可也

ブルウドヲフルテレッケン　サルヘン　ヂウスヲーペン

Bloed overtrekken. zalven. Deusopen.

鼻利剤 主鼻齇鼻痔或不聞香臭者 蒺藜子三戔 辛荑仁一戔 川芎五分 薄荷油三滴 右四味。先煮三味。湯成去滓。內薄荷油。調匀分服。

傳方 主鼻腐蝕者 熊膽二分 銅青五分 鷄子油一戔 胡微的馬篤一分 蜂蜜一戔 右五味研匀。屢傅為可。

嗅血方 主鼻神經窒塞不知香臭者 須㨶里馬五厘 韶脳三分 艾葉一戔 右三味。研匀。燒烟滿口含水以鼻吸衂血為度。

謗嚏散主鼻內凝塞者見耳聾　解毒散主前症見癜風　驅毒劑主濁邪窒塞見癬疥　瀉劑主實火薰灼者見頭痛　又劑主前症見傷寒　大黃水主前症見黴瘡　降毒丸主前症見耳聾　猛強露主蝕落見癜風　解毒露主腫痛見黴瘡　靈露主蝕瘡見癰疽　吸湿露主湿爛見癬疥　靈油主蝕脫見疥癬　和痛油主疼痛見湯火瘡　鷄子油主前症見傷損　寛和貼主努肉疼痛見黴瘡　清涼貼主前症見癬疥　韶腦油主疼痛見

痛風石蒜貼主前症見癬疥　陰方主前症見同症　驅毒貼主蝕爛見疥癬　的列並底那主前症見傷損　裓尔撒毋主疼痛甚者見同症　薰方主鎗瘡者見同症　刺絡主前症或腦後或後髮際或肩背交刺瀉血為可。　石蒜蒸熨肩背湧泉見痢疾

喉風

喉風。謂之安及那。所謂翁篤私參金偪瘡腫通称之一候也。或風毒。或瘡毒。或胃火。或血熱。翻登。則皆能致此症矣。療例。清喉利咽。或突破等剤為

フルソイヘレンデプウデル　ケールフルソイヘレン

VERSUIVEREDDEPOEDER. KeelVERSUIVERED.

可。又用長鍼刺之。或用鈹鍼刺絡瀉血。兼傅貼之

為可。

清喉劑主諸喉內腫痛者　哥尓都一戔。無則以連翹黃連代之

霊砂五分　香櫞汁三滴。無則以白梅代之　右三味。先

煮哥尓都。湯成去滓。内二味。調匀頻々服。

清喉散主前症　鉛霜四戔　百藥煎三戔　薄荷一戔

龍腦五分　右四味。研匀。每用三分。含飲。當自

然消散也

サルヘン　ステルキヲーペン　ヲーペンミッテル
Zalven. Sterkopen. Open middel.

蘭療方

破通劑主腫塞遠針刺難達者。　白礬一戔　雀屎五箇　鷄子清一箇　右三味。調匀。以含嚥有効也。

突破散主前症　巴豆黑炒一戔　丹礬五分　礬石三分　右三味。研末。以管吹之。速験也。

傅方主喉風乳鵞　白芥子不拘多少　右一味。以醋研解。従外面塗之為可。

又方　大蒜不拘多少　右一味。研解。以厚貼。須臾疱起即刺之。當水流為験也。

驅毒剤 主風寒及冒火薫灼喉腫頭痛者。見瘖疥　寒剤 主屬諸實熱者見傷寒　瀉剤 主前症見同症　又剤 見頭痛　尾胡刺兒篤 主前症鷄子一箇去殼等分調匀服。見疳瘡

咳嗽

咳嗽。謂之胡蘓突。羅田所謂黙失私是也。此因或風寒。或湿邪。或濁痰凝著於肺管而所致也。又有勞熱熬肺液而起者。名虚咳此為也難之候矣。療例。驅邪熱除濁痰。以清澄肺管為可。又

蘭療方

デレイヘンダランキ

從労熱而起者。逐労氣。解骨熱。呴元真。滋血液為要也。

驅散剤（主寒邪濁氣凝塞者） 麻黄二戔　細辛　桂枝各一戔　的里亜迦三分　薄荷油三滴

右五味。煮熟。去滓。加焼酒姜汁。頓服。

又剤　石麻　白芥子　生姜各一戔　薄荷油三滴

右四味。先煮三味。湯成去滓。内薄荷油調匀分服。

ベナッテン Benatten.　スノヲヒンガ Snoofing.

滋潤劑主久咳肺燥　尾刺度尾刺斯二戔無則以生地黄代之
皂莢一戔　右二味煮熟去滓加薄荷油調匀
服
嗅烟方主諸濁邪凝塞肺竅不利者　欵冬花二戔　木鱉子
鵞管石　薄荷各一戔　天南星五分
右五味為麁末燒烟以鼻吸之仍作生姜湯
加砂糖以服且吸且服為可
驅濁劑主痰咳見痰飲　清澄劑主前症見同症　舍利別主諸

咳不解者見癇症　逐癆丸主虛勞咳見勞療　石蒜蒸熨肩背湧泉見痢疾　斯蔦榀烏蔦火酒研調服製造見藥解

喘息

喘息謂之亞安勃兒斯窒偪黑乙獨。此由肺臟不利。頑痰膠凝。以与或寒或暑感激。而發動喘鳴倚息者即是也。療例。逐散解热。驅痰降氣。或吐痰瀉利等劑為可。又屬虛者。滋肺溫肺。或澁收。宜隨症處方也。

デレイヘンミッテレン
Dryven Middelen

ウラングミッテレン
Wrang Middelen

逐喘剤 主喘氣息迫者 杜松子 無則以白芥五味子代之 杏仁
葶藶各二戔 甘草五分 右四味。以甘爛水煮
熟去滓。加蘿蔔汁。分温服。
又散 浮石十七戔 海羅十三戔 牡蠣十戔 龍
腦四戔 斯篤福烏篤五戔 右五味。研篩分為
十四剤。每日一剤。朝午夕三次。以塩湯服之。
至十四日。剤尽為度也。
收濇剤 主諸喘咳久不解者 杮漆八戔 燒酒四十戔

右二味。調匀。煮熟加姜汁。頻々服。

強神丸主強神經衰弱者
安息香　琥珀塩　酒石塩
各一戔　薄荷塩三分　百藥煎　菝尔散謨搭湃
藿各三戔　右六味。研調為丸。每用三丸。以大
麥煎服之。

ゲルスゲールブランドハンゲフステユン フルクウイッケンテ
Gelsgeel Brandvandeesteen. Verkwikkende.

貌郎篤班傑拂私的貟
主効。哮喘。瘧疾。及瘡毒骨痛痔漏蝕尽。或傅
貼。能治蝕腐諸瘰癧疾之聖物也

製造法　砒石二兩五戔　雲母一兩俱研調匀　白錫十六兩搥為片　右件三物。先礶內錫片挑二末密蓋泥封。以活火煅三炷香。離火埋土去火毒。擇取變金色者。鷄舌油加龍腦。調和為丸。每重一戔。白蠟熔化加辰砂為色。以封固。經年月藥力不減也。用時除蠟　大黃　綠豆各一戔　右三味。研匀。以神曲糊丸大豆大。辰砂為衣。每一丸以砂糖水服。強人日二次。弱人

一次。後三日。禁房事大労酒酪熱物等、

驅散剤主肺管邪實者見咳嗽　寒剤主熱實見傷寒　驅濁剤主痰多見痰飲　清澄剤主肺經不利見痰飲　瀉剤主實熱或大便秘見頭痛　鎮真剤主痰飲窒塞者見失心風　吐濁剤主前症

誘嚔方主濁氣塞肺竅者見耳聾　嗅烟剤主前症見咳嗽　滋潤剤主肺液乾燥見同症　舎利別主哮喘見痫症　斯篤福烏篤醋水姜汁研調服之。製造見薬解。　石蒜蒸熨肩背湧泉見痢疾

嘔吐

フラークスチルレン
Brakstillen

嘔吐。謂之蒲剌亞金偑。此由痰或熱或寒凝塞於胸間及胃管而所致也。又婦人有毋兒私百尔（此翻曰血海衝凡婦人受胎則血海窒塞所以其氣衝逆致嘔吐也）蒲剌亞金偑。小兒有胡尔縣虫症。蒲剌亞金偑。此為假候勿療嘔原病退則自然愈矣。療例或解熱剤或逐寒剤或驅痰剤或逐血剤或伏虫剤宜随症處方為要也。

除嘔剤（主諸嘔吐症）

白芥子　梹榔各一錢　薄荷

蘭療方　二十

油滴三　右三味。先煮二味。湯成去滓。加薄荷油及姜汁。調匀頻服。

又剤主熱嘔甚者或霊液一分棗肉研以此湯送下　寒水石二戔　半夏一戔　右二味。煮熟去滓頻々服。

又剤主諸嘔及腸噎等　熊膽適分　燒酒同　右二味。調匀。或温服。或冷服。試驗方也。

マーグフルーウアルメンデ
MaaGVer WarMeNde

調胃剤主脾胃虚寒症　宿砂火酒製炒一戔　生姜三戔　沉香五分　右三味。煮熟去滓。加薄荷油頻々服。

ブルーウドスチルレン Bloedstillen.　ワルメンダーレン Wormendoolen.

鎮血剤 主血海窒塞者 桃仁四戔 甜番椒五分 臭橙
醋三滴 右三味。煮去滓。分温。頻々服。
伏虫剤 主虫動嘔吐者 蜀椒五分 乾姜一戔 臭橙醋
三滴 右三味。煮熟去滓。分温除々服。
瀉濁剤 主痰實者見痰飲 吐濁剤 主前症見痼症 瀉剤 主便
秘見傷寒 清血剤 主血海衝見悪阻 健胃剤 主胃管不利見
痢疾 麝香湯 主氣道不利見噦逆 運胃剤 主胃虚見健忘
活真剤 主氣虚見同症 健胃丸 見胃虚 健胃酒 見同

症　桂枝酒 治嘔吐見薬解　麦酒 仝見脚氣　解噦剤

見噦逆　石蒜蒸 主氣逆胃冷天樞湧泉交熨為可見痢疾

膈噎

膈噎謂之福児私獨蒲刺亜金倔此由或憂鬱或過酒或飽食或房労遂胃内衰弱神液胃内有神液毎食嚼朝宗口内以包攝食物送流食道仍安頓胃内説見脾胃衰弱参考為可失升降食道乾燥粘液凝着於胃管而所致也療例除粘液利胸膈化飲食扶胃力當初発速加治

スロックダルームヲーペン
Slokdarmopen.

為要若経久腹肉脱削者。不可治也。

利膈剤　主膈噎胃翻等　秦皮燒酒製二戔　甜番椒五分無則以胡椒代之　可喜四戔無則以麦芽黒炒代之　姜汁一戔

右四味。煮熟湯成去滓。内姜汁調匀分服。

又剤　主膈内血燥者　尾刺度尾刺斯四戔無則以生地黄代之　薄荷油四五滴

右二味。先煮一味。湯成去滓。内薄荷油調匀頓服。

又方　主膈噎食不通或反胃吐食者　霊液一分

右一味。或砂

サップハンゼーアユイン
Sapvanzeeavuin.

チルセンペラピッレン
Nelsepperapillen.

糖湯或生姜湯送下。至一七日為度。

蜀漆丸 主前症神驗也

蜀漆膏 搗爛一斤。水一斤。同煮減半斤。去滓加砂糖二十戔。再煮為膏。

安息香 蜜香各三十戔 馬錢十戔

右三味。研蒳与蜀漆膏丸。梧桐子大。每用三拾丸。日三次。以温酒。若塩湯送下。

大蒜膏 主膈噎胃飜。或脾虚腹皮麻痺。或大便溏滹者

大蒜一斤去麄皮研 砂糖半斤

右二味。以焼酒半斤。文火煮為膏。每服鴿子大。日三次。神驗不可言也。

開食道方主食道不利者見痢疾　調胃劑主胃冷者見嘔吐

運胃劑主胃虛見健忘　活真劑主活氣衰弱見健忘　麝香

湯主氣道不利見噦逆　瀉濁劑主痰實見痰飲　吐濁劑主前

症見癇症　健胃丸主胃虛見胃衰弱　健胃酒見同症

桂枝酒見藥解　麥酒見脚氣　解噦劑主通食道溫脾

胃見噦逆　葱白膏主胃腎虛冷見陰痿　舍利別澁收胃氣浮動

見癇症　石蒜蒸溫收胃氣發蒸胸腹足心為可見痢疾　貌郎

蔦班傑拂私的貝主寒痰毒濁窒塞見喘息

惡阻

惡阻謂之挂獨拂碌胡律私蔦。此由婦人妊娠。經血宿留。血海窒塞而所致也。療例。安和胸膈。順調血氣。以引時日。則當自愈也。

ブルウドソイヘレンデ
BLOEDSULVERELDE.

清血劑 主血海衝嘔吐者

桃仁　檳榔　半夏各二戔　香櫞汁四五滴。無則臭橙醋代之

右三味。煮熟去滓。加姜汁。調勻服之。

又劑

無名異　生姜各一戔　沉香五分

ヒツキゲ子ビング
hikgemezing.

右三味。煮熟去滓。加薄荷油。調勻服。

調胃剤 主諸嘔吐 見嘔吐　麥酒 主前症 見脚氣

噦逆

噦逆。謂之必吉ヒツキ。此由或痰飲。或鬱氣。或積塊。或虫癖妨塞於氣管。而令然矣。又諸病勞極。活氣向盡。而起者有之。療劑通利氣道。除却痰飲。安頓虫積。溫洪脾胃為可。

解噦剤 主虛實俱為可　柳漆 十戔　燒酒 四十戔

右二味，調匀，加姜汁，分温服。

又劑 主前症有瘦者，加半夏、白芥子。 宿砂二戔 丁香 石麻各一戔

右三味，以燒酒一盞，煮取七分，分温頻々服。

ムユスキュス
Muscus.

麝香湯 主脾胃衰弱，加蘿蔔汁，或臭橙汁。 麝香一分 姜汁一戔

右二味，以酒水各半，調匀，分温頻々服。

逐虫丸 主由虫動而起者，見虫症。

舍利別 主諸噦逆，見痼症。

石蒜蒸 主前症，熨胸腹足心等，見痢疾。

桂枝酒 治噦逆，見薬解。

麦

酒脚氣 仝見

吐血 附肺癰

吐血。謂之蒲兒度蒲刺金偏。此由或念慮過分。或飲酒過多。或膏粱妄食。遂心肺從肺来。從心来。分別施治

可為血管傷損而所致也。凡病人肩背疼痛胸間腥臭。及咳血咯血久不歇。是皆吐血之前兆也。

又有肺癰嗞膿者。胸間必隱痛。名曰蒲兒度蘇布貞。此亦為類症矣。療例。或退血熱。或清胸間。

蘭療方　七十五

ブルーウドスナルペンデ
Bloedstelpendes

或泼血脉。又肩背刺絡。凡瀉血春夏為可。秋冬為不可。而隨症不可必也

拘魚尉百會湧泉等。蓋禁用陰濁劑如地黄阿膠類是也

恐胸間鬱塞反加嘔逆也。

留血劑主妻血妄動　人魚骨無則以赭石醋煆代之　黄連

橐吾汁各一戔　香櫞汁三滴。無則以臭橙代之　右四味。

先煮二味湯成去滓内兩汁。調匀。分溫服之。

又劑主諸血症　沉香　石麻　尿石各一戔

右三味煮熟去滓。加款冬根汁。調匀分服。

又剤主血氣虛敗者　艾葉二戔　宿砂三戔黒炒　桃膠一戔

右三味。煮熟去滓。加薄荷汁。頻々服。

安魂剤主屬虛見煩悶　濇剤主下屬虛火者見遺精　固密剤

主同症見遺尿　舍利別主前症見痼症　熨方主不拘虛實見尿血

石蒜薫主前症腰腹等見痢疾　熨薫百會　遏血剤見衂血。大便血。

小便血。及傷損等。參考為可。

骨喉

骨喉。謂之扑偃蔦児熏法。王不留行四戔。苦參

蘭療方

以黃柏代五分。同研羅。白錫丸。彈丸大。以臭橙之亦可。

汁頓服。又白錫彈丸大。以燒酒頓服亦可。

齒痛

齒痛。謂之單獨百應。牙痳。謂之失苟兒陪苦。此由氣血不利。腐液薰灼。徹骨間。遂翻登齗齶。而所致也。又有諸毒熱暴動。齒牙一夕焦黑脫落者。所謂走馬牙疳即是也。

ベステレイケン
Bestrykeb。

墜方 主諸齒痛 嵐尿 丁香各等分 右二味。研羅。

以焼酒少許。調匀塗痛處。

又方 主歯痛去馬牙疳等 蟾酥少許 右一味以焼酒研匀。塗痛處。

癸毒剤 主頭熱歯痛見麻疹 寒剤 主烈熱者見傷寒 薫灼 瀉剤 主熱實者見頭痛 又剤 見傷寒 尾胡刺兒篤 主歯痛加龍脳少許研調點之。見疳瘡。

嘈囃

嘈囃。謂之所以垤発兒篤。此由或痰火。或胃熱欝灼而所致也。療例。或冷水加燒酒調匀服。又加砂糖調匀服。或大麥水加臭橙汁。薄荷塩少許調匀服。或温湯加琶冷素胡蔦製造〔煩悶〕見姜汁等調匀頻服。

悪心

悪心。謂之烏亜尓斤倔。此由或痰火。或虫動。或食毒。鬱塞而所致也。療例。参葉黄蓮煎熟加姜汁服。或大麥水加薄荷油砂糖香櫞汁等調匀

レーフエンゲーステンカラールヘイト
Leeven Geesten klarheid.

服。或宿砂。半夏。生姜。煎服亦為可。

煩悶

煩悶謂之白脳突黒乙獨。此由或痰飲。或食毒。或虫塊。或血積。妨塞於胸間而所致也。又諸病労極神氣将飛越者。為真煩也。

安魂剤　主心煩怔忡悸動等

水銀蠟　琥珀各三拾戔　琶玲素胡篤十戔

此翻珍珠塩。主劾鎮虚動。解骨熱清毒氣。製造法。石决明不拘多少。浸釆醋一七日。打碎去麁皮。一斤。醋一斤。同煮醋殆盡。出滓。以紙漉取即是也右三味。研勻。每用五分。沉香湯送下。日二三次。以煩定為度。

除嘔劑 主痰火煩悶者見嘔吐　伏蟲劑 主蟲動者見前症

鎮血劑 主屬瘀血見前症　清血劑 主血海衝見惡阻　鎮真劑 主壓動見衄血　健胃丸 主胃弱見胃壓　宿砂煎 主症見同症　鎮血劑 主氣上逆見難產

眩暈

眩暈。謂之歇尔執趲。此由眼神經羅絡眼底。以知覺形色。所

ベデルヒングヲイトデレイヒンテ

Bedr ving uitdryvende.

謂童神経即是也為或濁液或痰血或癇火或酒毒所中
觸動而所致也。又婦人血海不利。血氣妨害眼
経。男子腎液不足。假火侵之。致眩暈亦皆類也。
療例。除濁液。逐痰血。涼癇火。清蒸氣。鎮元真。收
腎火。宜随症處方也。
除濁剤主諸眩暈。屬痰者加茯苓半夏。屬血者
加無名異桃仁。又始加燒酒以逐驅濁
氣。後加金橘醋以通解眼経亦為可　珍珠塩五分。製造見頻悶　白
芥子四戔　薄荷　川芎各一戔　右四味。先煮

スチルーレン ミッテル
Stillen Middel.

三味。湯成去滓。內珍珠塩。調匀分服。

鎮安劑 主婦人血海衝。男子房勞等致眩暈者。 無名異一戔 山梔子 黑炒五分 黃連 七分 右三味煮熟去滓。加茶末。調匀分溫服。或研羅。每一戔以可喜湯服亦可。

又劑 主虛氣上逆者 菩提樹花 無則以真香代之 沉香 各一戔 蝲蛄石 五分研。無則以龍骨通草二味代之 右三味。先煮二味。湯成去滓。內蝲蛄石。調匀分溫服。

又剤　亞刺度尾刺斯　琥珀代赭石各一戔

右三味。先煮亞刺度湯。成去滓。内二味。調匀分服。

又散　靈砂一戔　鹿角膠　百薬煎各五戔

右三味。研羅。毎一戔。以可喜湯。若塩湯送下。

驅濁剤見痰飲　鎮真剤見衄血　清膽剤見癇症

安魂剤見煩悶　鎮癇丸見癲癇　五膽丸主假火侵

眼經者見虫症　鎮方不拘虚實見驚風　舍利別主前症見癇症

[illegible]方

泊尔福剌窒列 主眩暈卒倒見驚風

鎮血剤 主血氣溢動見

難産

胸腸痛

胸腸痛。謂之設乙埵物粤。此由或痰血或痰飲。或熱毒或寒邪凝結蟄伏於膜裏而所致也。瘵倒痛專繫在胸間者。多食積若痰血。痛專繫在腸筋者。多寒邪若痰飲。宜隨症處方也。

ヲントビン デンミッテレン
OntBInden MIddeleD.

解結剤 主胸服攣拘及腰痛兼痰血者加桃仁

白芥子 醋製 四銭

ブラーク ミッテル
Break middel.

肉桂一戔　茴香油五分　可喜黒炒二十戔

右四味。煮熟去滓。加燒酒。分溫服。

又劑主諸胸服痛不止解者　紫糖十戔　香櫞醋一戔。無則以眞橙代

之。右二味。以水酒各半。調勻。或溫服或冷

服。

湧吐劑主胸服大痛者　胡黄連研末一戔　仙楝子去仁研一

戔　大豆四戔。研如泥　右三味。先煮仙楝子。湯

成去滓。内二味及桐油三滴。調勻頓服。當吐

蘭療方

痰水。即服食塩湯。且吐。且服。吐定後。与可喜湯。若吐過不定者。与麝香湯為可。

吐濁剤見痼症　逐痛剤主食痰血虫等見腹痛　和痛剤主疝氣寒邪等見同症　瀉濁剤主痰飲痛見痰飲　瀉剤主寒邪食積見傷寒　滋潤剤主液燥攣痛見陰痿　貌郎蔦班傑拂私的員主血痰痛欲死者見喘息　大蒜膏主諸胸脇痛不拘虚實見膈噎　舍利别主諸胸脇痛見痼症　石蒜煎主諸痛熨患處見痢疾　熨方見痛風雜症等　韶腦油見痛風　拔尔撒

謨主胸痛加醋服見傷損

腹痛

腹痛。謂之裂竅百應。此由虫。或食飽。或痃積。或虫動。或寒液。或熱毒。或瘀血。或胃虛等。而所致也。蓋痛屬臍上者。為食飽。為積聚。痛在臍下。引腰脚者。為瘀血。為痃氣。痛寬引腸間者。為寒濁。為痰飲。痛寬急不定者。為虫動。痛寬慢而微者。為脾胃衰弱。療例。或湧吐。或瀉利。或逐虫。或逐積。

蘭療方

或除濁。或寛和。或温散。或化穀。宜随因處方為要也

ペインフルーザグテンデミッテル ペイーワエギチーメン
Pyn ver zaoten de middel. Pyn weo neemen.

逐痛剤 主食傷虫動。淤血痰飲。諸實痛者

酸漿 研如泥 大黄 同製。各二十戔 巴豆 去殼研。紙包埋石灰一夕。以去油氣四戔

右三味。研勻。以燒酒糊丸。梅子大。毎用二分。或三分。以温酒送下。須臾當吐。或瀉。為驗也

和痛剤 主宿食留飲及脾胃虚弱

宿砂 蜜香 各二戔 胡椒 一戔 猪膽 三分

右四味。以燒酒煮。去滓加

姜汁。分温服。

瀉劑主食餌虫塊。痰飲。諸腹痛見傷寒　驅水劑主飲僻見脚氣

瀉水劑主留飲痛見便秘　逐血劑主瘀血痛見經閉　大

逐血劑見鼓脹　寬和膏主攣痛見痢疾　寬筋劑見疝

氣　逐虫劑主虫痛見虫症　化塊劑主胃虛痛見鼓脹

運胃劑主同症見健忘　健胃丸主同症見胃弱　健胃酒

主前症見同症　宿砂煎主前症見同症　大蒜膏主痰飲積聚疝

氣等見膈噎　石蒜蒸不拘虛實見痢疾　貌郎篤班傑

ゲヘツスアルトナントベンデンデ
Gedassart ont BeD DeD D.

拂私的貝主寒疝及冷毒痛見喘息

鼓脹

鼓脹。謂之蔦論茂兒須竄突。此由男子則胃弱腸衰。瘀濁聚結。婦人則月信不利。濁血凝結而所致也。療例或逐血化塊。或磨穀健胃為大要也。若經久濁水兼加者。先用瀉水劑。後用化塊劑亦為可。

化塊劑主男子婦人諸僻塊。不拘虛實有瘀血者加逐血品。有濁水者加浮水品為可

Leet middel. Sterk onder laaten.

レーグトミッデル　スデルーキヲンデルラーテン

法歇児臥尓蔦四戔。以雜穀製之。無鐸落都柹漠傑理因挌尓列連則以大麦黒炒代之二戔右二味。以可喜湯煮熟。去滓。更加燒酒蘿蔔汁。調勻分温服。

大逐血剤主婦人瘀血腹脹者

大黄酒製各一戔　漆實二戔

金櫻子四戔

右三味。煑熟去滓。加臭橙汁。調勻分温服。

貼方主胸腹積塊脹滿者

石灰半斤　大黄一両末　桂枝五戔

右三味。米醋調勻。厚攤布。貼患處。每日

易之。

逐血剤主血脹見經閉　瀉剤主大便堅結見傷寒　驅水剤主痰飲者見脚氣　通尿剤主前症見尿閉脚氣等　又剤見淋疾　健胃丸主胃虛鼓滿見胃虛　健胃酒見前症　坐藥主瘀血見帶下　石蒜蒸不拘虛實熨蒸胸腹見痢疾　貌郎篤班傑拂私的員主血塊冷僻見喘息

脾胃衰弱

脾胃衰弱。謂之翁傑達安篤謁意度。論曰。脾胃有神液。每嚼食潮出於口内。以包攝食物。而送流於食道。以納收於胃内。則脾胃有真陽。磨消化熟。遂製造白液。以分流於羅絡。混淆舊血而釀成新血。以滋養一身百骸。是活物化々生々之道也。若人飢飽失度。或妄食冷物鞕物。或強勞心力體力。則脾母先衰弱。遂諸子臟皆失其分。漸變成腐敗液。腐敗液混合於良液。以侵蔓於遍身。於是致面顏萎黃。氣力衰劣。或胸腹痞

蘭療方

硬。飲食不進。或腹內微痛。大便溏瀉。劇則飲食吐出等即是也。療倒或磨穀以運環脾胃。或順流良液以驅散濁液。又腐液多胸腹欝滿。則先瀉腐液後服健胃劑為可也。

ニーグフ ル ステルチンピッレン
Maae ver Sterken Pillen.

健胃丸 主諸脾胃虛者 鐸落都捺漢傑理因格尔列

連二十戔蜜物。主磨食運脾活良液驅中腐液無則以硇砂十戔。蜜香神曲各四戔。胡椒

甜椒泊夫藍熊膽各一戔代之。鷄舌香 藿香 青葉各一戔

右三味。研羅。以燒酒糊丸。每用一戔。可喜濃

アクワヒタ
Aqua vita.

サップファンガルダムヲム
Sap van cardamom.

湯加焼酒蘿蔔汁。頻々服。

健胃酒 主劾温和胃腸。驅除冷液。散風氣。通閉尿道。眩暈頭痛噫息呑酸疝氣腰痛積聚腹痛俱服之。或以蒸炉取精液。名亜括迩答。

宿砂五戔　桂枝四戔　丁香一戔　胡椒五合　右四味。以焼酒四百戔。浸七日。去滓。每服四戔。朝午夕三次。酒尽為度。

宿砂煎 主運化机里尓活通設乙奴。或脾虚不食或宿食腹痛或過酒胸悶。或胸痞腹僻。或疝浮痢疾俱服之神劾也。

宿砂百五十戔　訳人某傳減宿砂五十戔。加蒼

术五十戔更可　甜番椒　桂實各十戔　右三味。以燒酒二百戔煮。取三十戔。再以酒八十戔煮取二十戔。更將渣擣爛。以酒五十戔煮。取十戔。都合前汁。煮至二十戔。加砂糖四十戔。煮至稠凝。滴水成珠為度也。

運胃劑主神經胃腸衰弱見健忘　化塊劑主胃虛成腹僻者見鼓脹

大蒜膏主胃腎衰弱見嘔噎　葱白膏主前症之見陰痿　石蒜蒸熨天樞見痢疾　麥酒主胃虛見脚氣

痢疾 附泄瀉

痢疾謂之須百乙斯。泄瀉謂之裴窟羅布。又吐瀉交発謂之婆尔多。所謂痢疾者。腸内宿滞穢垢令然焉。所謂泄瀉者。過酒飽食脾胃不和令然焉。所謂吐瀉交起者。暑邪霍乱。或食傷亦有此候也。療例逐痳物。解毒熱為先。調脾胃順氣血為後。或蒸熨兼施為可。又泄瀉有胃虚而起者。以脾胃衰弱施治為可也。

ベデルヒンガデレイヘンデ　カラールツイヘル

Bdervjng drjvende. Klaar zuiven

蘭療方

清澄剤主ニ痢熱不ル解者　橐吾葉四戔　黄連一戔　尿石

肉桂各三分　姜汁少　右五味。先煮ニ三味。湯

成云ニ滓。内ニ姜汁。調勻分服。

除濁剤主ニ痢疾及泄瀉。初中後増減以服。裏急

者加ニ白蠟一有ニ熱者加ニ芩連一有ニ寒者加ニ姜

附

硬飯炒　芍藥各二戔　肉桂一戔

右三味。煮熟去ニ滓。加ニ真橙醋一頻服。

解痛剤主ニ痢疾裏急傷食腹痛積聚胸痛虫塊

腹痛及膈噎嘔吐等或ニ此剤醸ニ火酒一一

七日。絞去ニ滓名曰ニ鴉篤　宿砂四戔　蜜香

児。試用効驗殊速也

ペインフルサグテンデ
Pyn verzaetende.

肉桂　百薬煎各二戔　猪膽　鶏舌香　胡椒各一戔　龍脳二分　麝香一分　右作九味。以焼酒六十錢。先煮前八味。取四十錢。去滓。内猪膽。二三沸。次内麝香。調匀。毎服一二蜆殻為可。

ジッキダルム
Dik Darm.

温腸剤（主痢疾經日或膿血或不食）　艾葉三戔　茯苓四戔

乾姜　桂實　石麻（各一戔。無則以蕎灰代之）　右五味。煮熟去滓。加桂枝酒二三滴。調匀頻々服。

ストーフセル　ヲントビンデンパップ　スロックダルムヲーペン
STOOFzel. OntBlnDeppap. SlokDarmOpen.

開食道方 主禁口痢及嘔逆 蘿蔔汁 姜汁 香橙汁各等分 右三味調匀或加麥酒亦可

寬和膏 主痢疾裏急後重者 麥糖 姜汁各百錢 珍珠塩二十錢製 造見煩悶 右三味以文火煮烊消每用梅子大日數次服之

熨法 主裏急後重便膿血等 竈内熱灰不拘多少 右件收取加食塩許多以布包熨腰腹肛門等冷則代之為可

ベローキンと
Cerookins.

石蒜蒸主痢疾裏急後重。又男子腎冷五更瀉。婦人腰冷漏血。老人陽虚疝瀉等
石蒜去麁皮研　右一味厚塗紙面。以掩或腰或
腹。次盛艾點火。屬虚泄者。熨百會亦為可。
驅濁劑主腸垢痢血見便血　遏血劑主便膿血見衂血
温收劑主冷痢見溺血　運胃劑主胃虚見健忘　滋腎劑
主血竭後重多見陰痿
症　健胃丸見脾胃衰弱　健胃酒見同
桂枝酒見藥解　麥酒見脚氣　舍利別主痢
疾不解者見癇症　牢達扭謨主前症見癇症　大蒜膏主久

テーゲンギフト
TeGeD GIFt

痢及泄瀉見膈噎　葱白膏主胃腎虚泄見陰痿　食療見溺血

熨方見痛風難産等

痔疾

痔疾。謂之湿安別乙究。此由或山嵐湿蒸。或膏粱食毒。或以男交男。遂瘀濁醸成而所致也。療例除散鬱熱驅却瘀濁托出裏毒。活溌好血。宜隨症處方爲要也

消毒劑主痔毒硬腫疼痛者　硬飯　大黄　芍薬各二戔

インホウド　ムユスコスヲーリ　ギフトウイトデレイヘン
Inhoud. Muscosoli. Gift uit dryven.

冰糖一戔　右四味。或毒凝結甚者。加漆葉躑
躅。煮熟。去滓。分服。
托毒劑主痔漏不解者或加穿山甲一戔　桃膠　續斷各二戔
漆葉一戔　右三味。煮熟。去滓。加燒酒。調勻分服。
麝香油主痔疾脫肛等蝕瘡加胡微的　麝香少　荏油十戔
右二味。調勻屢傅。有奇驗也。
納方主脫痔及産門不閉者　石灰百戔　食塩三十戔
右二味。調勻炒熱。古綿裹。騎坐。冷屢代之。肛

縮入為度

驅血剤主毒多者見傷損　逐血剤見經閉　驅濁剤見便血　瀉血散見大麻風　大黄水主痔熱便秘見黴瘡　滲湿剤主諸湿瘡見同症　托毒剤主属陰瘡見癰疽　又剤見痘瘡　滋潤剤主痔瘡沉痼及血燥者見同症　活血剤主前症見同病　大風子丸主瘡沉痼者見大麻風　消毒丸主毒入骨者見疳瘡　胡微的莪母傑設兒主前症見黴瘡　須楴里馬莪母傑設兒主前症甚者見同病　貌郎篤

班傑拂私的貞 主痔漏骨疽製造用法見喘息

灌洗方 主煩痒見陰門痒

又方 見癬疥

靈露 主腐蝕煩痒等見癰瘡

解毒露 主腫痛見黴瘡

猛強露 主蝕爛者見癩風

吸湿露 主湿爛見癬疥

危胡刺児突 主同症見疥瘡

捬刺失必太黙須 主前症甚見同症

私的列吉窊的児 主前症更甚見大痲風

韶脳油 主腫痛見痛風

鷄子油 主疼痛或瘡不愈見傷損

大風子油 主前症見大痲風

和痛油 主腫痛見湯火瘡

靈油 主蝕瘡煩痒見癬疥

長肉油 主前症見傷損

的列並底那（主腫痛見傷損）　秡尓繖毋（主前症甚者見同症）

轉移膏（主熱腫見癰疽）　清涼貼（主前症見傷損）　石蒜貼（主腫痛見癬疥）　驅毒貼（主濕爛見同症）　接續膏（主腐蝕見傷損）

陰方（主痛甚見傷損）　熨方（主瘡腫疼痛見痛風）　又方（見傷損）

又方（見難產）　石蒜蒸（主屬陰瘡見痢疾）　薰方（主蝕瘡見傷損）

又方（主前症見大風）　又方（主痔漏見癬瘡）　腐藥（主瘡不破見癰瘡）

便血

便血謂之羅埵羅布。此由血失常路滲入於大腸而所致也。又痔瘡毒血瀝流者亦有之。辨別為可。療例或調血或泄血或涼血或溫血兼施熨法。或屬瘀血者。先用逐血劑。後用調血劑為可也。

ブルウドステルペンデ
Bloed Stelpende.

遏血劑　主血脉失常路入大腸者

貫聚五戔　白蠟一戔　可喜十戔

右三味煮熟去滓分溫服。

又劑　艾葉四戔　蝦蟆灰三分。無則以百藥煎代之右二味。先煮一味。湯成去滓内蝦蟆灰調匀分服。

ツルウベルヲイトデレイオヘン
Troebel uit Dryven.

驅濁劑主瘀血滴瀝者　野薔薇實　大黄醋製乾　漆葉一戔　肉桂五分　右四味。煮熟去滓。加焼酒。調匀分服。

驅血劑主有瘀血者見傷損　涼血劑主有熱者見尿血　留血劑主前症見吐血　遏血劑主屬脳冷者見衄血　温収劑主前症見尿血　遏血劑主便血不禁者見傷損　固密劑温腰

ピュルガール
Purgeel.

腎見遺尿　濇劑主前症見遺精　大蒜膏主諸血不拘虛實見膈噎

石蒜蒸主前症熨百會腰腹肛門等見痢疾　舍利別主前症以燒酒

服見癇症　食療見尿血

便秘

便秘謂之合尓度列乙赫窟黑乙獨（ハルドレイヒグヘイド）血由或脾胃或大腸蘊熱血燥而所致也療例逐燥屎為先滋大腸為後或施蜜導亦為可也

通屎劑主大便不通者　大黃醋製四戔　杏仁二戔研　安

及立加塩一戔即諳危利斯瀉利塩。無則以芒硝代之

右三味。以酒水各半。先煮二味。湯成去滓。内安及立加。更煮二三沸。分温服。

又劑主血燥大便不通者 杏仁四戔研如泥 安及立加一戔

右二味。以蜂蜜調匀分服。

又劑 璃枝 砂糖各四戔 安及立加一戔

右三味。以热湯調匀頓服。

ピュルゲール ピッレン

purgeel pillen.

通利圓主大腸热燥。大便不通者。 大黄 金櫻子各十戔

ウアーテルローセン
Water Loozen

諳厄利斯塩四戔　右三味。研羅。以焼酒蜂蜜。丸彈丸大。始服二三丸。漸加至七八九以大便通為度

瀉水剤主大便不通有留飲者　野牆薇實二戔　芒硝一戔　可喜炒十戔　右三味。煮熟去滓。加酒二三滴。分服。

又方主留飲兼解熱　芭蕉油一合　砂糖十戔　焼酒二滴　右三味。調匀冷服。

瀉劑主大便燥結者見傷寒　驅水劑主留飲見脚氣　蜜導方主穀道乾燥者見傷寒

淋疾

淋疾謂之獨祿百兒必斯。此由或痈瘡餘毒不尽或便毒內伏不解諸痰物畜聚於膀胱而所致也。療劑或除热氣或驅痰濁或潤尿道或溫腎脉宜隨症處方也。

ヒスローセン
PIS Loozen。

通溺劑主热毒窒塞者　柏實　漆葉　馬齒莧各二錢

ヲントビンデン プウデルー　テーゲンギフト

Ontbinden poeder. Tegengift.

右三味。煮熟去滓。分温服。

又剤 主前症 大薊根 通草 滑石各三戔 鐸

落都漢斯篤福烏突三分 右四味。煮熟去滓。

分温頻々服。

除毒剤 主膿血瀝流者 大黄 漆葉各二戔 肉桂一戔

砂糖十戔 右四味。煮熟去滓。分温頻々服。

解和散 主石淋膏淋等 燕屎 無花菓各四戔 大黄十戔

砂糖二十戔 右四味。研羅調匀。毎服一戔。以燒酒或塩湯服。

通尿剤（主諸淋疾，見尿閉） 又剤（見脚氣） 驅水剤（主痳

濁多，見水腫 除濁剤（見痢疾） 滲湿剤（主前症，見徽瘡）

胡微的茂毋傑設兒（主下属瘡毒者，見徽瘡） 貌郎篤班

傑拂私的貞（主膿淋不尽及冷淋等，見喘息） 大蒜膏（主虛寒者）

見膈噎 熨方（不拘虛實，見痢疾） 又方（見痛風） 又方

見傷損 又方（見難産） 石蒜蒸熨（天樞湧泉，見痢疾） 坐

薬（主婦人冷淋，見陰門痒） 又方（見帶下） 浴湯（主諸淋，見尿閉）

ブルウド　ソイヘレンテ

除湿浴湯 主前症見水腫

滋潤剤 主屬腎燥虚火者見陰痿

溺血

溺血。謂之蒲児獨哇的連。此由或念慮極力。或房労過多。遂血管失分。血與溺混淆而所致也。療例。或涼血熱活神経。或温腰脉。調腎脉。或熨方浴方。兼施為可也。

涼血剤 主屬陰虚火動者

哥尔都皮一戔無則以知母尿石黄栢黒妙代之

尾刺度尾刺斯二戔無則以拘杞地黄代之

犀

角研三分 右三味。先煮二味。湯成去滓。內犀角。調勻頻服。

フルウアムミッテレン

又劑 尾刺度尾刺斯一錢 毋僧蜜乙那一錢。無則以靈天黑炒代之 右二味。煮熟加食塩二分。調勻分服。

温收劑主腎冷症 艾葉三錢 腹蛇黑炒一錢 石麻五分

右三味。煮熟去滓。加燒酒分服。

又劑 糯米 石麻各二錢 右二味。煮熟去滓。

ストーフセル
Stoofzel.

エーテンゲーデーセン
Eeten Geneezen.

分温頻服。

熨方 主諸溺血 木鱉子十箇研 礬石研 食塩各十銭 右三味以醋調匀。別取石拳大燒紅。投醋内。去火毒。与前藥同以布包。仍騎坐。冷則依前法也。

食療 鯽魚不拘多少。以酒煮食。或以塩味調和煮食亦可。

留血劑 主諸血 見吐血　活陽劑 主前症 見陰痿　固密劑 主前症 見遺弱　濇劑 主前症 見遺精　滋腎劑 主下属腎燥 虚火者 見

陰痿　舍利別主前症見痼症　大蒜膏主前症見膈噎　葱

白膏主前症見陰痿　石蒜蒸主諸血見痢疾　熨方主前症見

痛風　又方見傷損　又方見難產　浴湯方主前症見

溺閉　又方見水腫

經閉

經閉。謂之膃布蘇篤杉偭垤兒須敦電。此由腰

脉從腰起。乃血所長也。寒凝血海。脉即精血脉。又名腎脉。是子宮經血活

動要路也。不利而所致也。又諸病勞。血液乾涸而月

ヲンデルラアテン
Onder laaten.

信不至者亦有之。辨別為可。療例。逐舊血。活新血。温腰脉。清血海。又如病勞血燥者。則隨原症。施治為要也。

逐血剤（主血路凝塞而失信者）　漆葉　白芥子研　肉桂　大黄各一戔　桃仁四戔　右五味。煮熟去滓。加燒酒。分温服。

又剤　営實　姜黄　漆實各二戔　芒硝一戔

右四味。煮熟去滓。加苦酒二三滴。調匀分服。

ブルウドソイヘレンデ

Bloed suiverende.

蘭療方　九十八

調血剤主経血不順者　王不留行　芍藥各二戔　牡

丹皮　姜黄　桂實各一戔　可喜四戔

右六味煮熟去滓。加燒酒。分温服。

大逐血剤主月信窒塞腹脹者見鼓脹　逐痛剤主瘀血腹痛者

見腹痛　驅濁剤主瘀血太多見便血　除毒剤主前症見淋疾

除濁剤仝見眩暈　活血剤主血不順見痘瘡　滋潤

剤主経血不順瘦衰者見虚労　活真剤主神経不和見健忘　又

剤仝見中風　活真酒主腰冷不順見前症　瀉血散主瘀

血多見全大麻風　酒劑全見痛風　健胃酒全見胃衰弱。水腫等

除腫浴湯全見同症　坐藥不拘虛實見帶下　貌郎

篤班傑拂私的員主下冷經閉見喘息

帶下

帶下。謂之胡徽的拂尓獨。此由經血殘瘀。宿伏於腰腎脉。遂腐敗紅白混淆漏流者即是也。療倒。逐瘀血。活好血。温腰脉。清血海。宜隨症處方為要也。

シュポシトリ
SUPPOSITORI.

蘭療方　六十九

坐導劑主紅白瀝流者　馬錢四戔研末　麝香五厘　龍腦一分　右三味研匀以燒酒丸彈丸大絹包入陰中。每日代之瘀物當流出也。

又方　細辛　肉桂各一戔　白礬七分　麝香一分　龍腦二分　右五味研匀以荏油丸彈子大任用。如前法也。

逐血劑見經閉　大逐血劑見鼓脹　逐痛劑主腰腹疼痛見腹痛　驅濁劑見大便血　除毒劑見淋疾　除

濁劑見眩暈　消毒劑見痔疾　除濁劑見痢疾

活血劑見痘瘡　滋潤劑見虛勞　調血劑見經閉

活真劑見健忘　又劑見中風　固密劑主漏血見遺尿

瀉血散見大麻風　活真酒見中風　健胃酒見胃虛

又酒見水腫　大蒜膏見膈噎　熨方主崩漏見尿血

又方見痛風　又方見難產　石蒜蒸見痢疾　合

利別主崩漏見痼疾　貌郎蔦班傑拂私的貟主冷毒多見喘

パーリンダミッテル
Baarling Middel.

難産

難産謂之毋粤列乙吉罷鄰倔。此由産婦素腰脉腎脉衰弱。或姙後縱慾。或胎養失宜而所致也。療例温腰脉。活腎脉。以潤血海。兼熨蒸湯浴為可。

催生剤破水後服之

白芥子　桂枝各二戔　大麥芽各三戔

右三味。煮熟去滓。加燒酒二三滴。調匀分温服。

アフレイシンゲン
Afleidingen.

分娩劑主分娩不理者　肉桂二戔　泊夫藍三分　桃仁二戔　麝香少許　右四味。以密盞銚。先煮三味。湯成去滓。内麝香。及酒二三滴。調匀分溫服之

又劑主分娩難澁及胞衣不下者　大黃二戔　營實　安及立加無則以芒硝代之各一戔。　右三味。煮熟去滓。加酒二三滴。調匀分服。

ブルウドソイヘレンデ
Bloed Sulverende.

鎮血劑主產前後瘀血衝心者　無名異三戔　沉香二戔

バーデン Baden.　ストーフセル Stoofzel.

蘭療方

黄連一戔

右三味。先煮二味。去滓内無名異。及香櫞汁。調匀分酒服。

熨方 主分娩不利腰腹大痛等

攝骨木葉不拘多少　食塩百戔

右二味煮熟。以布纏包。令産婦騎坐。冷則代之。

浴方 主難産

海羅二百戔　食塩百戔

右二味。以水二斛。煮熟。以浴腰脚。冷則加熱湯為可。

寛筋剤主腰脚攣拘疼痛見疝氣　逐血剤主血海窒塞不分娩者。見經閉

大逐血剤主諸方無効者及死胎見鼓脹　瀉血剤仝見大麻

風　瀉剤主大便不通者見傷寒　驅水剤主血海乾燥不分娩

者見脚氣　解結剤主腰腹攣拘見胸脇痛　鎮真剤主瘀血衝

心見心風　鎮安剤主血海衝見眩暈　安魂湯主悸動見煩悶

清膽剤主血動兼癇見癇症　鎮真剤主血暈衝氣見脚氣

清血剤主血海虚逆見悪阻　活真剤主神氣恍惚者見健忘

喚真剤主氣脱厥冷者見傷損　活真剤仝見中風　的

里亜迦全見驚風　寛和膏見痢疾　熨方見痛風

又方見痢疾　泊尓福刺窒列主卒厥及衝逆見驚風

遺精

遺精。謂之沙度弗尓胡度（サアトフルウド），此由精囊衰弱。多五更時虛陽暗動。夢遺精脫。或大便努力。反精滴。或小便後精瀝漢人所謂白濁俱為類症焉。又有忍慾夢交精脫者。別論為可療例。凉陽道（陽物運活通路）渋精囊（精液蓄畜要物）無和調真神。滋養精液為要矣。又

サーメン　テレツケン
Zaamen Trekken.

從妄念而起者。令意識轉移。則當自愈也。

濇劑　鹿角雪即鹿角膠楂。俗曰角石是也。二戔　百藥煎

沉香　肉桂　牡蠣生擣碎各一戔　斯篤福烏突

三分　右六味。煮熟去滓。加香櫞醋。調勻分服。

又劑　水銀蠟一戔　罌粟三戔　食塩二分

右三味。先煮二味。湯成去滓。內食塩。調勻頻

服。

又劑　金毛狗脊四戔　龍骨五分　桂實一戔　尿

ニールフルツイヘンレデ

石二分　右四味。先煮狗脊。湯成去滓。內龍骨。調勻分服。

又丸　龍涎香無則以鯨勢代之　石麻各三拾戔　食塩二戔　右三味。研羅以酒糊丸。每用二十丸。日三次。以塩湯送下。

涼精丸主虛火妄動者　加々於無則代酒製黃柏十戔　人中白五戔　食塩二戔　茴香四戔　鰻鱺油以底滴炉取之二戔　右五味。調勻以酒糊丸。桐子大。每用三十九以砂糖湯送下。

固容剤見遺溺　活真剤見健忘　清膽剤不拘虛實

見癇症　安蒐湯仝見煩悶　活陽剤主精脱見陰痿

滋潤剤主精液涸竭者見同症　大蒜膏主腎冷見膈噎　葱

白膏仝見陰痿　熨方熨百會腰腹等見痢疾　石蒜蒸

熨百會湧泉見同症　食療見溺血

遺溺

遺溺。謂之應昆窒念質亜胡里耶亜此由白建使水液入

ピスサーナン テレッケン
PIS ZAAMEN TREKKEN.

蘭療方　　一百四

膀胱　膀胱溺液畜聚處尿管使溲便外出等。冷痺脱力。遂不能收攝溺液。而所致也。療例。温腰脉。活白建淡膀胱密尿管。又諸尿管釀濁毒。以致遺溺者亦有之。法疏散排斥為先。温養縮收為後也。

固密劑　主遺尿遺精及便膿血等　紫梢花　桂實　陵霄花各一戔　貫衆二戔　右四味。煮熟去滓。加食塩少許。分温服。

又劑　主同症　溲疏四戔　鹿角雪　糯米各一戔

フルウアルムミッテル
Verwarm middel.

右三味先煮二味湯成去滓内鹿角霜及燒
酒二三滴調匀分服
温活剤　白馬尿　燒酒各四百戔　砂糖一斤
右三味先煮馬尿一伏時次内二味再煮四
五沸分温頻服
温収剤見尿血　寛筋剤見疝氣　活真剤見健忘
運胃剤見同症　通尿剤主宿濁妨尿路者見尿閉
驅尿剤主前症見水腫　驅水剤仝見脚氣　瀉水剤

（見大便秘）　解和散（主瘀物凝塞見淋疾）　除濁剤（仝見痢疾）

滲湿剤（仝見黴瘡）　消毒丸（仝見同症）　除毒剤

（仝見淋疾）　驅濁剤（主瘀血窒塞見便血）　逐血剤（仝見経

閉）　化塊剤（主諸濁物凝塞見鼓脹）　瀋剤（主腎火為妨見遺精）

活陽剤（主精脱見陰痿）　活真酒（主腰冷者見中風）　又方

（見痛風）　大蒜膏（主腎冷者見腸遺）　葱白膏（仝見陰痿）

舍利別（主精脱者見癇症）　貌郎篤班傑拂私的員

（主下冷遺尿見喘息）　熨方（見溺血）　又方（見痛風難産等）　除

レグトスピールフル　ウエッケン
Reatspler ver Wekkell.

湿浴湯不拘虚實石蒜蒸熨百會湧見水腫泉見痢疾

食療見溺血

陰痿

陰痿謂之底児里度私頡葛。此由房労過多。精液減耗。精原脉。即腎脉直筋。陽物活動筋脉衰弱而所致也。療例。滋潤精脉。活溌直筋。且避房事。養精液為要也。

活陽剤　天雄　桂實　龍涎香無則以鯨勢代之各一戔

サードナート マーケンデ
Zaad nat maakende.

蘭療方

拘把子四戔酒製　泊夫藍　食塩各三分

右六味。先煮四味。湯成去滓。内食塩。調匀分温服。

又剤主陰痿遺溺及腰痛等

貫衆二戔　紫稍花一戔　無漏子　陽起石各五戔　食塩少

右五味。先煮三味。湯成去滓。内陽起石食塩。調匀分温服。

滋潤剤主滋潤精脉腰脉及諸骨筋

海参二戔　紫稍花無則

シヨコラート
CHOCOLAAT

以桑螵蛸代之　桂實各一錢　食塩三分　右四味。煮

熟去滓分温服。

私欲剌亞多清精脉活直筋蠻人用加々於皮

製造焉吾邦所無之物也。今姑從

訳人某所傳擬造以任用為可　陽起石　鷲管石各百錢。同研煆一炷香。取

出投入火酒去火毒　蛇床子　兎絲子各百錢　百藥

錢各五十錢　右五味。研蘿以火酒四百錢。加白

錫五十錢文火煮。硬凝焦黑為度用時研細。

每服。五錢。鷄卵湯加砂糖調匀送下。或尾尓

蘭療方　　一百七

アユイン　セイロープ
AIUYN SYROEP.

度尾剌斯二戔。無則以地黄代之食塩少酒煎。送下亦可。

葱白膏　葱白研　胡麻黒為可各三百戔　砂糖百戔

右三味。以焼酒百戔。煮為膏。毎服一戔。以塩湯送下。

濇剤見遺精　温収剤見溺血　活真剤主腎陽衰弱見健忘　酒剤主血液衰弱見痛風　活真酒見中風　滋潤剤見虚労　大蒜膏主腎冷見腸壹　石蒜蘸見痢疾

ピスデレイヘンデ

舍利別見主腎脱癃症　食療見尿血

溺閉

溺閉。謂之沕乙私篤扁。凡膀胱醸熱則小便渋而紅也。又濁物窒於膀胱及尿管衰弱致不通者亦有之。辨別爲可。療例属熱邪者。涼解淡滲。属濁物者。解毒驅逐。属衰弱者。活溌運環。宜随症處方也。

通溺剤　通草　石葦各三戔　燈心草一戔

右三味。煮熟去滓。加醋調勻分服。

又劑主下尿路有濁氣者　硬飯　甘草節　可喜黑炒各四戔

右三味。煮熟去滓。分溫服。

又劑　阿窩里干結児研一戔。蠻物。無則製造。毛蟹。鹿角霜。人中白。各十戔。研羅。以黃明膠煎。搗調為錠如豆片　琥珀一戔　硝石二戔

右三味。以水二盞。先煮二味。取一盞。去滓內干結児及燒酒二三滴。調勻分服。

又劑　野漆實三戔。實以製蠟。俗称巴設是也。　紅豆炒四戔

バーデン　レグド　ピスローセン　フインプゥデル

Baaden. Legr. Pisloozen Evnpoedel.

桂枝一戔　右三味。煮熟去滓。加桂枝酒或焼酒二三滴。調匀分温服。

通尿散主諸尿不通者試驗也。　通草百戔　海金砂　琥珀各三十戔　右三味。研羅。毎服一戔。白湯加焼酒送下。

貼方主諸尿閉者　甘遂　右一味。細末。用番打麻調和。以貼肚腹為妙也。

浴湯主諸方無驗者　芭蕉葉三百戔　石灰百戔

右二味。煮熟屢浴。以溺快通爲度也。

又方　海羅三百戔　商陸根葉二百戔　右二味。以水一斛煮以浸陽物。或浴腰以下。或布釀以熨尿。當快通也。

通溺劑主膀胱熱者見淋疾　又劑主膀胱不利見脚氣　除濁劑主膀胱不清者見痳疾　消毒劑主痰濁伏於尿路者見痔瘡　滲湿劑全見黴瘡　驅尿劑見水腫　瀉水劑主癃閉者見便秘　驅水劑見脚氣　健胃劑主臟腸不利者見水腫

ヲツプゲステレーケン
Opgestreeken.

運胃剤見健忘　活真酒主虛閉症見中風　健胃酒見胃虛　健運酒見水腫　大蒜膏見膈噎　熨方見痛風　又方見難產　石蒜煎全蒸熨臍及小腹為可。見痢疾

疝氣

疝氣謂之怫羅末。此由諸腸衰弱。腰間不和。濁液寒毒粘着而所致也。療例驅寒濁溫腎脉。調腰脉。兼寬筋絡。或浴熨為可。殊避房事為要也。

寬筋剤主腰腹轉筋　杜仲　木瓜各四戔　艾葉一戔

フルザグテンデ
Verzagtende.

可喜黑炒十戔　食塩少許　右五味。煮熟去滓。加酒二三滴。調匀分服。

又劑主轉筋腹痛等　尾剌度尾剌斯無則以飯代之當芍藥各四戔　附子五分　無花果　桂實一戔　甘草五分　右六味。煮熟去滓。加麥酒。分温服。

和解劑主暴卒発怪熱者　哥尓都皮　綿實黑炒各一戔　鶏屎炒末三分　臭橙連皮半箇　右四味。先煮三味。湯成去滓。加桂枝酒二三滴。分温頓服。

ゲスメールト　フルウエイ子ン
Ges meerd. Ver wynen.

消滿剤主腹空滿者　浮石　巴豆皮各二戔　大麥十戔

右三味煮熟去滓頓服。

石灰貼主大人囊疝偏墜。小兒囊癬腎腫等　真石灰不拘多少

右一味荏油調勻。屢附貼。自然消解也。

和痛剤主冷痛見腹痛　和解剤主毒痛見麻疹　温收剤主腰冷見溺血　滲湿剤主濁毒者見黴瘡　除濁剤主疝瀉或浮腫見痢疾　瀉水剤主雷鳴腹滿見便秘　瀉剤主腰腹脹痛見傷寒　驅尿剤主雷鳴瀉利或浮腫見水腫　逐血剤主疝毒見

蘭療方　　頁五

經閉　化塊剤主疝塊見鼓脹　健胃剤主雷鳴浮腫見水腫

運胃剤主腹力脱者見健忘　滋腎剤主腰脚攣急見陰痿　寬和膏主攣拘見痢疾　酒剤主腰冷見痛風　浩真酒見中風

健胃酒主胃虚見胃虚　健運酒仝見水腫　宿砂煎主疝瀉見胃虚　大蒜膏主腎冷者見膈噎　罌粟舍利別燒酒調和服之。見痼症　牢達扭謨主疝痛見痼症　熨方仝見痛風　又方見難産　除腫浴湯主腰冷腹痛瀉利浮腫等見水腫　貌郎篤班傑拂私的貝主寒疝痛見喘息

スプウレン
Spoelen.

陰門痒

陰門痒。謂之弗羅胡禮吉歇意篤歐窟。此由經血不順以釀成瘀濁。所謂帶下毒即是也遂鬱灼薰蒸而所致也。療例除濁剤。解热剤為主。或灌洗。或坐藥。兼施亦可。

灌洗方 主婦人陰門煩痒。男子陰囊湿痒等

烟草莖十戔　礬石三戔　韶脳一戔

右三味。煎熟以屢灌。煩痒解為度。

セツトピル
Zetpil.

蘭療方

坐導

韶腦燒飛三分　九孔螺末一戔　胡ウ微ン的ウ瑪イ

篤五厘　右三味。荏油研調。以絹包。彈丸大。內

陰門煩痒解為度。

消毒剤見痔疾　滲湿剤見黴瘡　瀉剤見傷寒　驅

水剤見脚氣　除濁剤見痢疾　驅濁剤見便血

除毒剤見淋疾　逐血剤見經閉　灌洗剤見癬疥

大黄水見黴瘡　猛強露見癜風　霊油主痒痛見癬疥

韶腦油仝見痛風　熨方仝見同症　熏方主浮爛煩

Gifterdryver. Koeldrank.

ギフトデレイヘン　クウル　ダランキ

痒見痤瘡

痤瘡

痤瘡謂之西亞母結尓。此由徽毒欝結在下部而陽物或腫痛。或蝕盡者是也。療例。解热。逐毒。除濁。活血。又薰熨。灌洗。兼施亦為可。

涼解劑　橐吾葉　芍藥　硬飯各二　肉桂加々於皮各一戔

右五味。煮熟去滓。分温服。

驅毒劑主腐蝕者　烏頭醋製五分　漆葉酒製　肉桂各一

テーゲンギフトピッレン
Teegengift pillen.

プラヽピタチュス
Praecipitatus.

右三味。煮熟。去滓。分温服。

消毒丸 療瘡毒入筋骨。或痼毒。或寒湿。疼痛等 貌郎篤班傑拂

私的員 一戔。製造見喘息。或弱人則以胡微的馬篤代之亦可 毋僋

密乙那 五戔。無則天蓋代之 尿石 雄黄各二戔 大

黄 十戔 右五味。研調匀。梧子大。每一戔。冷茶

下。日二次。七日有驗也。

捬剌失必太黙須 主陰瘡蝕爛。鵞掌癧風等。以鶏子清研調塗為可。

水銀蠟 三十戔 礬石 輕粉各十戔

ゴーラルト
Goolalt.

右三味以梅醋研調內罐泥封煅煉通紅為
度

尾胡刺児篤主徽瘡癬疥瘰疽脫疽乳癰禿瘡
咽喉瘡湯火傷打撲腫痛寒月凍
瘡等或灌洗或熨蒸又
如徽瘡則內服亦為可

水銀蠟一斤　臭橙醋四百戔　右二味研調勻
以尾器煮取二百四十戔漉去滓內硝子器
密封久為可或調鷄子清塗之或調白湯灌
之又如瘡毒沉痼則尾胡刺尔篤一盞大黄

フルーローケン
Verrooken.

煎汁二盞。調勻温服。日三次。有熱者冷服。每日製劑為可。

薫方主瘡腐蝕者 銀朱一戔 白礬五分 大黃二分 艾葉四戔 右四味。調勻。紙撚卷收。指大四五寸許。以薫患處。日三次。至一七日為度。

滲湿劑主瘡毒見徽瘡 消毒劑仝見痔疾 驅濁劑主瘀血見便血 除毒劑仝見淋疾 瀉劑主熱多見傷寒 托毒劑主伏毒見痔疾 解痛劑主痛多見痛風 滋潤劑

主血燥見痘瘡

大黄水主頑毒或灌洗或内服見黴瘡

解毒露仝或服或洗。見同症

猛強露主疳蝕見瘕風

霊露仝見癰疽

大風子丸主痼瘡見大風

胡微的蔑毋傑設児仝見黴瘡

須捬里馬蔑毋傑設児主前症甚者見同症

貌郎篤班傑捬私的員主下属沉痼者每二丸。硬飯湯加砂糖冷服。日二次服後百日。禁房事大労熱酒膏粱等見喘

韶脳油主腫痛見痛風

大風子油主諸瘡見大風

長肉油主蝕脱見傷損

霊油主煩痒見癬疥

和痛油主腫痛見湯火傷瘡

的列並底那

仝 見傷損

拔尓撒母 主腫痛或腐蝕難愈者 見同症

清涼貼 主熱痛 見傷損

石蒜貼 主硬腫 見癬疥

墜方 主疼痛 見痛風

驅毒貼 主腐蝕 見癬疥

熨方 主疼痛 見痛風

又方 見傷損

又方 見難産

薰方 主湿爛 見傷損

私的尓吉窊的児 主痈蝕漏瘡。浸綿挿入。截瘀物生好肉。最妙 見大麻風。

脚氣

脚氣。謂之腐蔫歐歇児。此由念慮妄動。房労太多。胃腸及腎衰弱。腰脚脱力。遂湿液襲侵而所

ピス ローセン　ウアーテルデレイヘンデ

Pis Loozen.　Waterdrijvende.

致也。療例通開胸膈。疏利膀胱。兼運環脾胃。若腫脹劇者。先逐通大腸。後疏利膀胱亦為可

驅水剤 主水湿凝塞及留飲等

金櫻子　白桃花各四

安及立加　鐸落都揥漢斯篤福烏篤各一

可喜十戔

右五味。以水八十戔。煮取四十戔頓服。須臾腹滿。更服。則暴瀉。當引飲。隨服前方。若瀉過不禁者。與可喜湯一味炒煮熟為佳也。

通尿剤 主膀胱不利者

木通　檳榔　石葦各二戔

ビール　ムウデスチルレンミッテル
Bier.　Moe De StILLeD mIDDeL.

可喜黒炒四戔　右四味。煮熟去滓。分温頻服。

又剤主尿道窒塞者　大腹皮　漢防已　紅豆黒炒各五戔　右三味。煮熟去滓。分温服。

鎮真剤主水毒衝心者　蘇子　白芥子　半夏　茯苓各三戔　密香　沈香各一戔　右六味。煮熟去滓。加臭橙醋。調匀分温服。

麥酒主胃虚水穀不化。腹満小便不通者。若無則擬造。其法麥芽麁研四合。燒酒一升。同入蒸炉。以取露二合。任用為可

通尿剤見小便閉　除湿剤主湿腫見水腫　除濁剤見痢疾　瀉剤主硬腫見傷寒　瀉水剤仝見便難　健胃剤主胃虚見水腫　調胃剤主下屬胃虚者上見嘔吐　運胃剤仝見健忘　化塊剤主石腫者見鼓脹　健運酒主脾虚膀胱不利見水腫　健胃酒仝見胃虚　桂枝酒見薬解　宿砂煎仝見同症　大蒜膏主胃腎虚冷見膈噎　貼方治脚腫堅硬者見鼓脹　石灰貼同見疝氣　熨剤主冷腫見痛風　又剤見傷損　石蒜蒸不拘虚實見痢疾　除湿浴湯主一

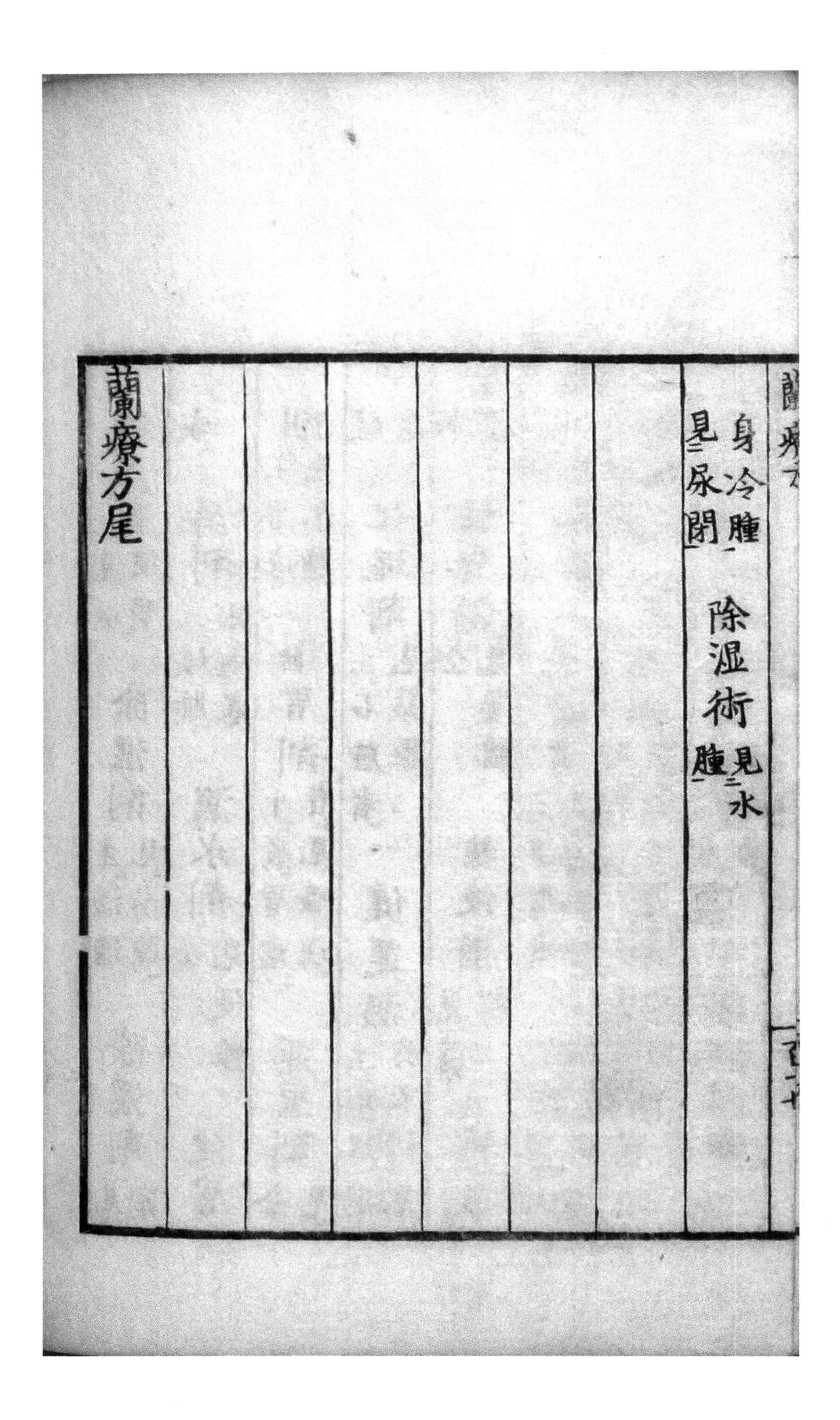

蘭療方

身冷腫 見二尿閉一　除湿術 見二水腫一

蘭療方尾

器物圖説

密氣銚

密氣銚調之私篤扁坩。大丸藥物。有以氣為用者。人参。黄芪。桂枝。丁子類是也。有以味為用者。黄連。熊膽。烏梅。甘草類是也。有以性為用者。大黄。巴豆。桃花。石膏類是也。而以性及味為用者。假令漏脱其氣亦無太害。如以氣為用者使之漏脱。又將何用之為。故蠻人製密蓋銚以煮之。

圖說
蓋漢人未論及。當謂卓識也。
用硝子製之
此口以湿紙密封
使藥氣無漏泄也
湯成入此滴露調匀分服
stopel
kan

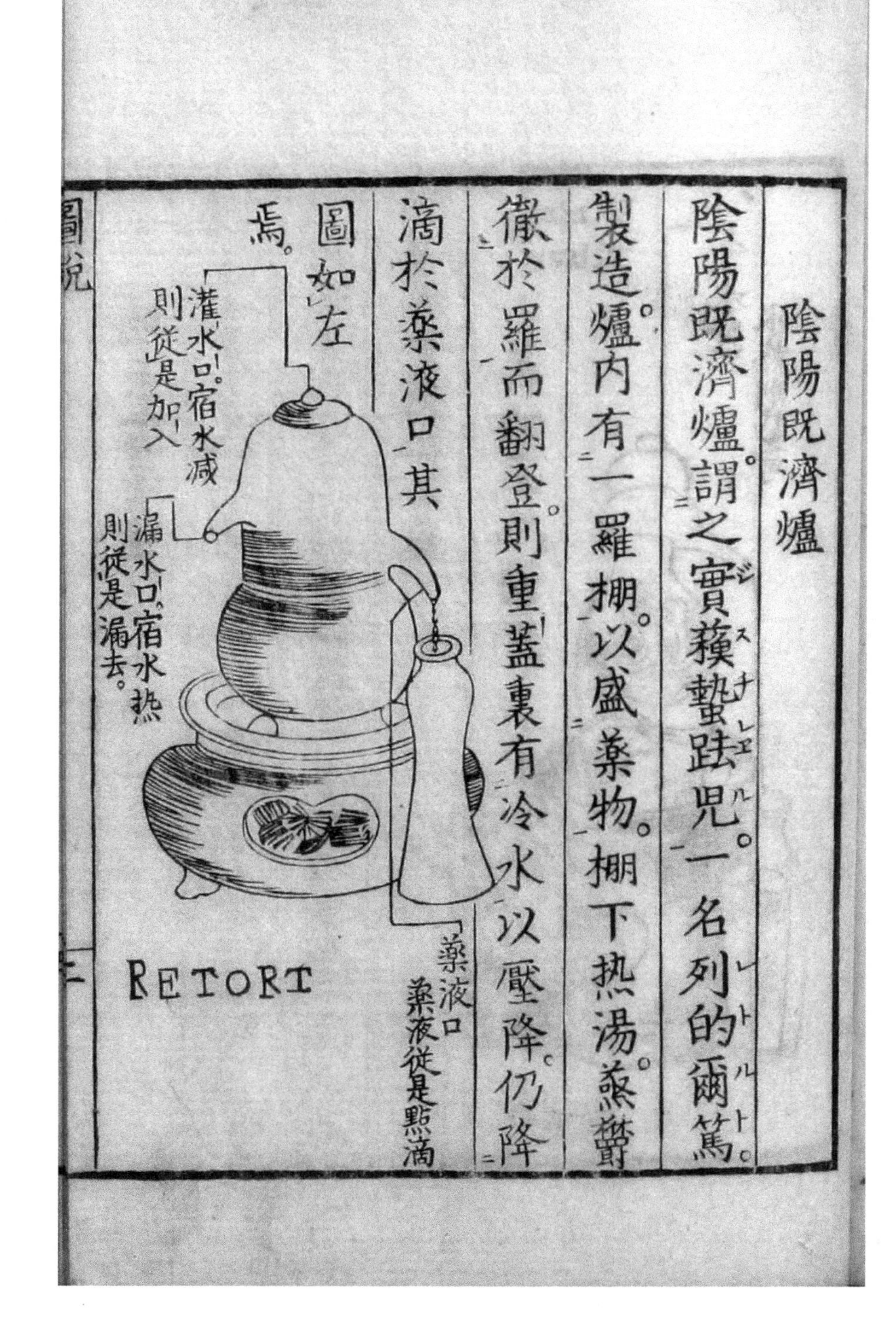

陰陽既濟爐

陰陽既濟爐。謂之實蘱蟄跬兒。一名列的爾篤。製造爐內有一羅棚。以盛藥物。棚下热湯。蒸欝徹於羅而翻登則重蓋裏有冷水以壓降。仍降滴於藥液口其圖如左焉。

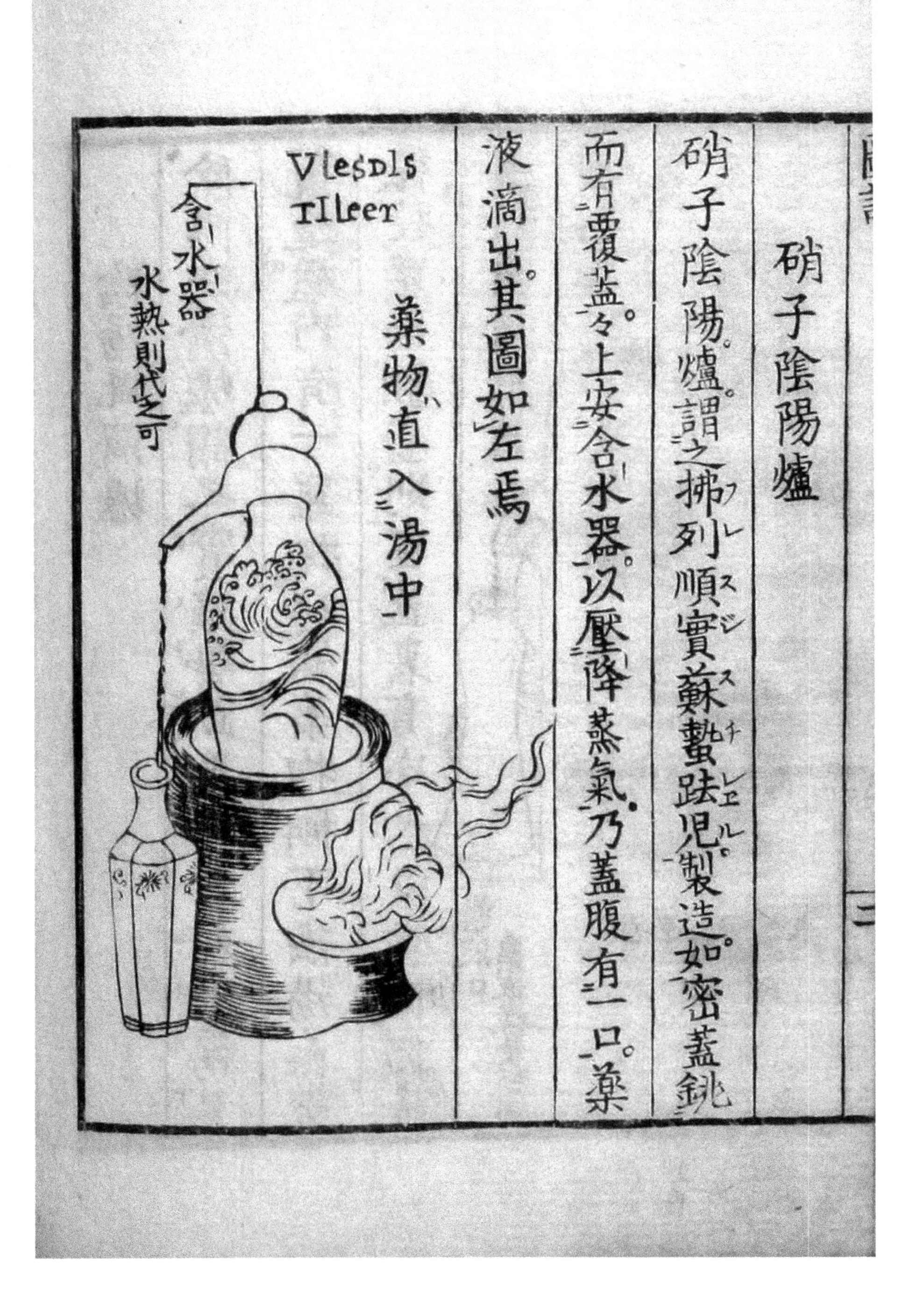

硝子陰陽爐

硝子陰陽爐。謂之拂列順實蘇蟄跕児。製造。如窑蓋銚而有覆蓋。々上安含水器。以壓降蒸氣。乃蓋腹有一口。藥液滴出。其圖如左焉

藥物直入湯中

底滴爐

底滴爐。謂之的列吉的兒非循兒的私。諸藥物黑炒。兼取油液。一用存两益焉。製造爐有一層。層底開小穴。而敷藥物。以落入壓蓋。蓋隙用泥密封。蓋上盛炭火。藥物薫灼油液從層底滴瀝以器受取候油盡。以知黑炒成。其圖如左焉。

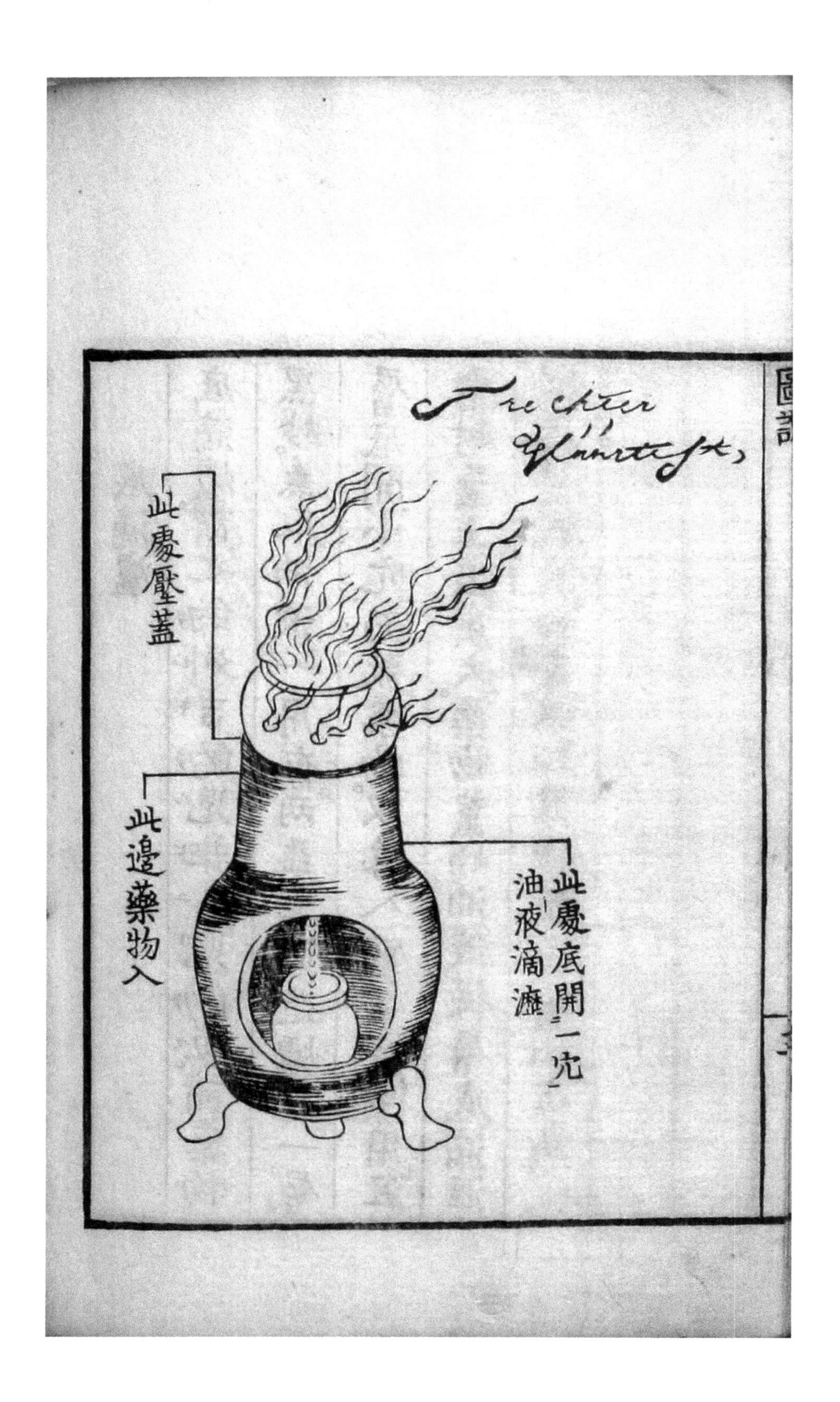
此處壓蓋
此邊藥物入
此處底開一孔
油液滴瀝

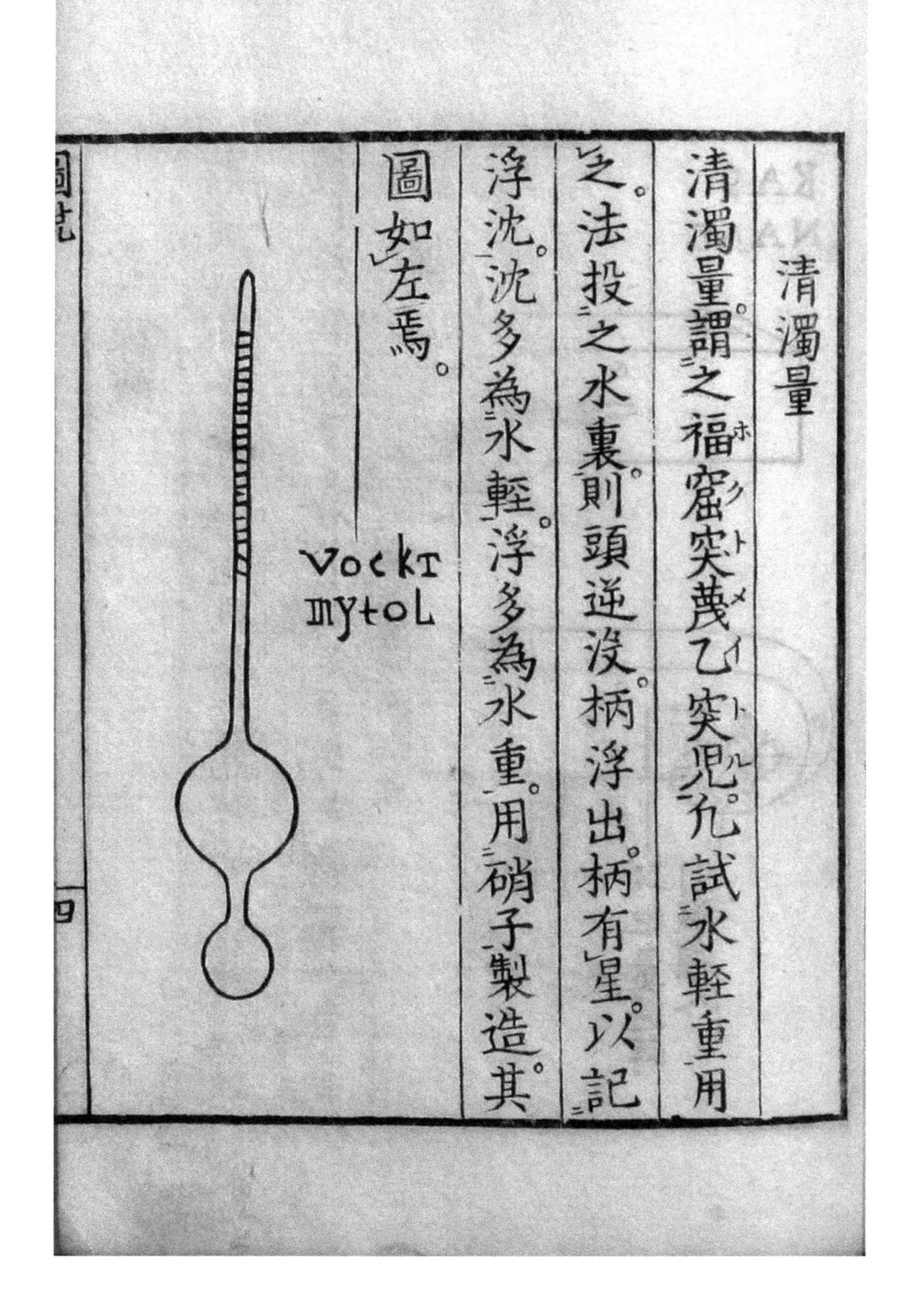

清濁量

清濁量謂之福窟突蔑乙突児亢。試水輕重用之法。投之水裏。則頭逆沒。柄浮出。柄有星。以記浮沈。沈多為水輕。浮多為水重。用硝子製造。其圖如左焉。

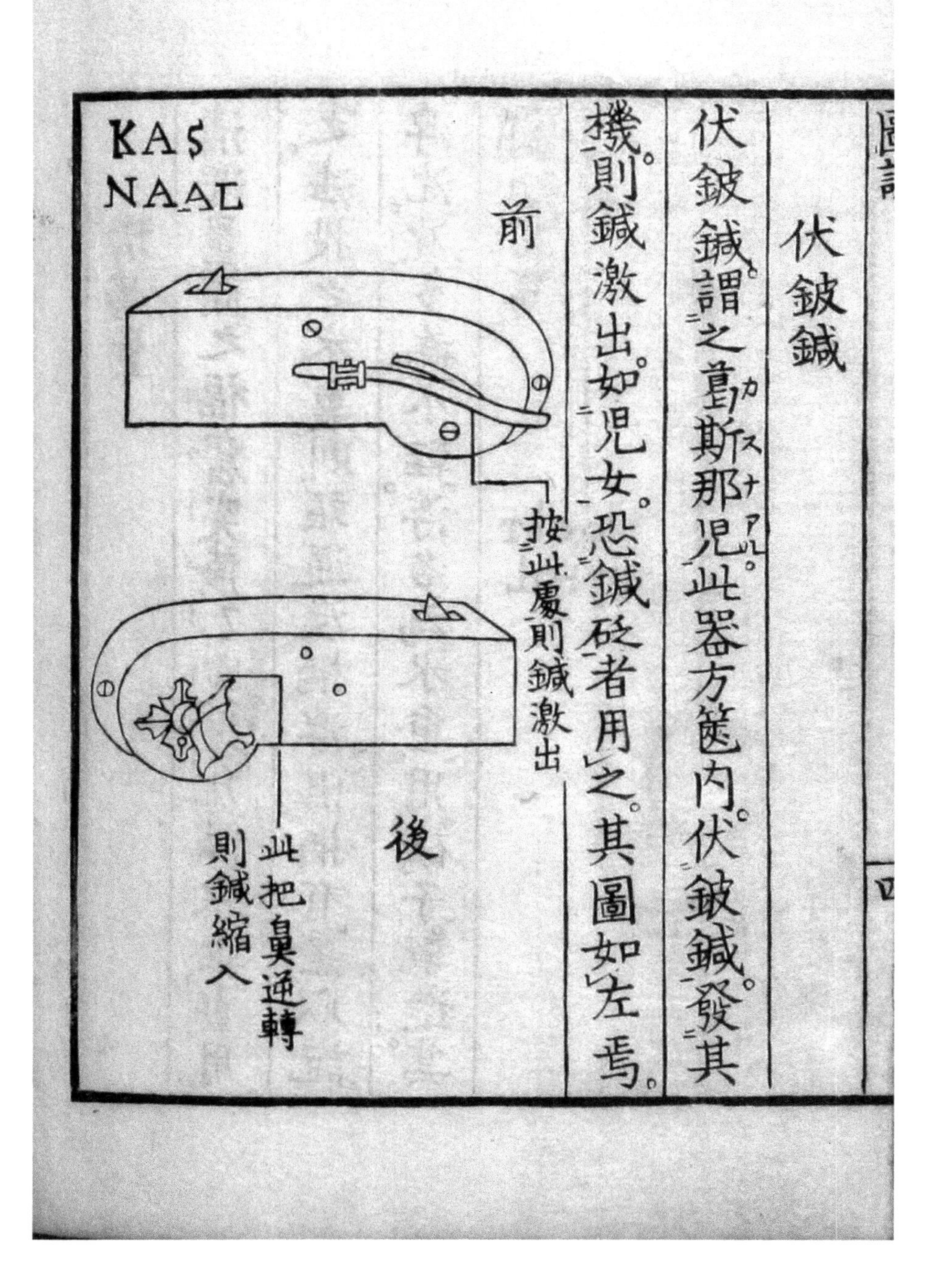

圖說

伏鈹鍼

伏鈹鍼謂之勃斯那児此器方篋内伏鈹鍼發其機則鍼激出如児女恐鍼砭者用之其圖如左焉

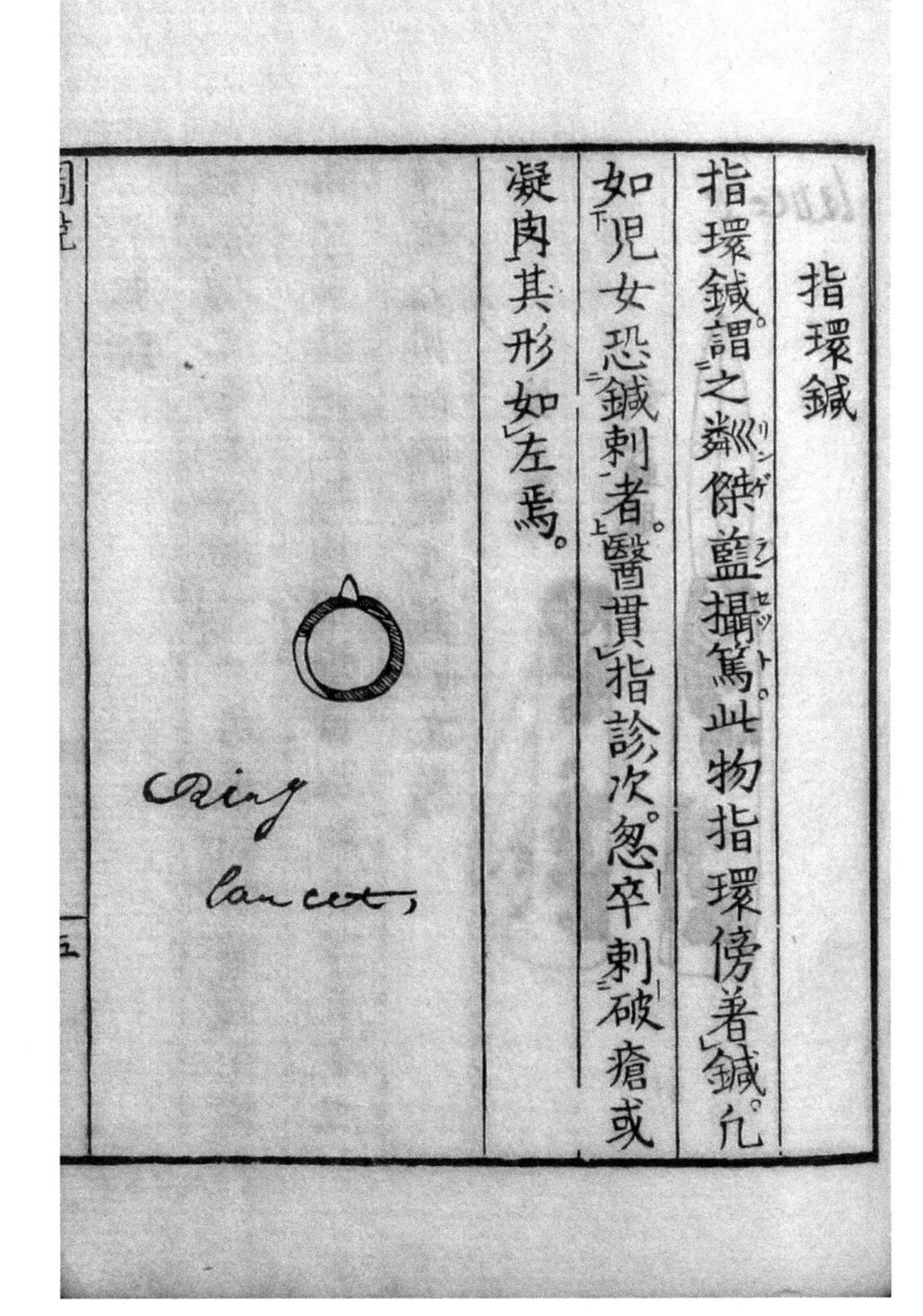

指環鍼

指環鍼。謂之鄰傑藍攝篤。此物指環傍著鍼。凡如兒女恐鍼刺者。醫貫指診次。忽卒刺破瘡或凝肉其形如左焉。

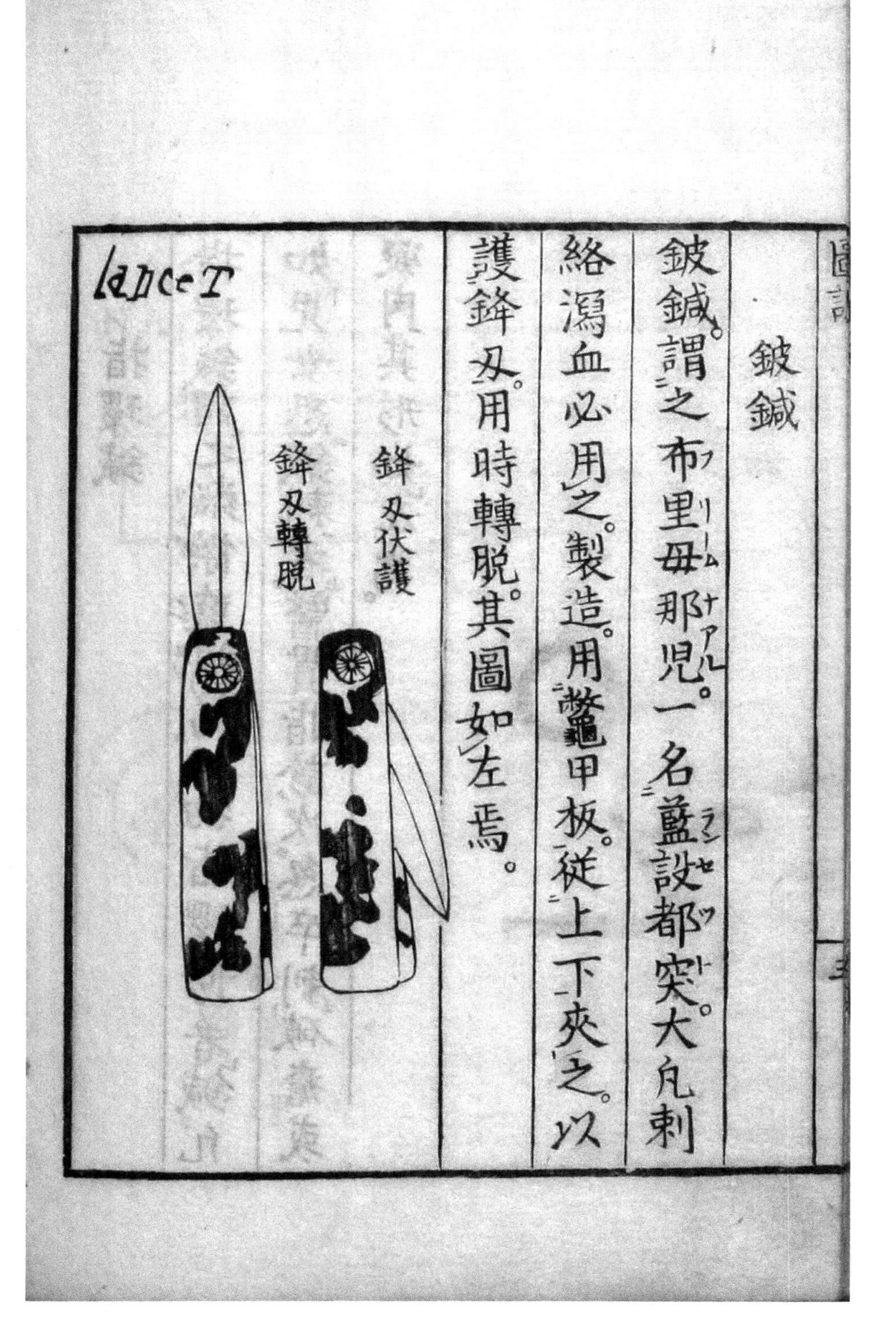

鈹鍼

鈹鍼。謂之布里母那兒。一名藍設都突。大凡刺絡瀉血必用之。製造。用鼈甲板。從上下夾之。以護鋒刃。用時轉脱。其圖如左焉。

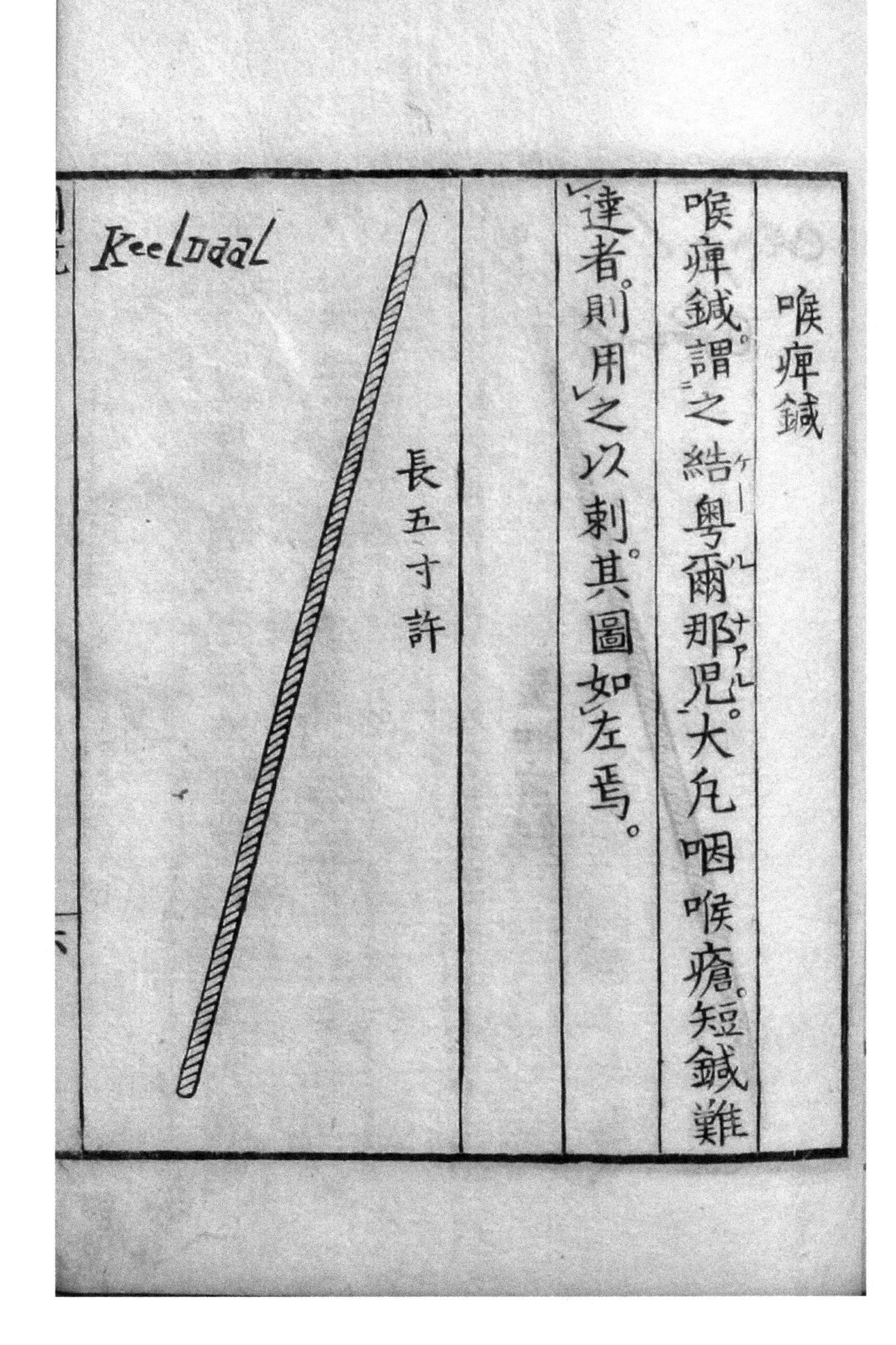
喉痺鍼

喉痺鍼。謂之結粤爾那児。大凡咽喉瘡。短鍼難達者。則用之以刺。其圖如左焉。

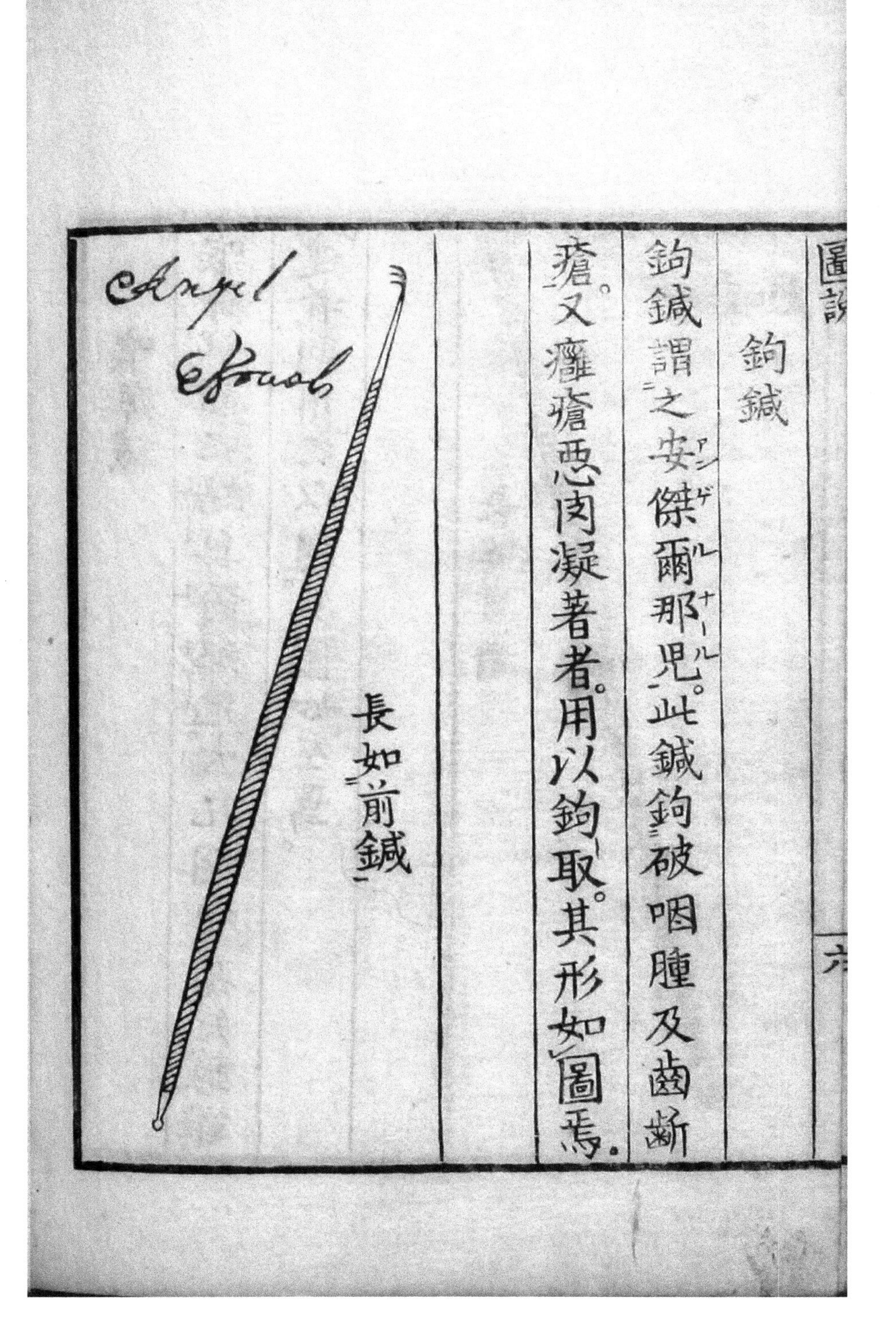

鉤鍼

鉤鍼謂之安傑爾那兒。此鍼鉤破咽腫及齒齗瘡。又癰瘡惡肉凝著者。用以鉤取。其形如圖焉。

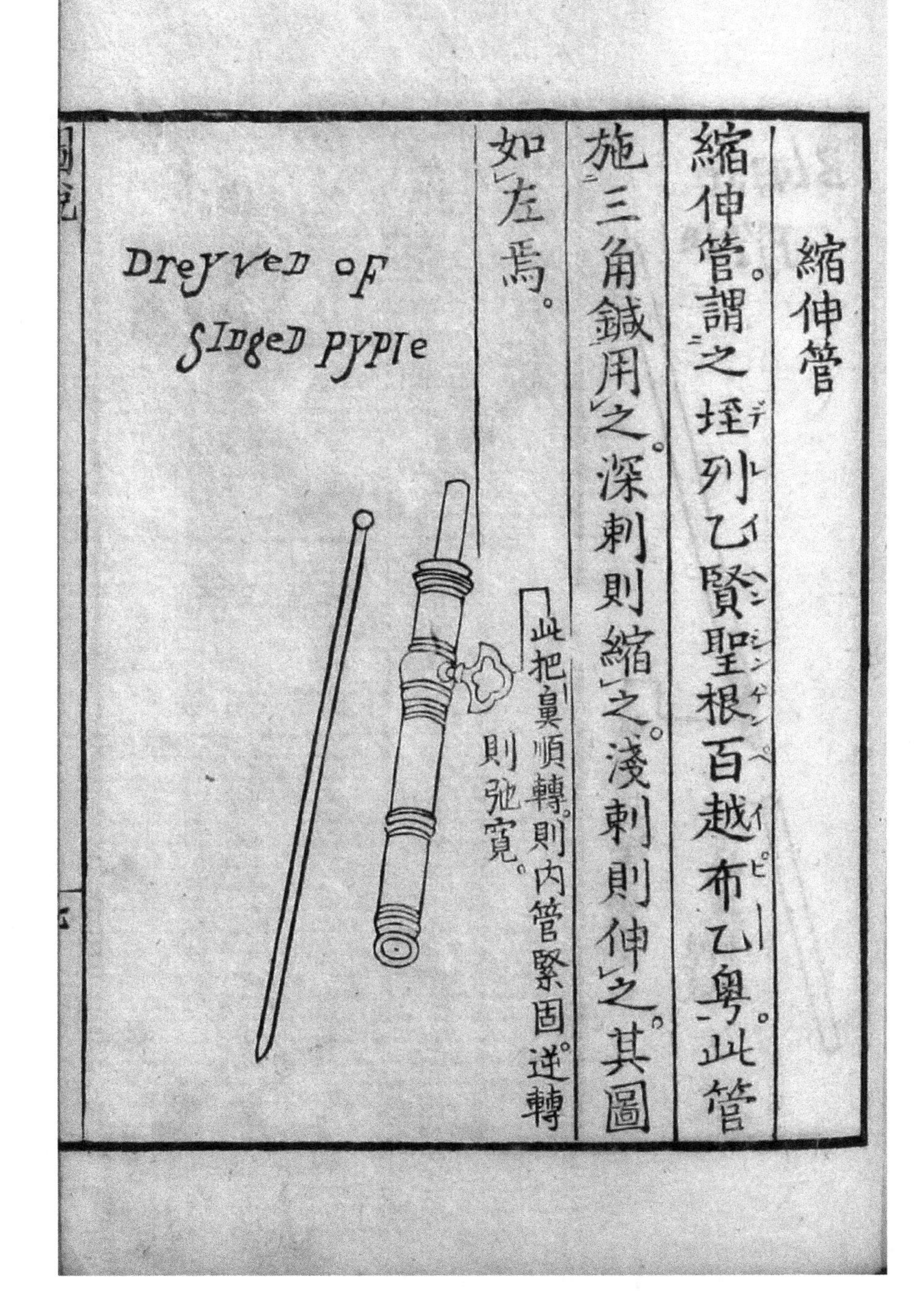

縮伸管

縮伸管。謂之埿列乙賢聖根百越布乙粤。此管施之三角鍼用之。深刺則縮之。淺刺則伸之。其圖如左焉。

DreJveD oF SIngeD PyPle

此把臬順轉。則内管緊固。逆轉則弛寬。

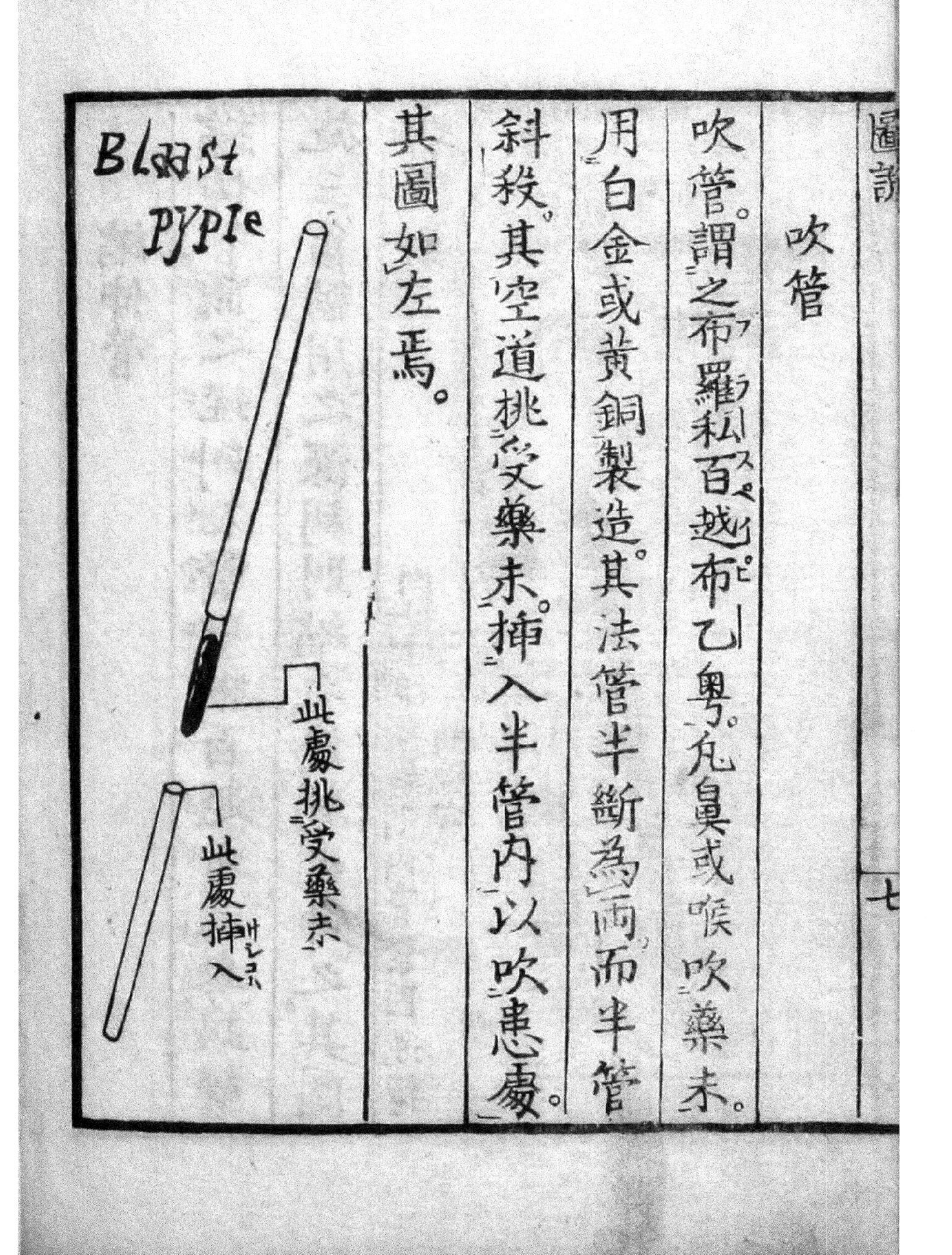

圖説

七

吹管

吹管。謂之布羅私百越布乙粤。凡鼻或喉吹藥末。用白金或黄銅製造。其法管半斷爲兩而半管斜殺。其空道挑受藥末。插入半管内以吹患處。其圖如左焉。

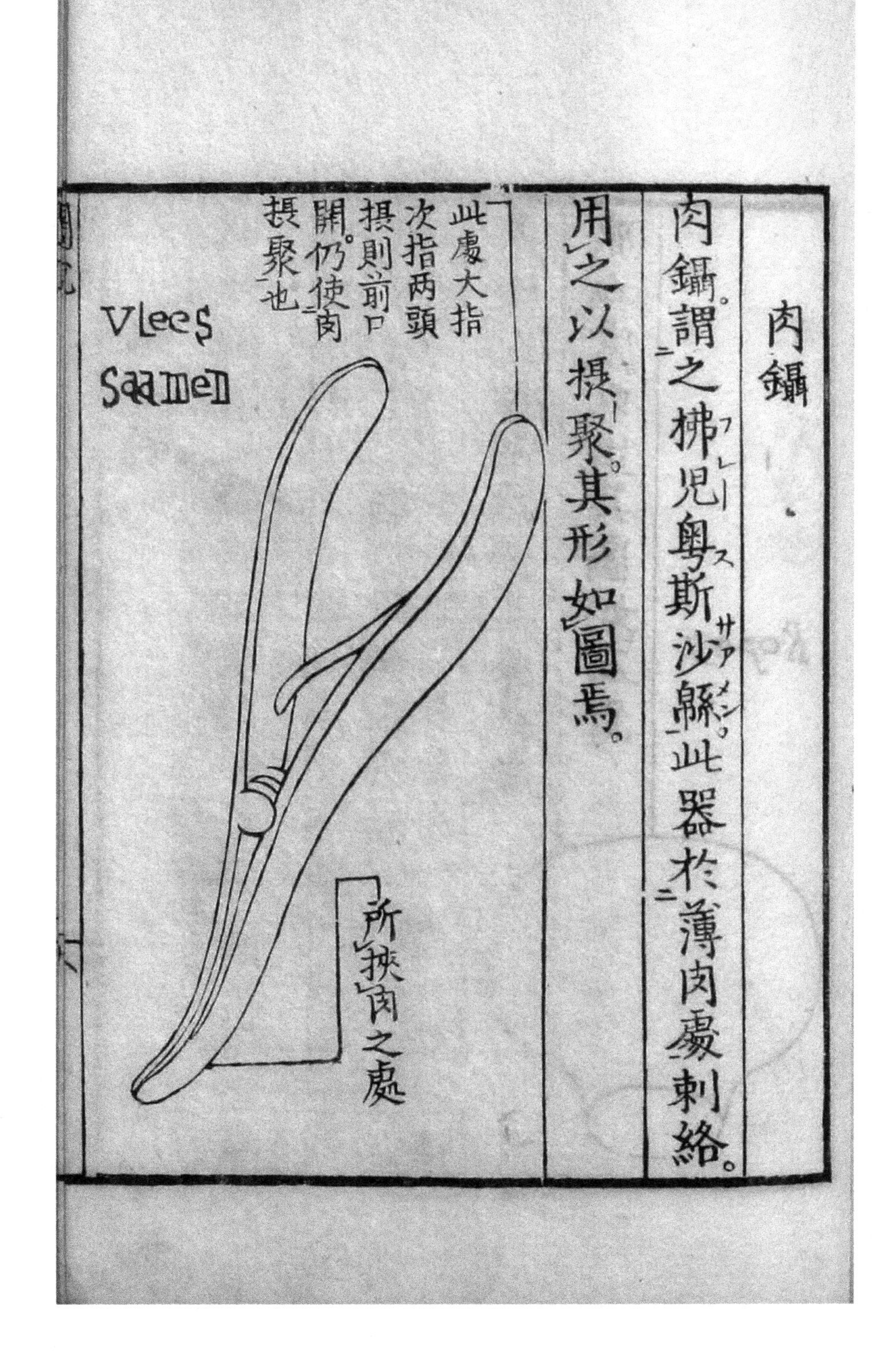

肉鑷

肉鑷。謂之拂兒鼻斯沙緜。此器於薄肉處刺絡。

用之以摂聚。其形如圖焉。

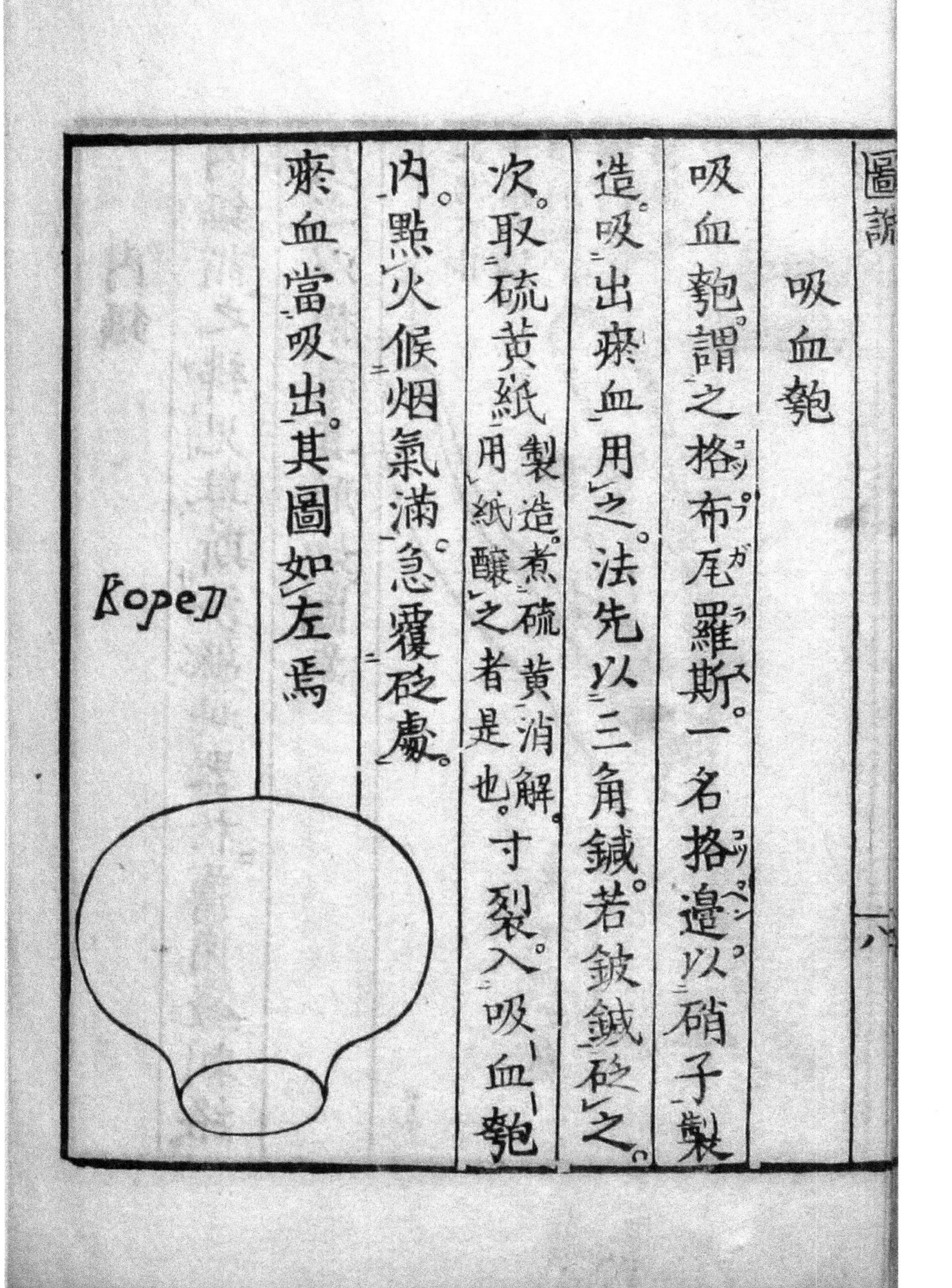

吸血匏

吸血匏謂之格布尾羅斯。一名格邉。以硝子製造。吸出瘀血用之。法先以三角鍼。若鈹鍼砭之。次。取硫黄紙製造。煮硫黄消解。用紙醸之者是也。寸裂入吸血匏内。點火候烟氣滿。急覆砭處。瘀血當吸出。其圖如左焉

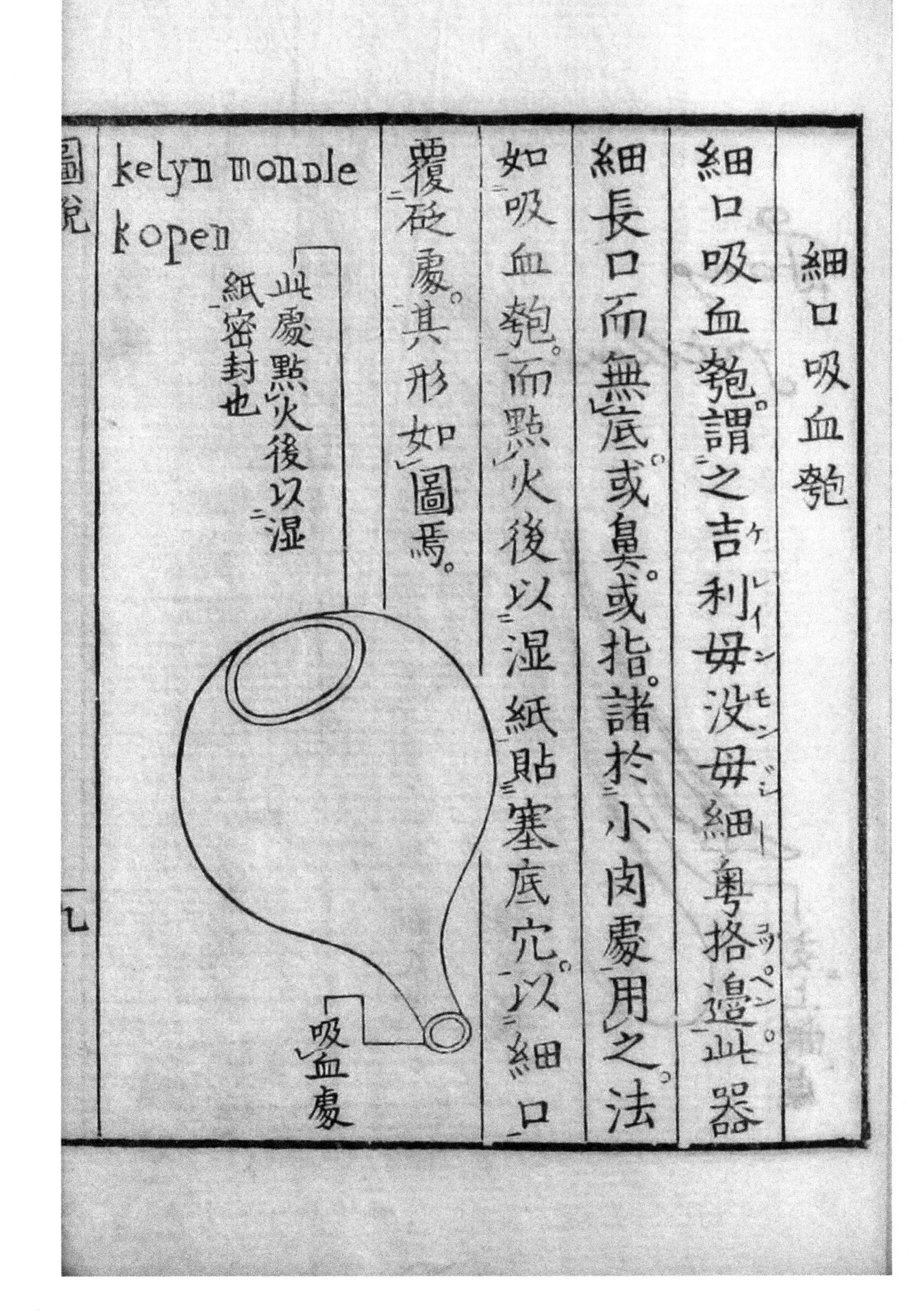

細口吸血匏

細口吸血匏。謂之吉利母没母細粵搭邉。此器細長口而無底。或臭。或指。諸於小肉處用之法如吸血匏。而點火後以湿紙貼塞底穴。以細口覆砭處。其形如圖焉。

kelyn mondle kopen

圖說　一九

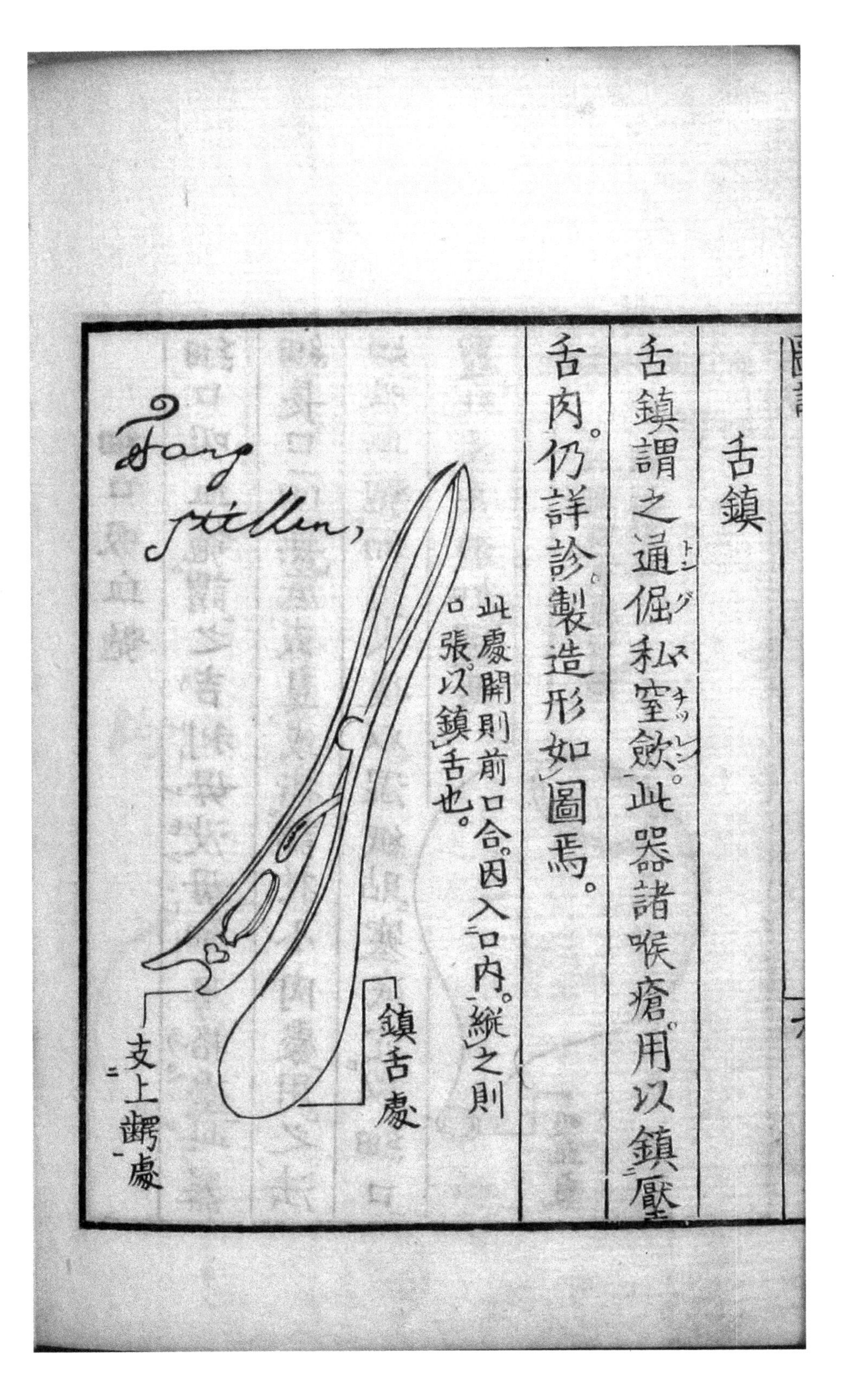
舌鎮
舌鎮謂之通倔私窒歛。此器諸喉瘡。用以鎮壓舌肉。仍詳診。製造形如圖焉。
此處開則前口合。因入口內。縱之則口張。以鎮舌也。
鎮舌處
支上齶處

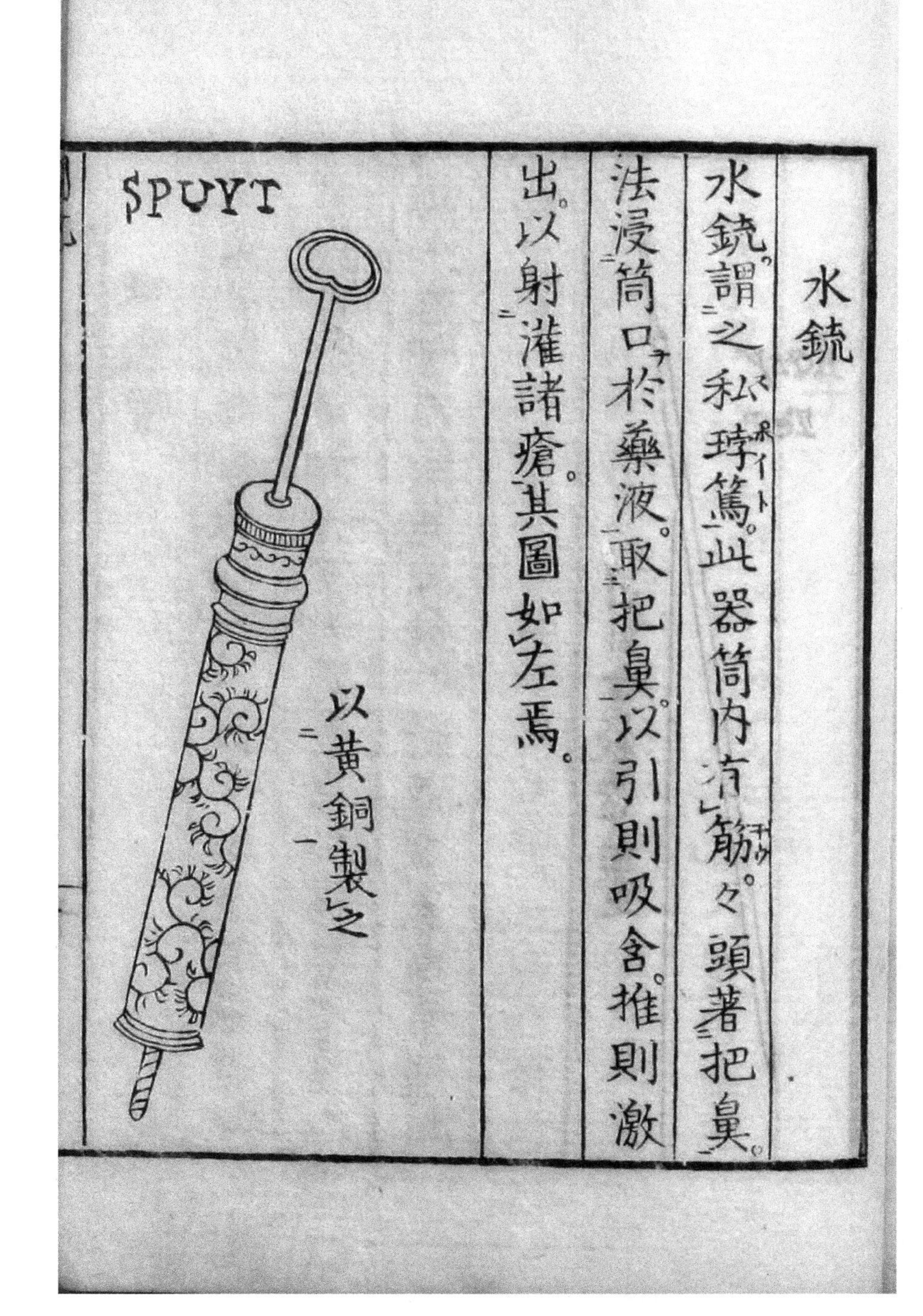

水銃

水銃謂之私砶篤。此器筒内有筋。々頭著把臬。法浸筒口於藥液。取把臬以引則吸含。推則激出。以射灌諸瘡。其圖如左焉。

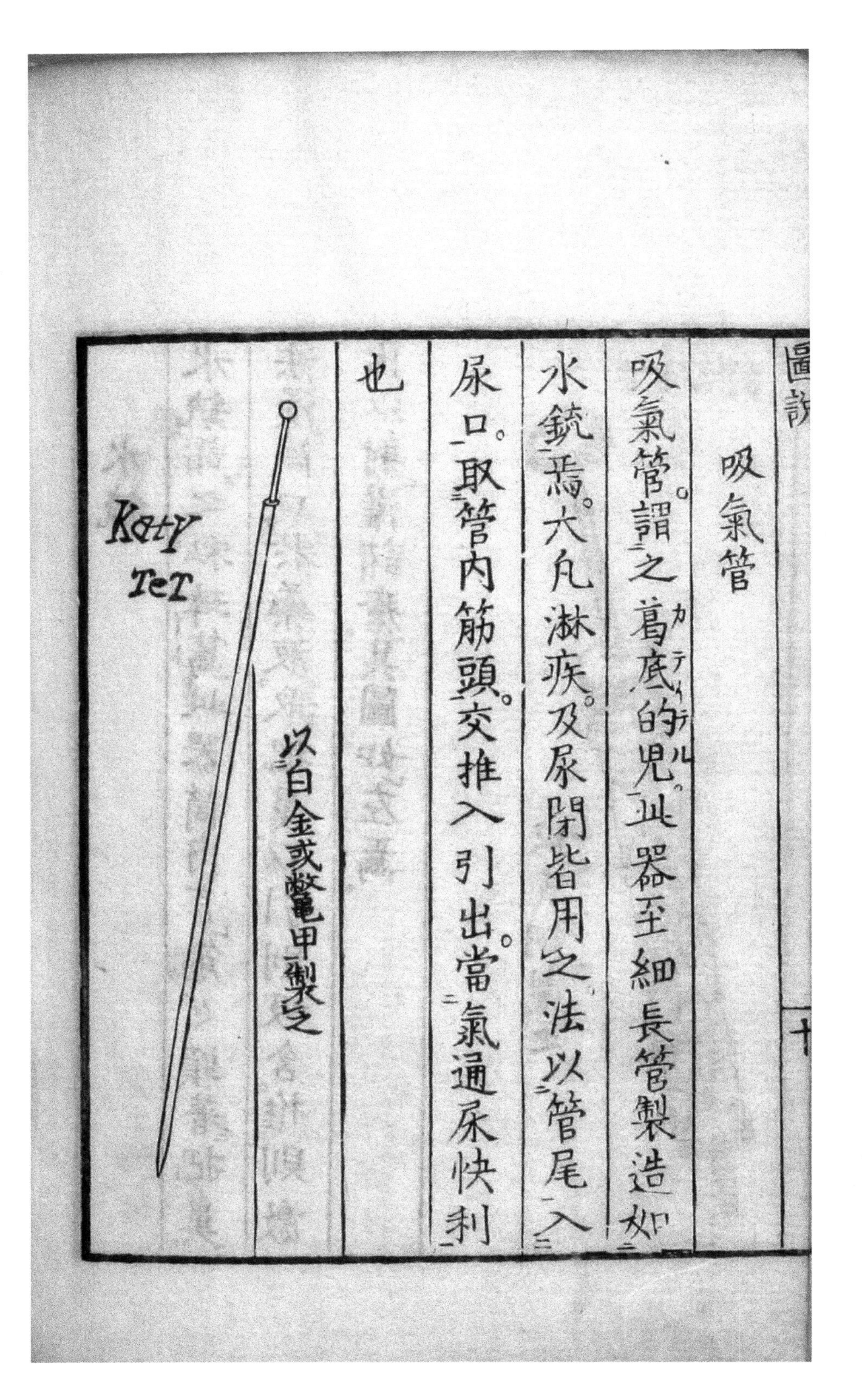
圖說

吸氣管

吸氣管。謂之葛底的兒。此器至細長管製造。如水銃焉。大凡淋疾及尿閉皆用之。法以管尾入尿口。取管內筋頭。交推入引出。當氣通尿快利也

以白金或鼈甲製之

弦響子

弦響子。謂之鐸母埵爾那兒。此器耳竅窒塞者。用以激通法。左大次二指。揃聳腰。內頭丸於患耳。右大次二指。扼彈其股末。使響音徹於聽經。如斯日數次。兼用點入劑。內服劑。至一七日。若二七日。試效否也。

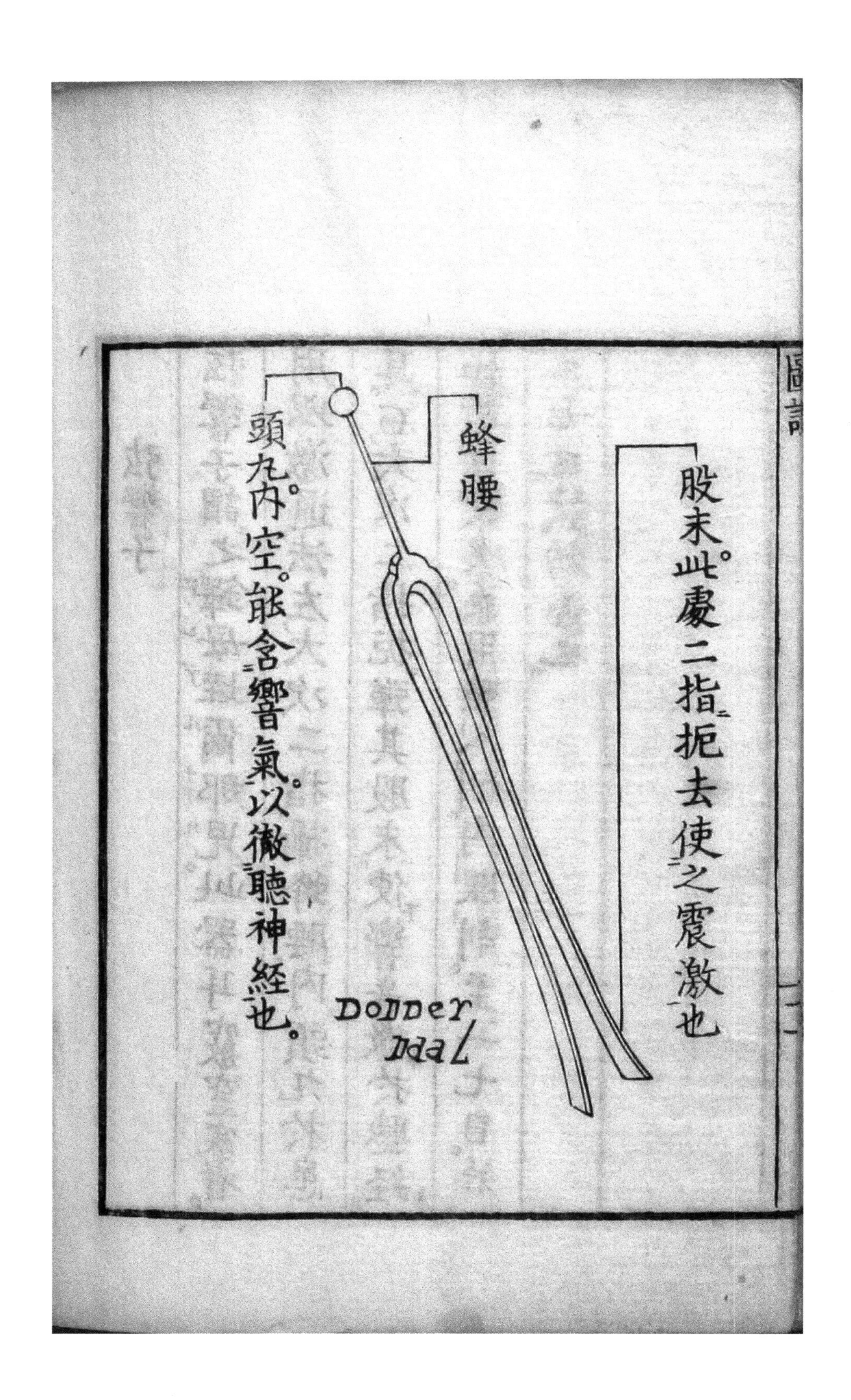
股末此。處二指扼去使之震激也
蜂腰
頭丸内。空。能含響氣。以徹聽神經也。
Donner
naal

肉鍋

肉鍋。以鐵縛物謂之鍋也謂之篤攣涅結多。此器或頭痛。以縛頭。或胸痞。以縛胸。或金瘡血不留者。縛以遏血路。或刺絡亦用之。法以熱湯熨。次以肉鍋二箇縛其前後。仍刺之。則血當趣然出也。

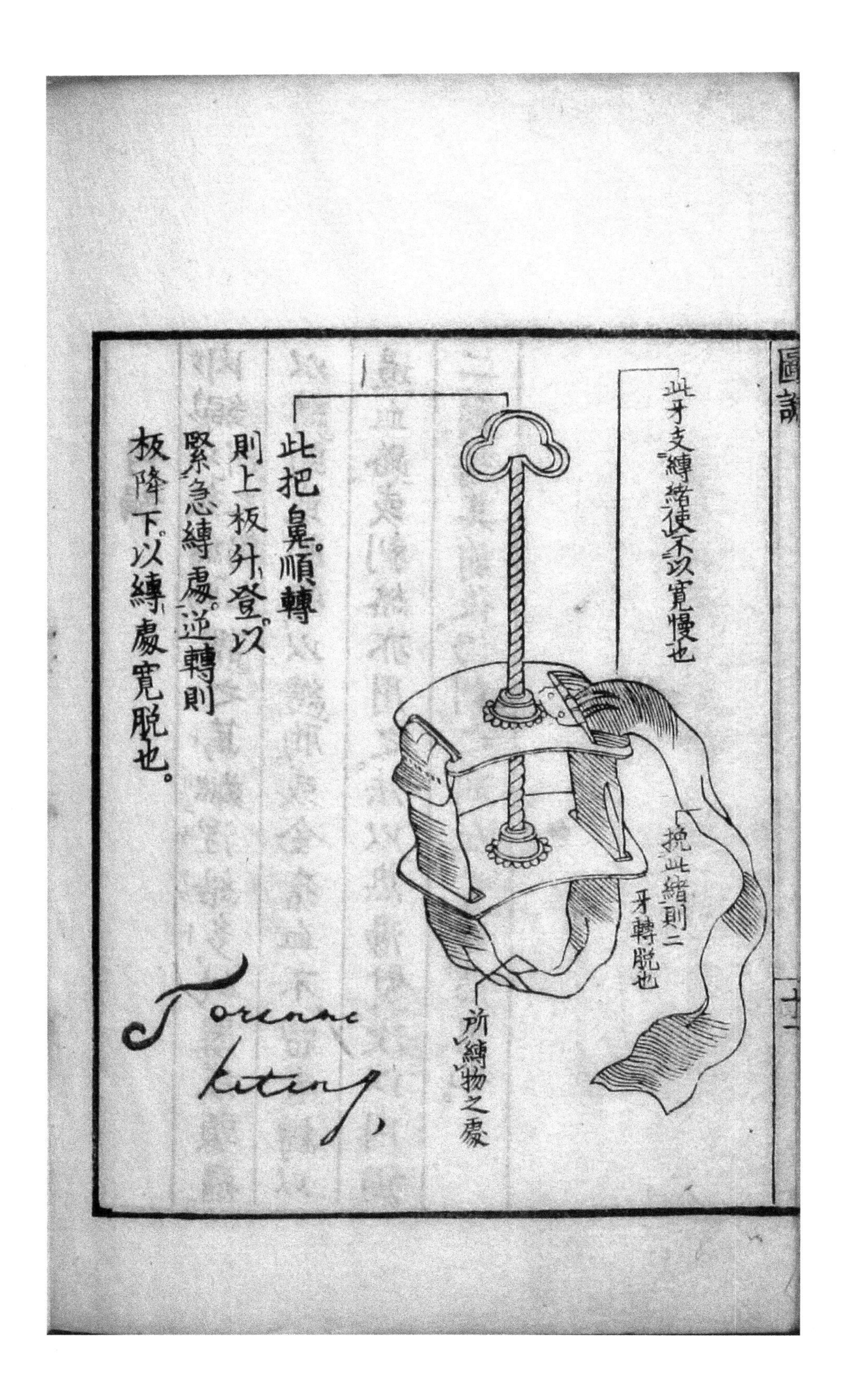

圖說
此牙支縛緒使不以寬慢也
此把臬順轉則上板升登以緊急縛處逆轉則板降下以縛處寬脫也
挽此緒則二牙轉脫也
所縛物之處

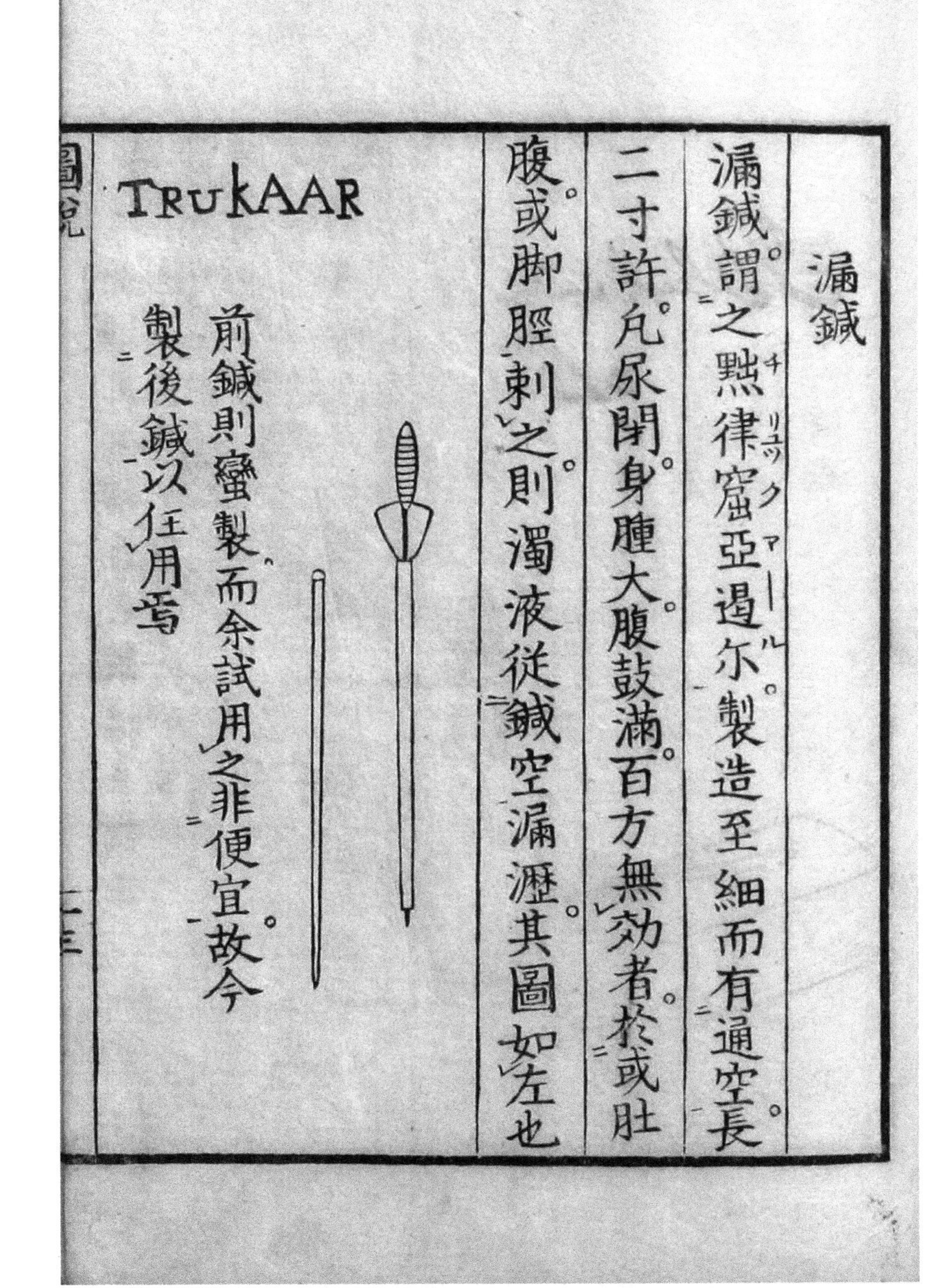

漏鍼

漏鍼。謂之黙律窟亞過尓。製造至細而有通空。長二寸許。凡尿閉身腫大腹鼓滿百方無効者。於或肚腹或脚脛刺之。則濁液従鍼空漏瀝。其圖如左也。

TRUKAAR

前鍼則蠻製。而余試用之非便宜。故今製後鍼以任用焉。

圖説

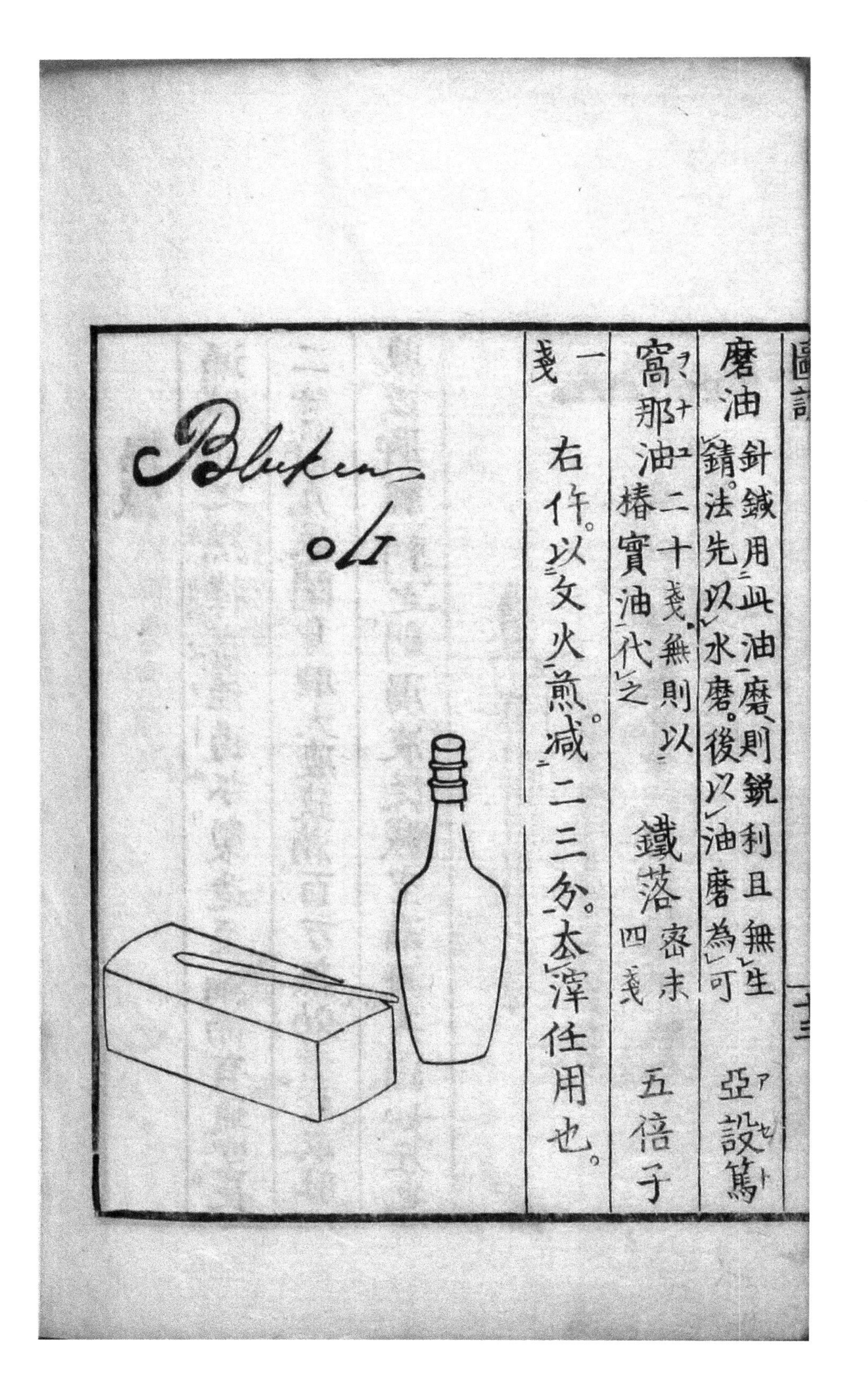

圖說

磨油　針鍼用此油磨，則鋭利且無生鏽。法先以水磨。後以油磨為可

亞(ア)設(セ)篤(ト)

窩(ヌ)那(ナ)油(エ)　二十戔。無則以椿實油代之

鐵落　四戔　容末

五倍子　一戔

右件。以文火煎。減二三分。去滓任用也。

輪架

輪架。謂之過安埵竃乙貟太亞布爾。醫人安坐右。以架療器。其製圓架或五。或七。大小則當而隨其意也

正中各鑿孔。以串一柱。柱長適其分又四端有支柱。支柱礎剜輪道。蓋所架物欲點撿。則使之旋轉。譬如浮屠氏轉輪藏也。

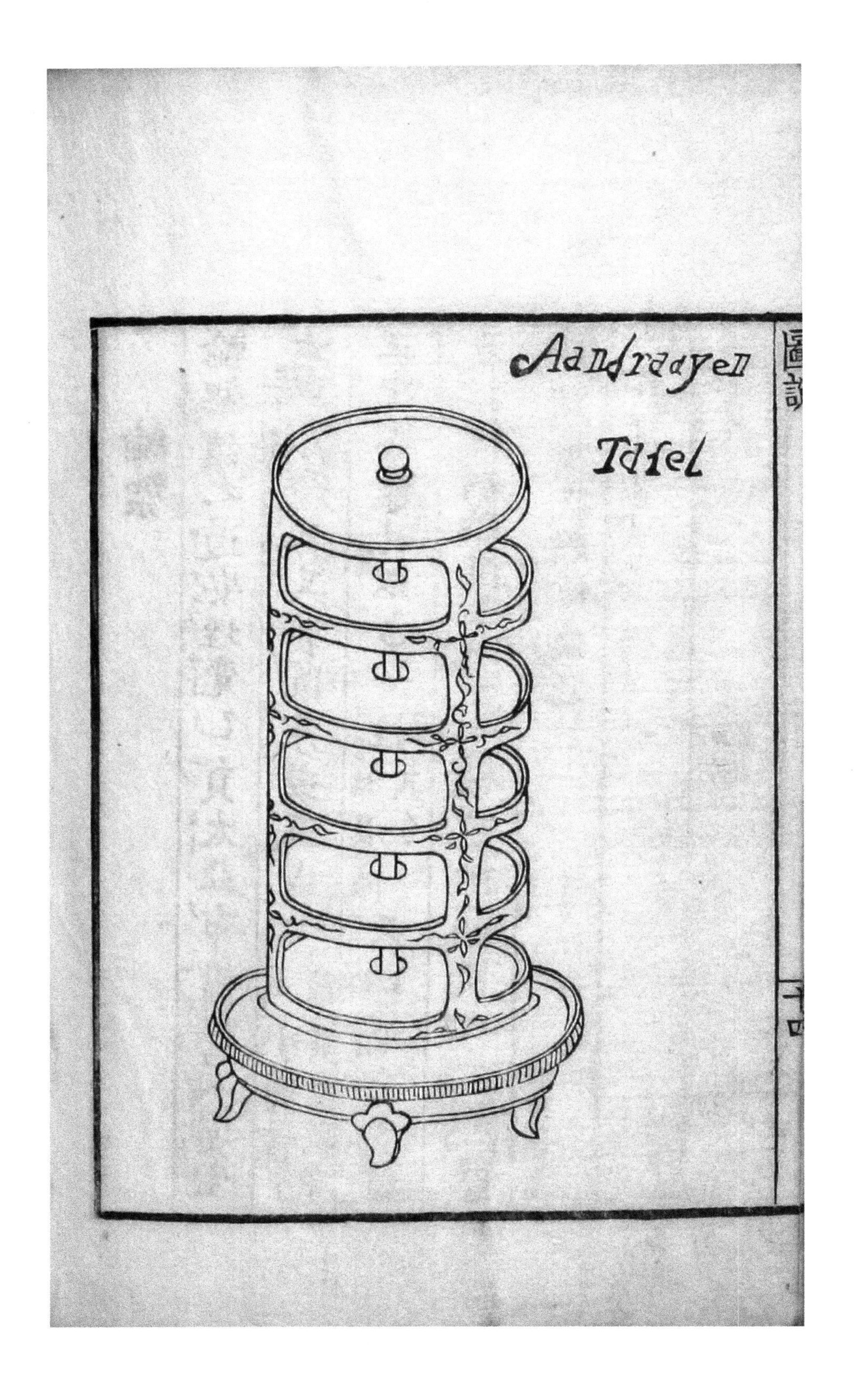
Aandraayen
Tafel

廣門君所著蘭療方成矣。令予圖醫器藥物等。紅毛画有一體。予所學雖異其趣。而與君親交。不可辭謝。因買臭於四方。覽者恕之。

皇都

山口素絢識

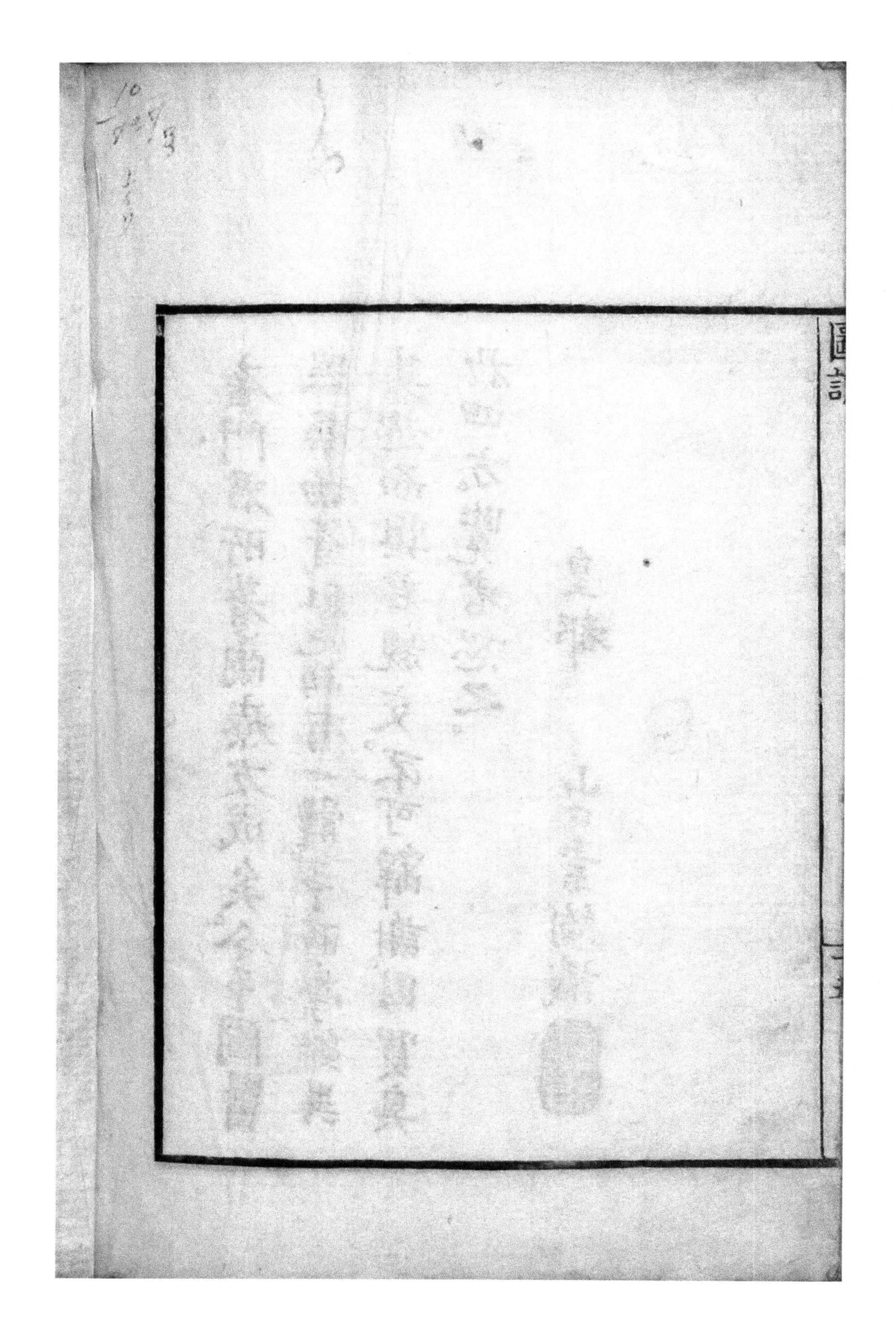

蘭療藥解
全
洋学文庫
文庫8
C 276

41 8016

和蘭療方藥解序

余觀今之學醫者。大率眩門户之宏。惑輿服之壯。孜孜擬其媚俗衒世之宿粧。汲汲效其嚏欬嘔噦之餘音。自謂志得

業行矣。嗚呼。是可怪也。夫志得業行者。其能自察病隨證。斆驗方法也。何必區〻乎今人之宿糉餘音也。且夫大門臧輿者。病

家覆湯及謝効。闇劑尚稱妙。而自以爲得此伎。不知不覺其賊人之子者多矣。然而疑似之說。岐途之術。其特之若有故。其云之似

成理。故能使愚衆致陷溺也。然則得道之真。如何。無佗。務其本也已矣。夫道之微妙也。不可筆授。不可言諭。是故良工之子不必良。巧醫之子不必巧也。廣門君之斯輯録也。雖非筆其不可筆。舌其不可舌者。亦援溺救陷之良藥。而本之道生之麴蘖而已。學者苟能藥之麴之以得醇粹之造釀而無糟粕之醉醒其庶幾乎。是為序。

文化首甲漁水之日

江北三谷樸謹撰

蘭療方藥解跋

夫醫之用藥劑也。猶將之用兵卒也。雖有孫吳之術。而無兵卒則何以得制勝乎哉。頃者蘭療方已成矣。然其方中藥物。有形狀奇而罕用者。有任用異而難解者。通計三百餘品。區別譯其名。一一備其能。又製造而可用者亦復揭示焉。譬之蘭療方已有孫吳之軍畧。而更加以此藥解。則其猶手兵辛之若薄也。若今有人得以依其法用其辛。則意其挫強敵取封侯。庶幾如擡之掌內乎。回乃爲之題。

文化二年歲次乙丑夏六月

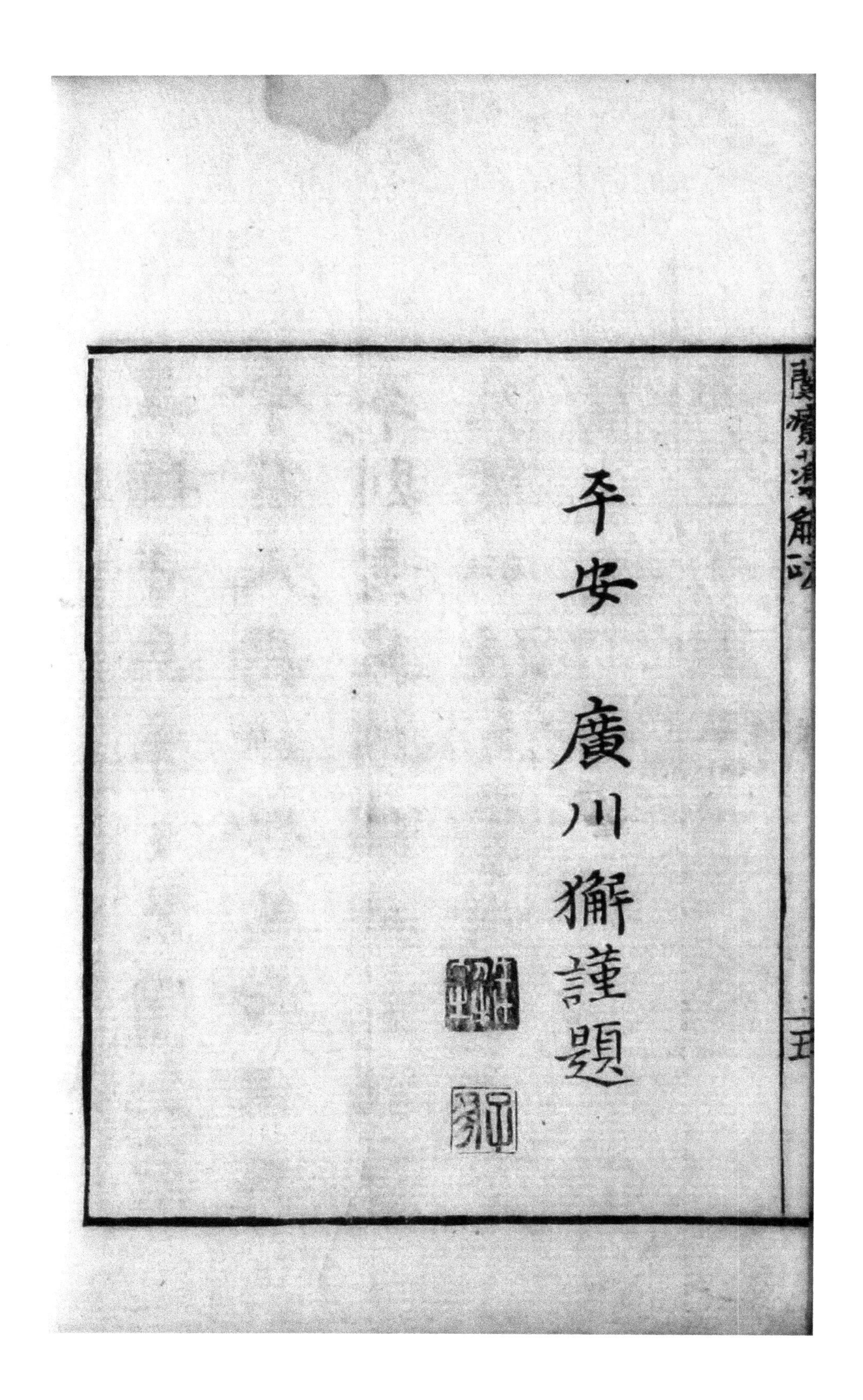

平安　廣川獬謹題

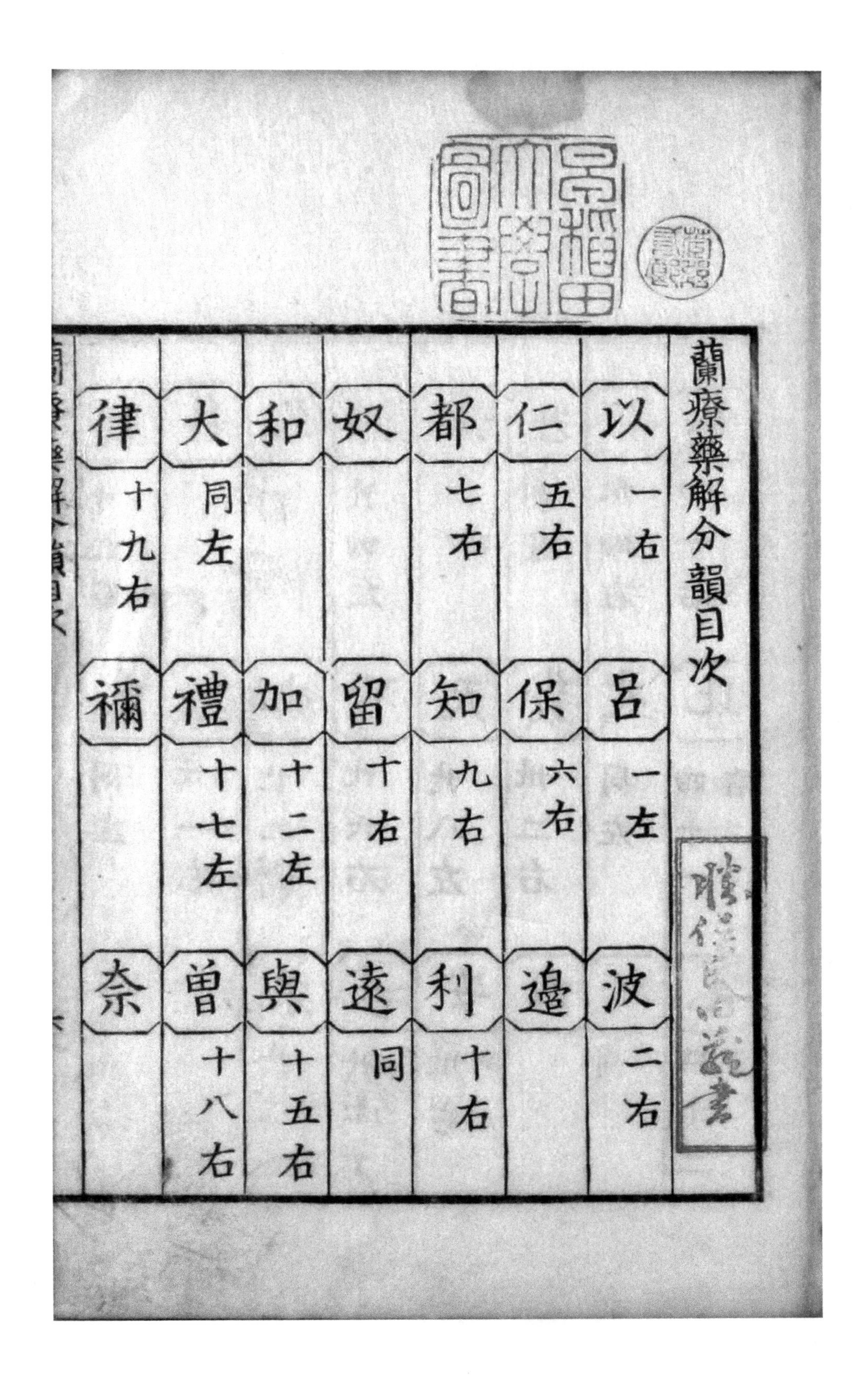

蘭療藥解分韻目次

蘭療藥解分韻目次

藹瘍彙解分韻目次　六

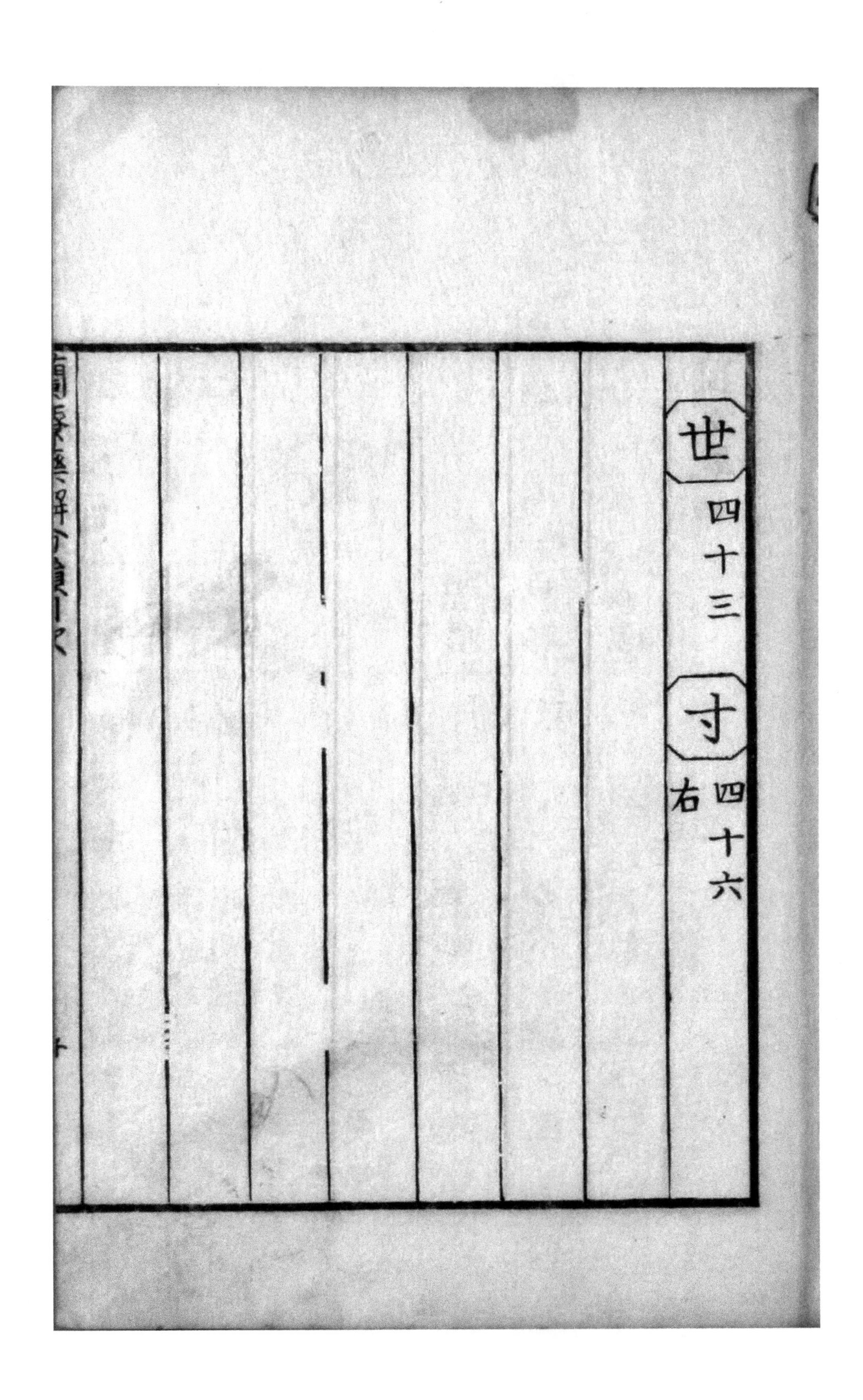

世 四十三

寸 四十六

右

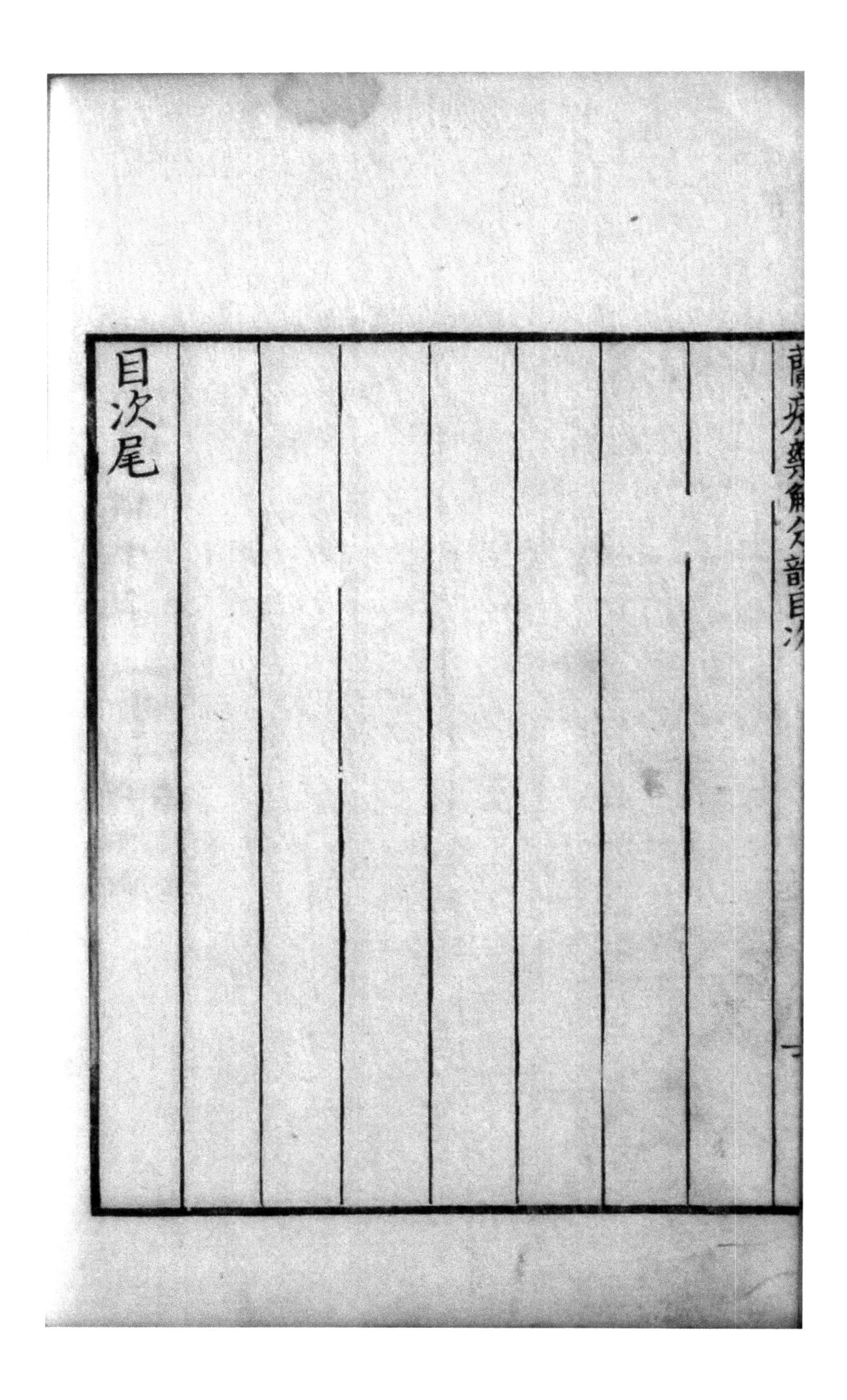

蘭例藥解分韻目次　一

目次尾

蘭療藥解

崎陽　吉雄　永貴閲

皇都　廣川　獬譯

皇都　栗崎　德甫校

以

EENHOO
RW

一角

主効解諸毒。清骨筋。蓋有二種。今蠻人所舶來者魚角也。此魚生冰海。以角衝破凝冰而能徊焉。一種者獸角而効能倍於魚角。然今不可得也。

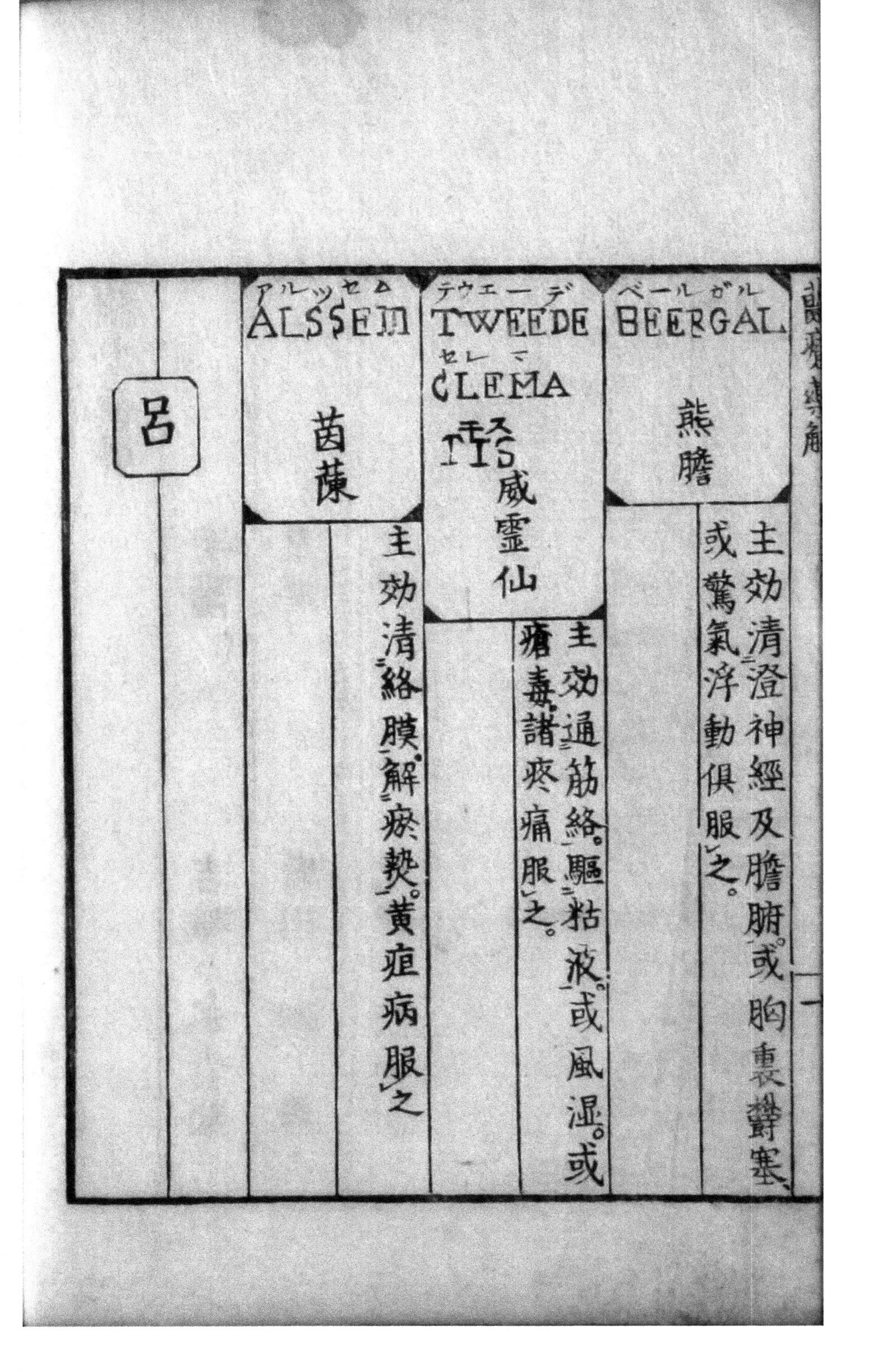

ベールガル
BEERGAL
熊膽
主効清澄神經及膽腑。或胸裏鬱塞、或驚氣浮動俱服之。

テウエーデ
TWEEDE
セレマ
CLEMA
TIS
威靈仙
主効通筋絡。驅粘液。或風湿。或瘡毒諸疼痛服之。

アルッセム
ALSSEM
茵蔯
主効清絡膜。解痰熱。黄疸病服之

呂

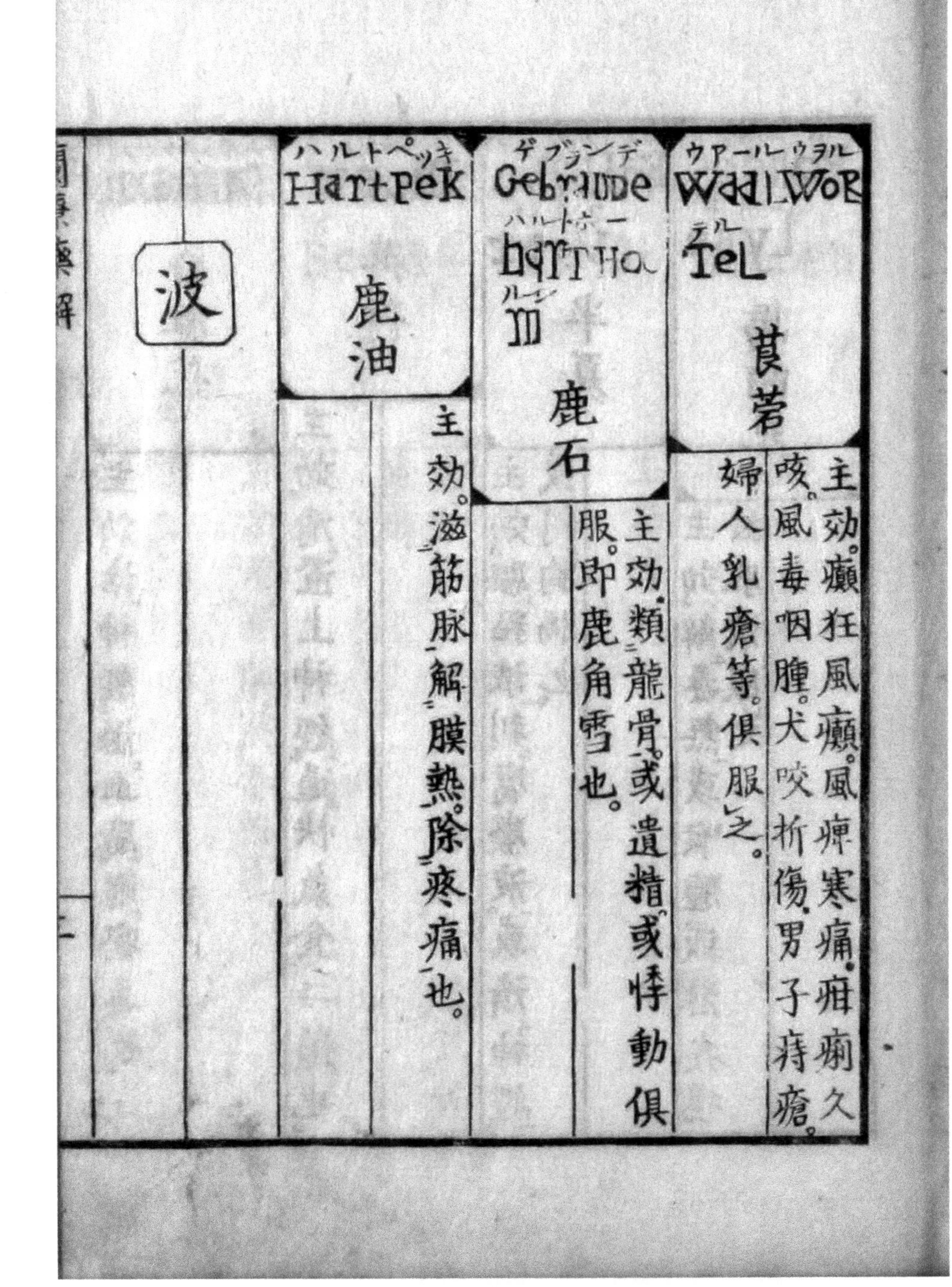

ウアールウヲルテル
WAALWORTEL
萇若
主効。癲狂風癩。風痺寒痛。痈痢久咳。風毒咽腫。犬咬折傷。男子痔瘡。婦人乳瘡等。俱服之。

ゲブランデハルトホールン
Gebrande hart hoorn
鹿石
主効。類龍骨。或遺精。或悸動。俱服。即鹿角霜也。

ハルトペッキ
HartPek
鹿油
主効。滋筋脉。解膜熱。除疼痛也。

波

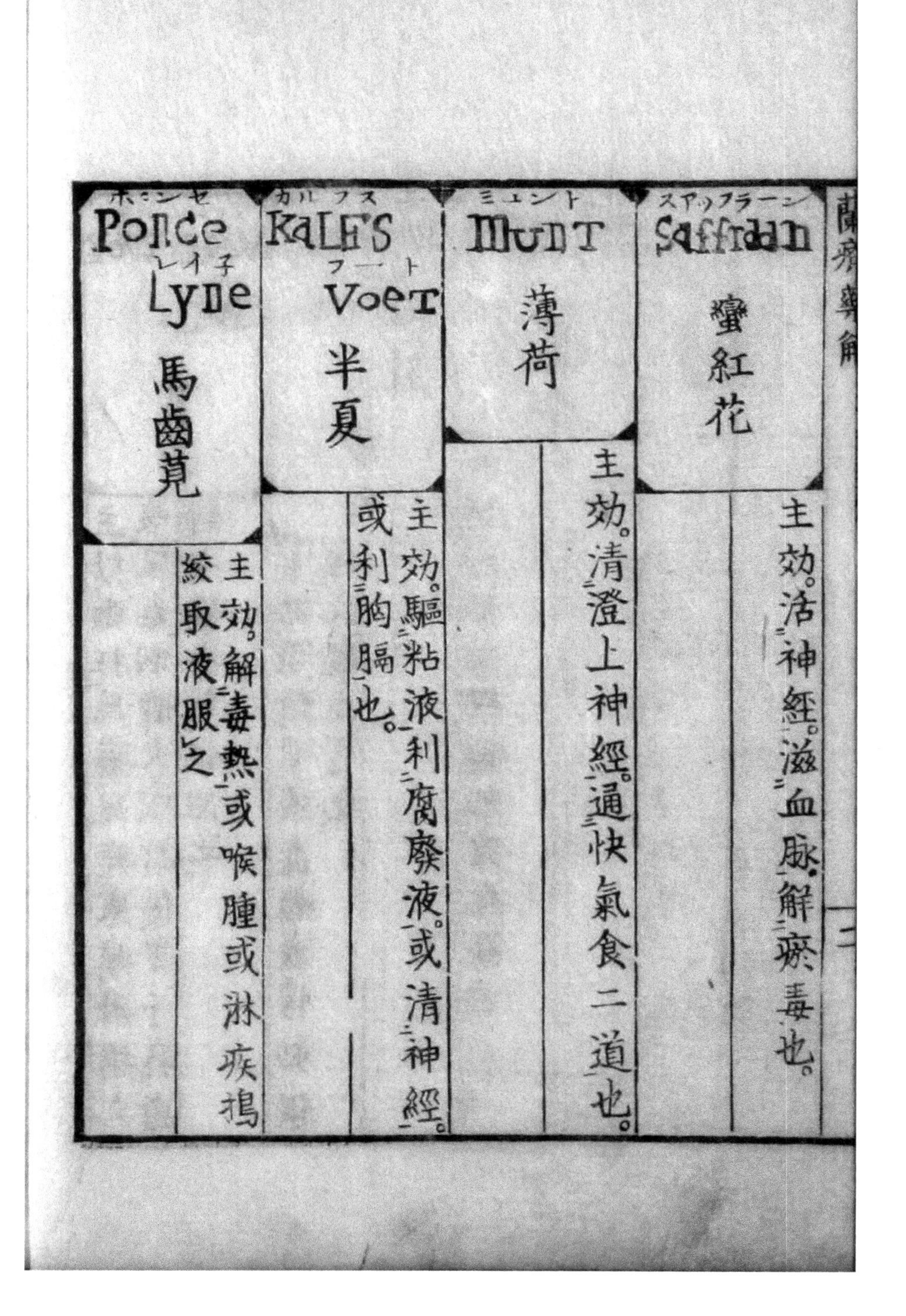

蘭療藥解

スアッフラーン
Saffraan
蕃紅花
主効。活神經。滋血脉。解瘀毒也。

ミユント
Munt
薄荷
主効。清澄上神經。通快氣食二道也。

カルフス フート
Kalfs Voet
半夏
主効。驅粘液。利腐敗液。或清神經。或利胸膈也。

ポルセレイ子
Porcelyne
馬齒莧
主効。解毒熱。或喉腫或淋疾。搗絞取液服之

キユツプレス ブラーデン
Cupres Bladen
柏葉

主効。滋血脈。解血熱。諸血症服之。即側柏葉也。

キユツプレス セイメン
Cupres Symen
柏實

主効。涼腎腰脈絡。通尿道也。

バナニー ボーム
Bannie Boom
芭蕉

主効。驅廢液。解熱毒。消瘡腫。散腫脹也。

ムユール
Muur
蘩蔞（ハコベ）

主効。清骨膜。消毒熱也。

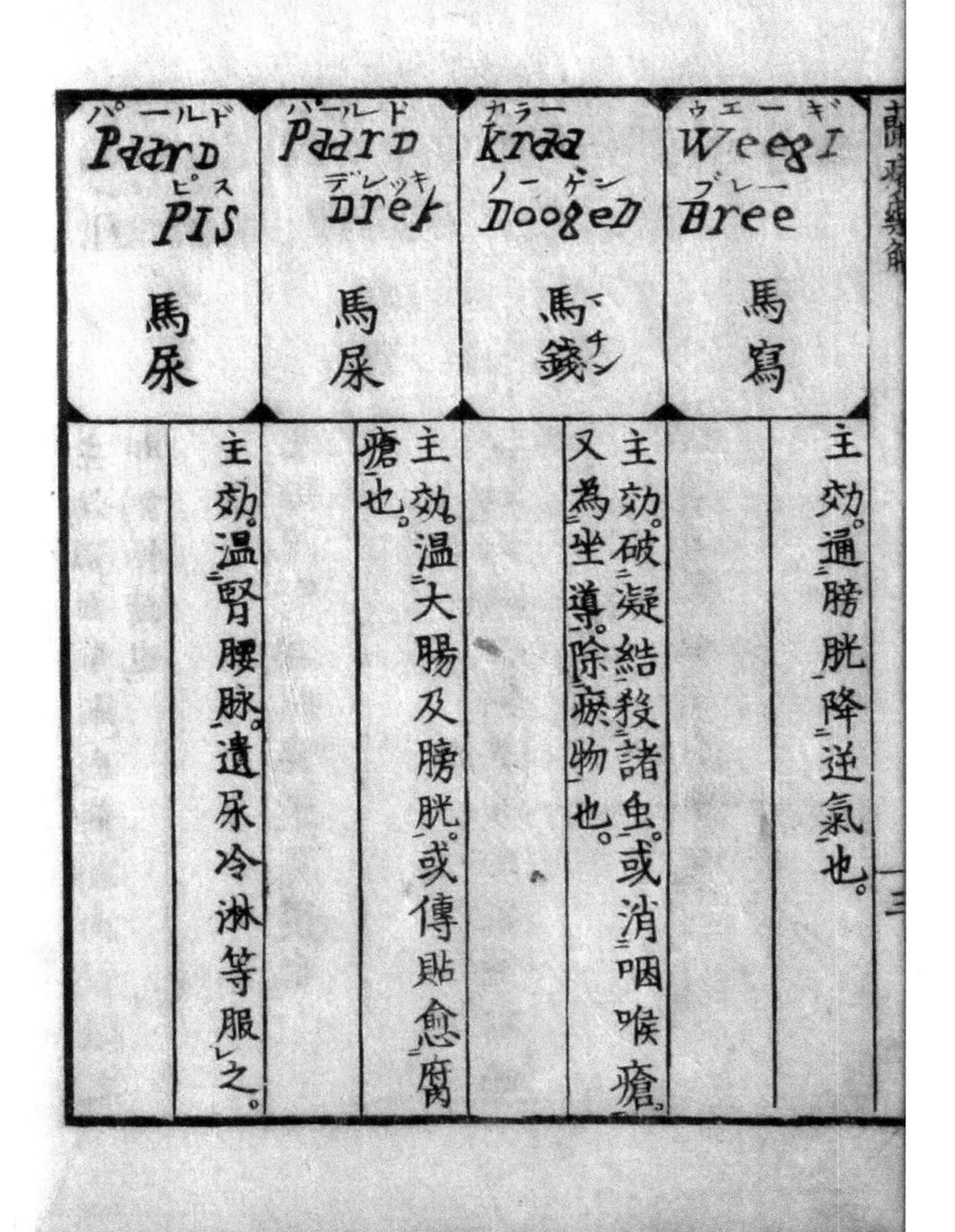
ウエーギ
Weegl
ブレー
Bree
馬寫
主効。通膀胱降逆氣也。
カラー
kraa
ノーゲン
Doogen
馬錢 下チン
主効。破凝結殺諸虫。或消咽喉瘡。又為坐導。除瘀物也。
パールド
Paard
デレッキ
Drek
馬屎
主効。温大腸及膀胱。或傳貼愈腐瘡也。
パールド
Paard
ピス
Pis
馬尿
主効。温腎腰脉。遺尿冷淋等服之。

プリュイン Pluym
ノーテン Nooten
梅實

主効。引諸藥以連經絡。或軟筋骨除疼痛。或解諸熱沈伏也。

アゼイン Azyn
プリュイン Pluym
梅醋

主効同前

アリュイン Aluin
礬石

主効。驅逐粘稠濁液。或留腐肉。或愈蝕瘡也。

ゲルスト Gerst
麥

主効。化飲食快胃腸降逆氣通尿道也。炒用為可

キルカス
KILKAS
巴豆

主効。吐痰濁。瀉惡物。傳貼發痰毒也

スパアンセ フリーゲン
Spaansche Vliegen
班猫

主効。破瘀血。消凝結。傳貼發毒氣也

ペッキ
PeK
番打麻

主効。和血肉。吸瘀濁。傳貼為可

ウイッテ ウアス
Witte Wasch
白蠟

主効。痢疾絞痛。疝氣轉筋。或諸筋骨攣拘疼痛。或諸血漏下不禁者。俱主之。

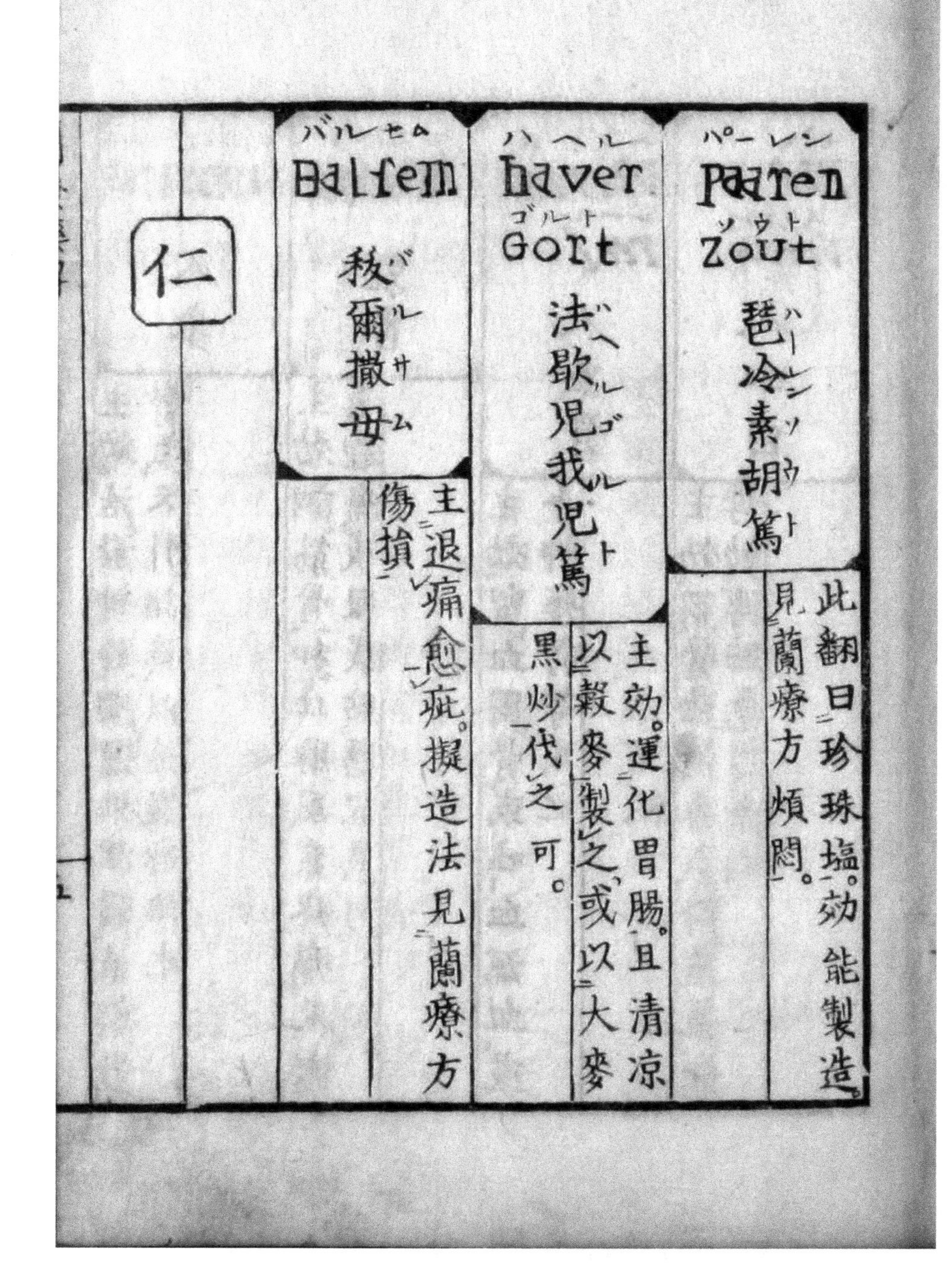

Paaren Zout（パーレン ソウト）
琶冷素胡篤（ハーレンソウト）
此翻曰珍珠塩。効能製造見蘭療方煩悶。

haver Gort（ハヘル ゴルト）
法歇児我児篤（ハヘルゴルト）
主効。運化胃腸。且清涼。以穀麥製之。或以大麥黒炒代之可。

Balsem（バルセム）
秡爾撒母（バルサム）
主退痛愈疵。擬造法見蘭療方傷損。

仁

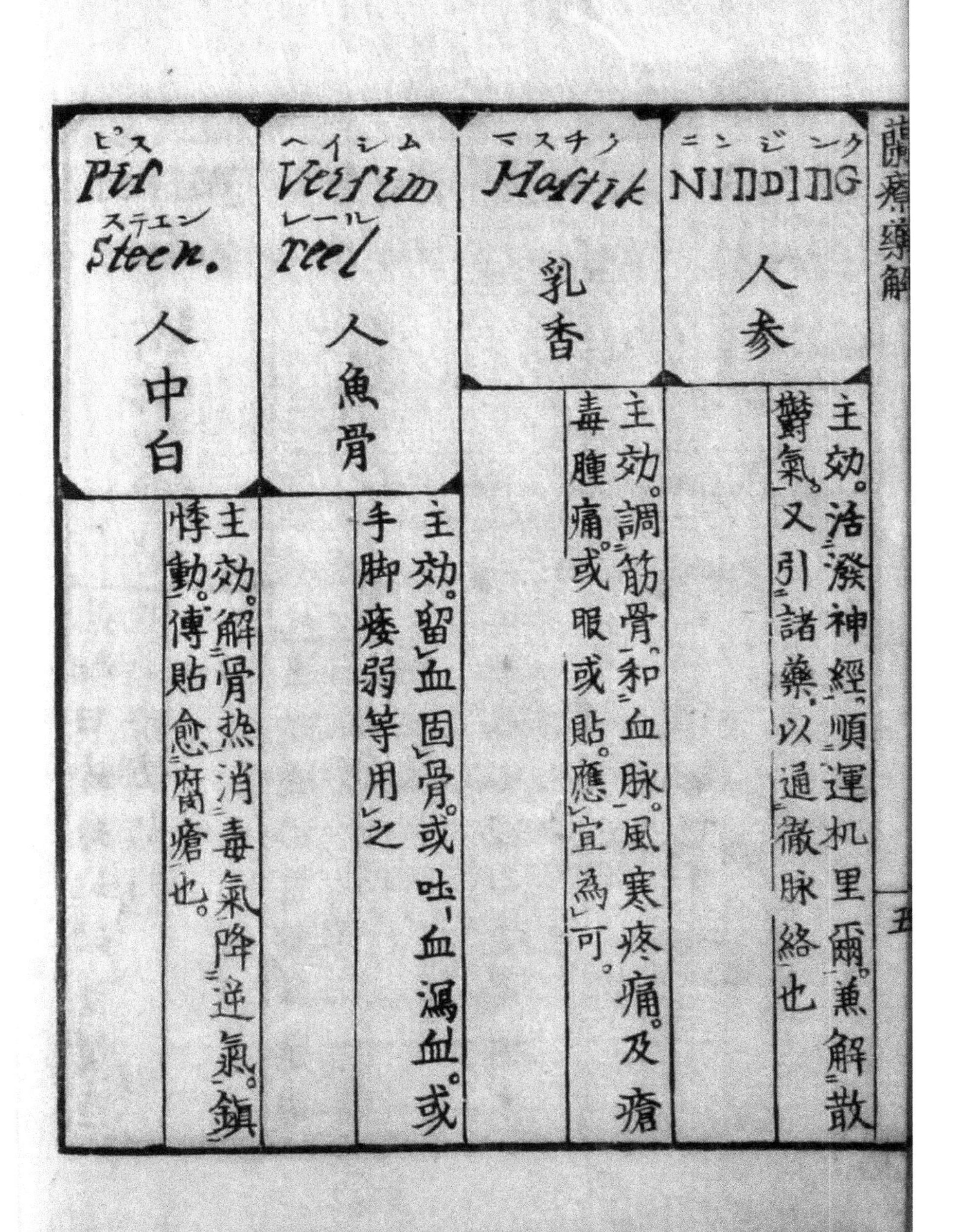

蘭療藥解

ニンジンク
NINDING
人参
主効。活潑神經。順運机里爾。兼解散欝氣。又引諸藥。以通徹脉絡也

マスチク
Mastik
乳香
主効。調筋骨。和血脉。風寒疼痛。及瘡毒腫痛。或服或貼。應宜為可。

ヘイシム
Veisem
レール
reel
人魚骨
主効。留血固骨。或吐血瀉血。或手脚痿弱等用之

ピス
Pis
ステエン
Steen.
人中白
主効。解骨熱消毒氣。降逆氣。鎮悸動。傅貼愈腐瘡也。

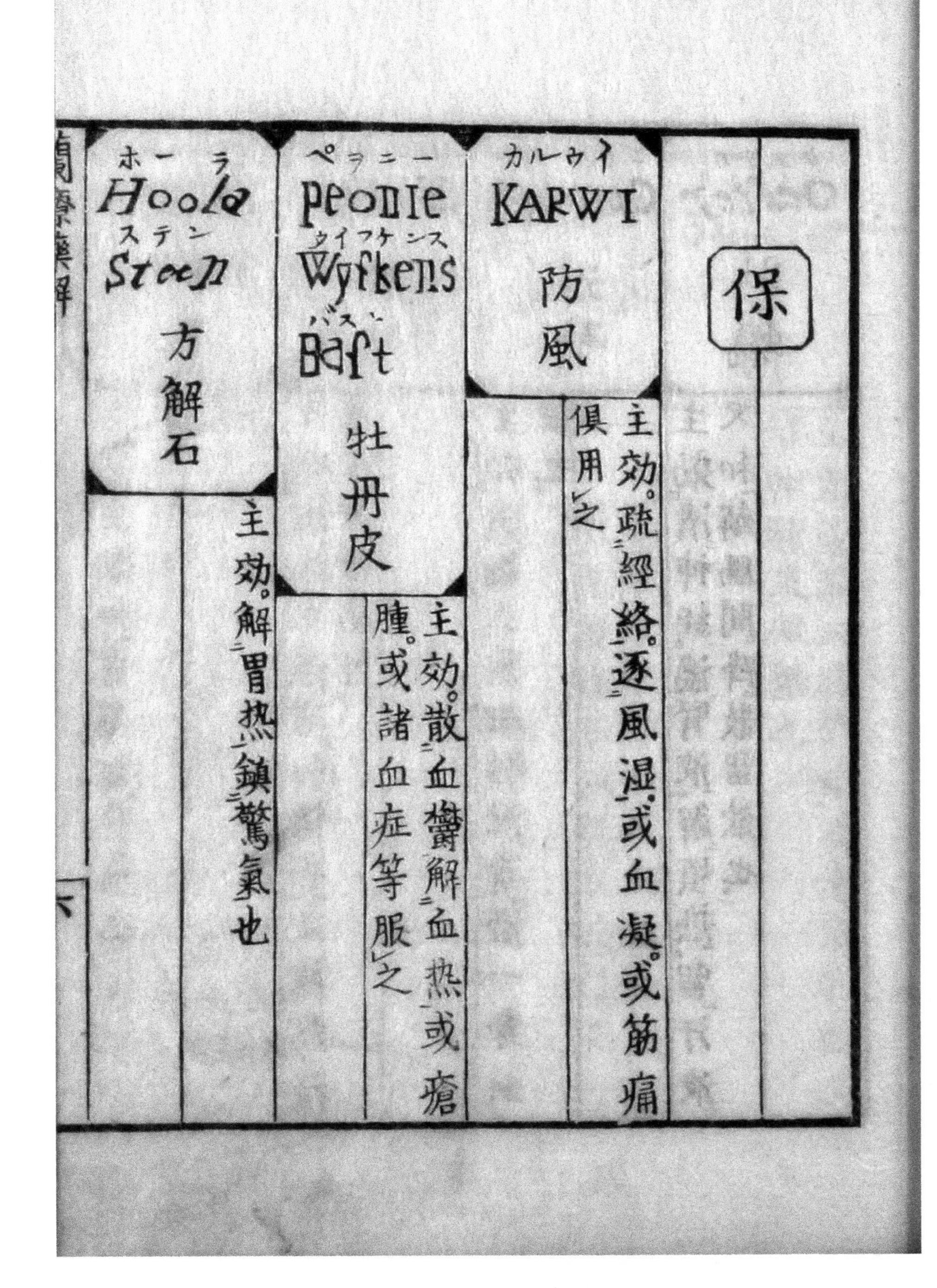
保
カルウイ
KARWI
防風
主効。疏経絡。逐風湿。或血凝。或筋痛
俱用之
ペヲニー
Peonie
タイフケンス
Wyfkens
バスト
Bast
牡丹皮
主効。散血鬱。解血熱。或瘡腫。或諸血症等服之
ホーラ
Hoola
ステン
Steen
方解石
主効。解胃熱。鎮驚氣也

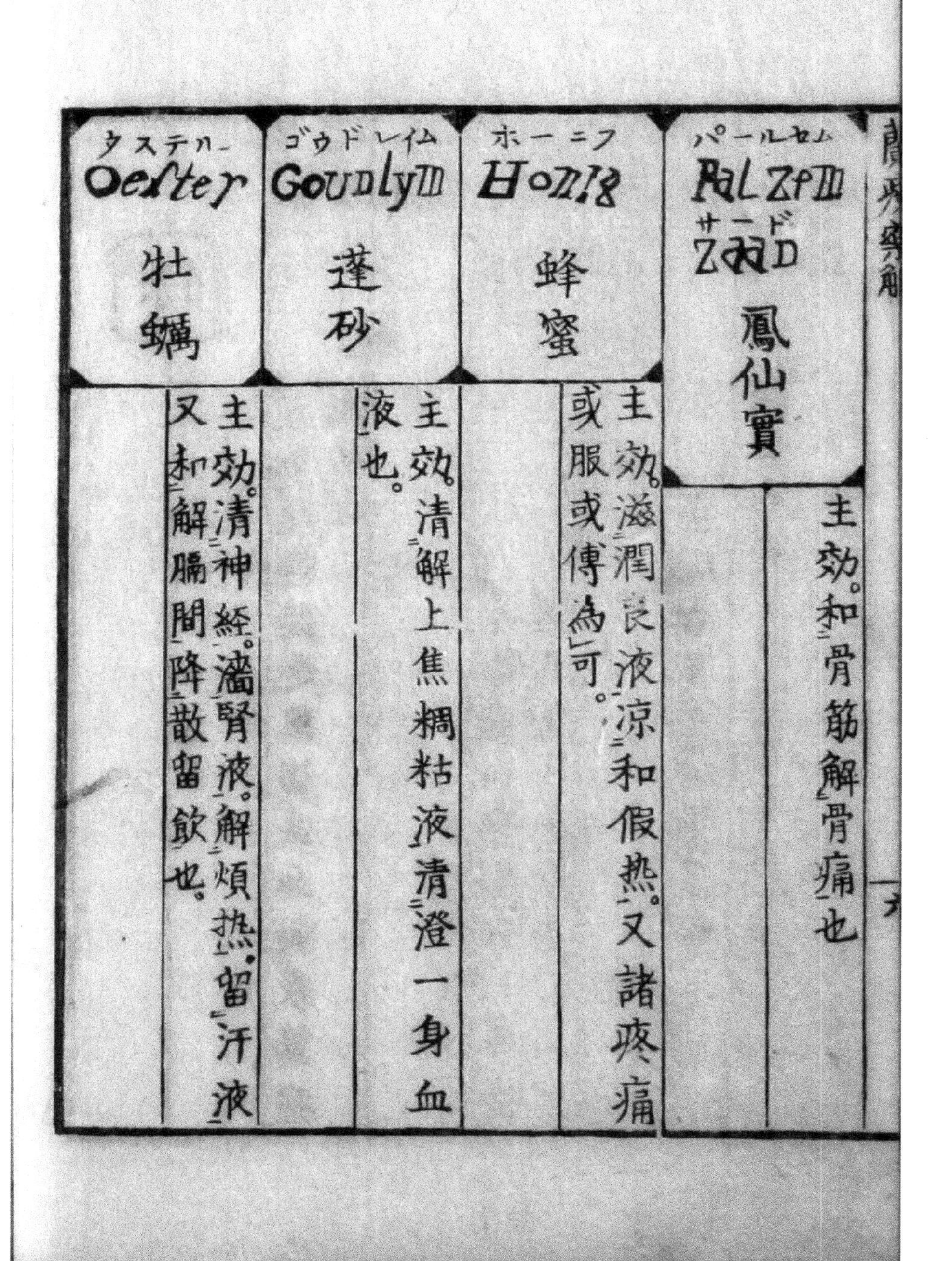

パールセム PaLZP III
サードZaaD
鳳仙實
主効。和骨筋解骨痛也

ホーニフ Honig
蜂蜜
主効。滋潤良液涼和假熱。又諸疼痛或服或傅爲可。

ゴウドレイム Goudlym
蓬砂
主効。清解上焦糊粘液清澄一身血液也。

タステカー Oester
牡蠣
主効。清神經。濇腎液。解煩熱。留汗液又和解膈間降散留飲也。

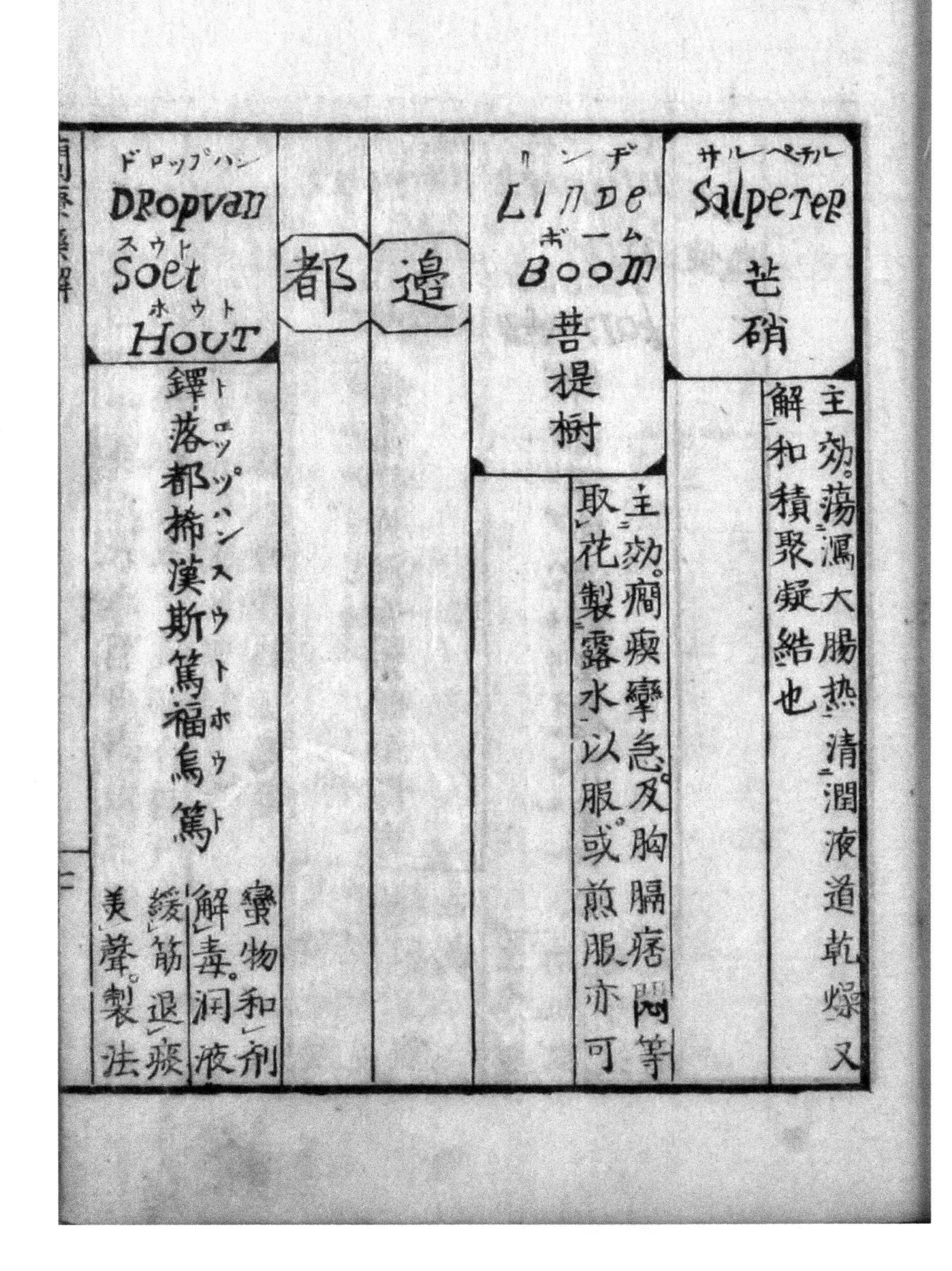

サルペートル
Salpeter
芒硝

主効。蕩瀉大腸熱、清潤液道乾燥。又解和積聚凝結也

リンデ
Linde
ボーム
Boom
菩提樹

主効。瘤瘀攣急及胸膈痞悶等。取花製露水以服。或煎服亦可

邉

都

ドロップハン
Dropvan
スウト
Soet
ホウト
Hout

鐸落都捇漢斯篤福烏篤

蠻物和劑
解毒。潤液
緩筋退瘀
美聲。製法

甘草百六十戔。以水六百戔煮取三百戔。再以水三百戔煮取百五十戔。都合兩汁。復煮候稍凝。内甘草末百戔膠飴四拾戔。又復以文火煮落水凝堅為玉為度

ドロップハン Dropvan ムウル Moer ナーゲル Nager

鐸落都怖漢毋爾那亞傑児（ドロップハンムールナーゲル）

主効。活溌神經。説見蘭療方健忘也。

ドロップハン Dropvan ゲリイン Grijn コルレレン korrelen

鐸落都怖漢傑里應格爾列斂（ドロップハンケリインコルレレン）

主効。運活扎里爾。製造見蘭療方健忘也。

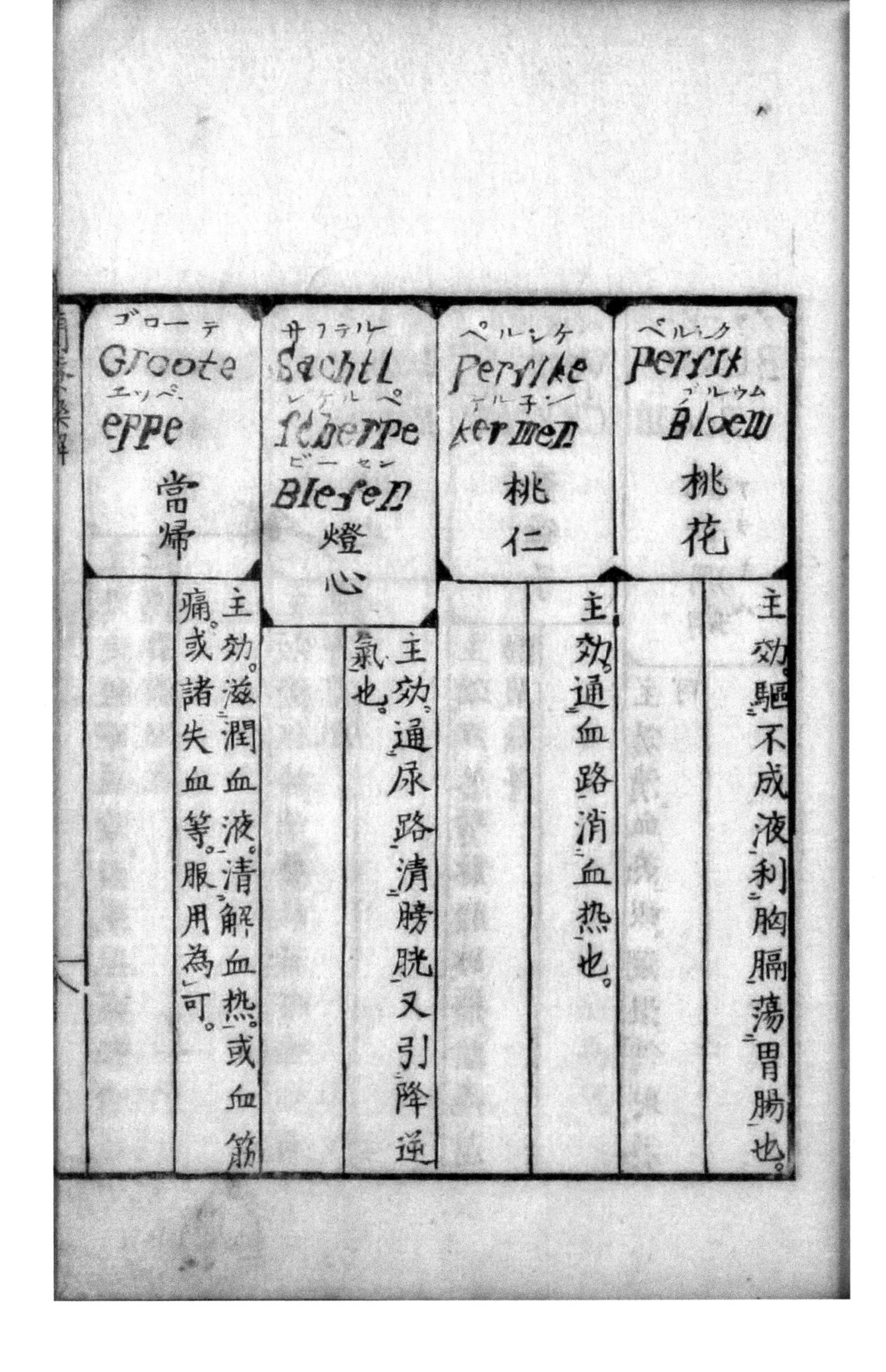

ペルシク
Persik
ブルウム
Bloem
桃花

主効。驅不成液。利胸膈。蕩胃腸也。

ペルシケ
Persike
ケルチン
Kermen
桃仁

主効。通血路。消血熱也。

サフテル
Sachtl
レゲルペ
Scherpe
ビーセン
Biesen
燈心

主効。通尿路。清膀胱。又引降逆氣也。

ゴローテ
Groote
エッペ
Eppe
當歸

主効。滋潤血液。清解血熱。或血筋痛。或諸失血等。服用為可。

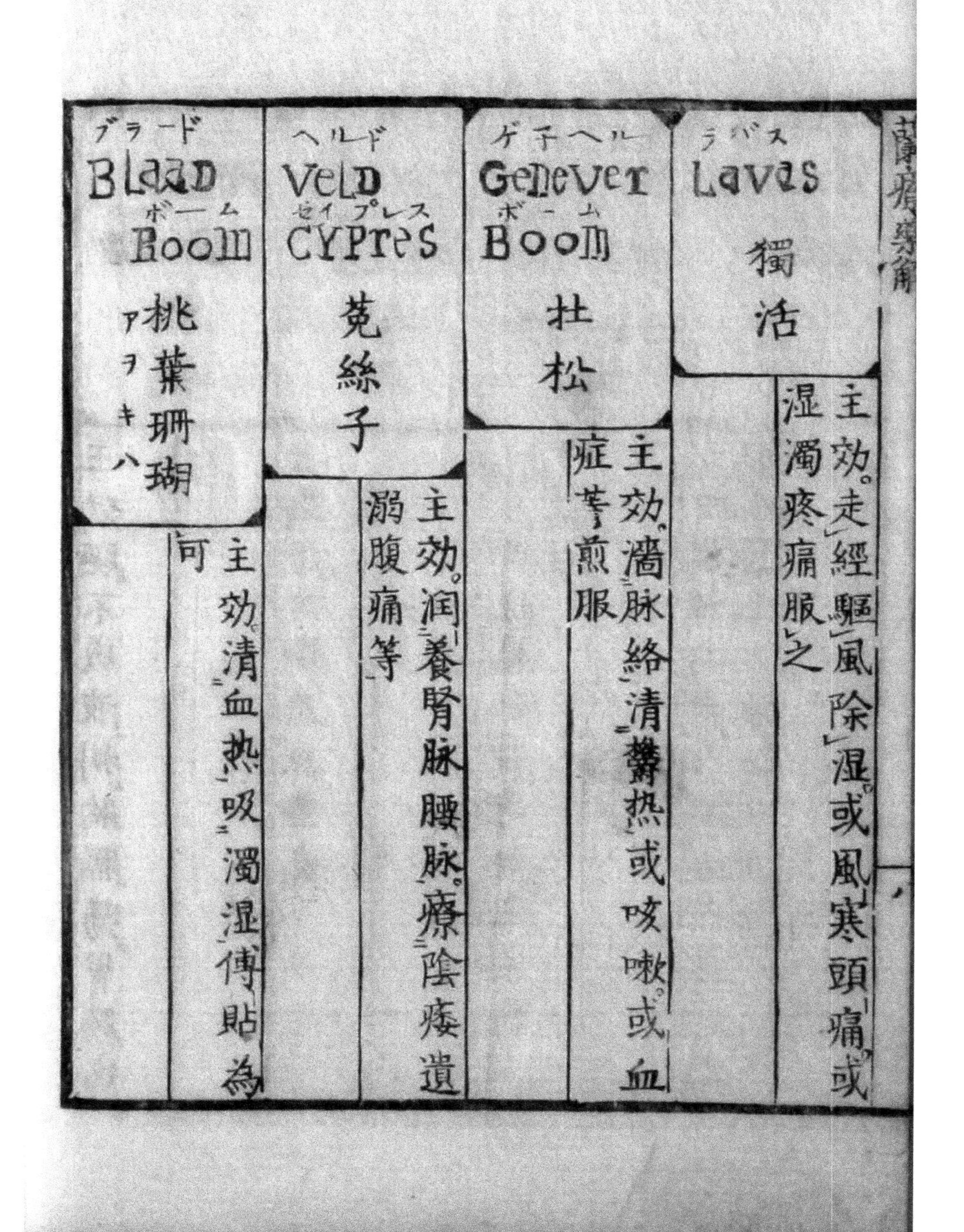

蘭療藥解

ラバス
Laves
獨活
主効。走經驅風除湿或風寒頭痛或湿濁疼痛服之

ゲネヘル ボーム
Genever Boom
杜松
主効。濇脉絡清鬱熱或咳嗽。或血症等煎服

ヘルド セイプレス
Veld Cypres
菟絲子
主効。潤養腎脉腰脉。療陰痿遺溺腹痛等

ブラード ボーム
Blaad Boom
桃葉珊瑚
アヲキバ
主効清血熱吸濁湿傅貼為可

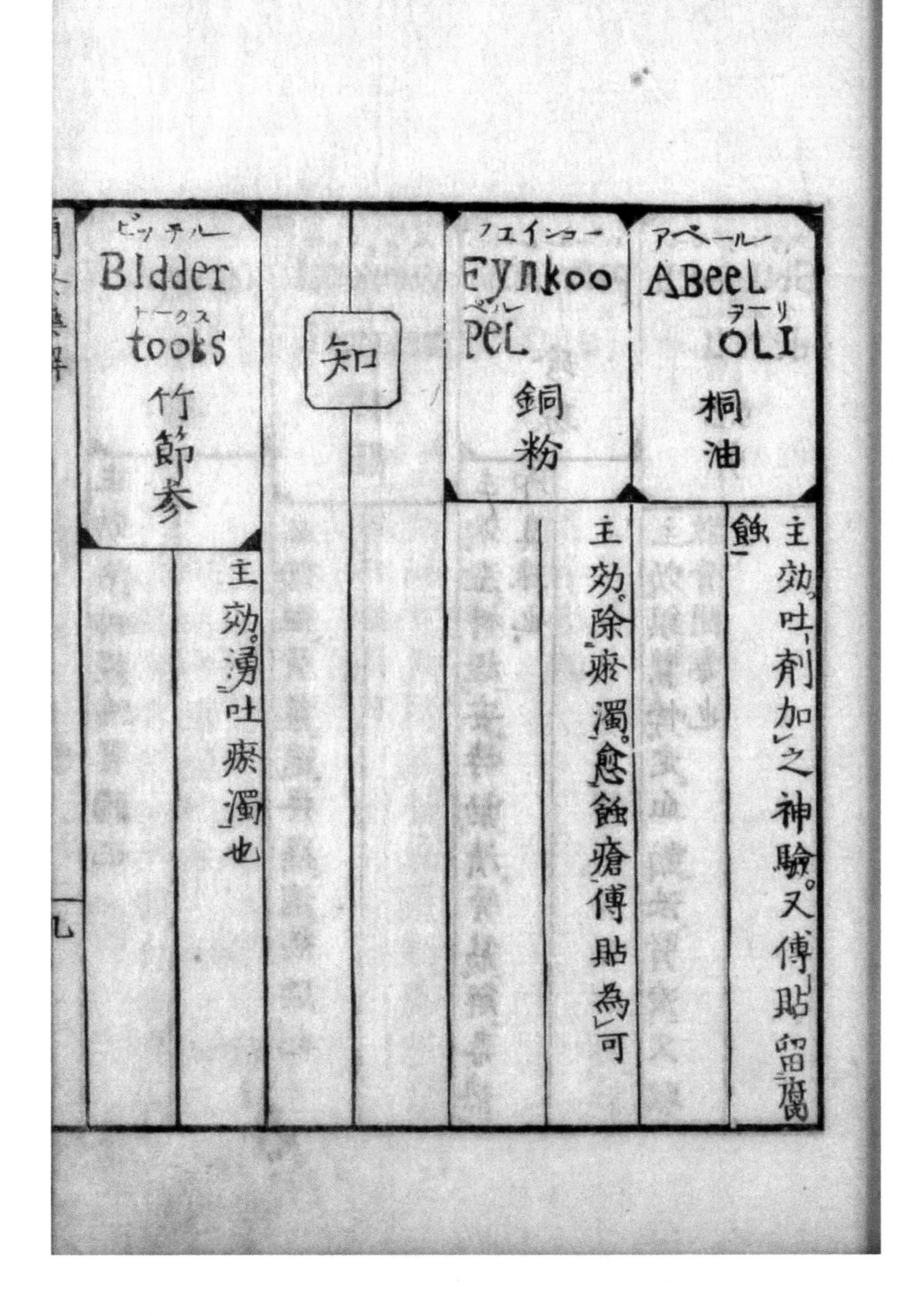
アベール
ABeeL
ヲーリ
OLI
桐油
主効。吐「剤加」之神験。又傅「貼留「腐蝕」
フエインコー
Eynkoo
ペル
PeL
銅粉
主効。除「痰濁」。愈「蝕瘡」傅貼為」可
知
ビッテル
Bidder
トークス
tooks
竹節参
主効。湧「吐痰濁」也

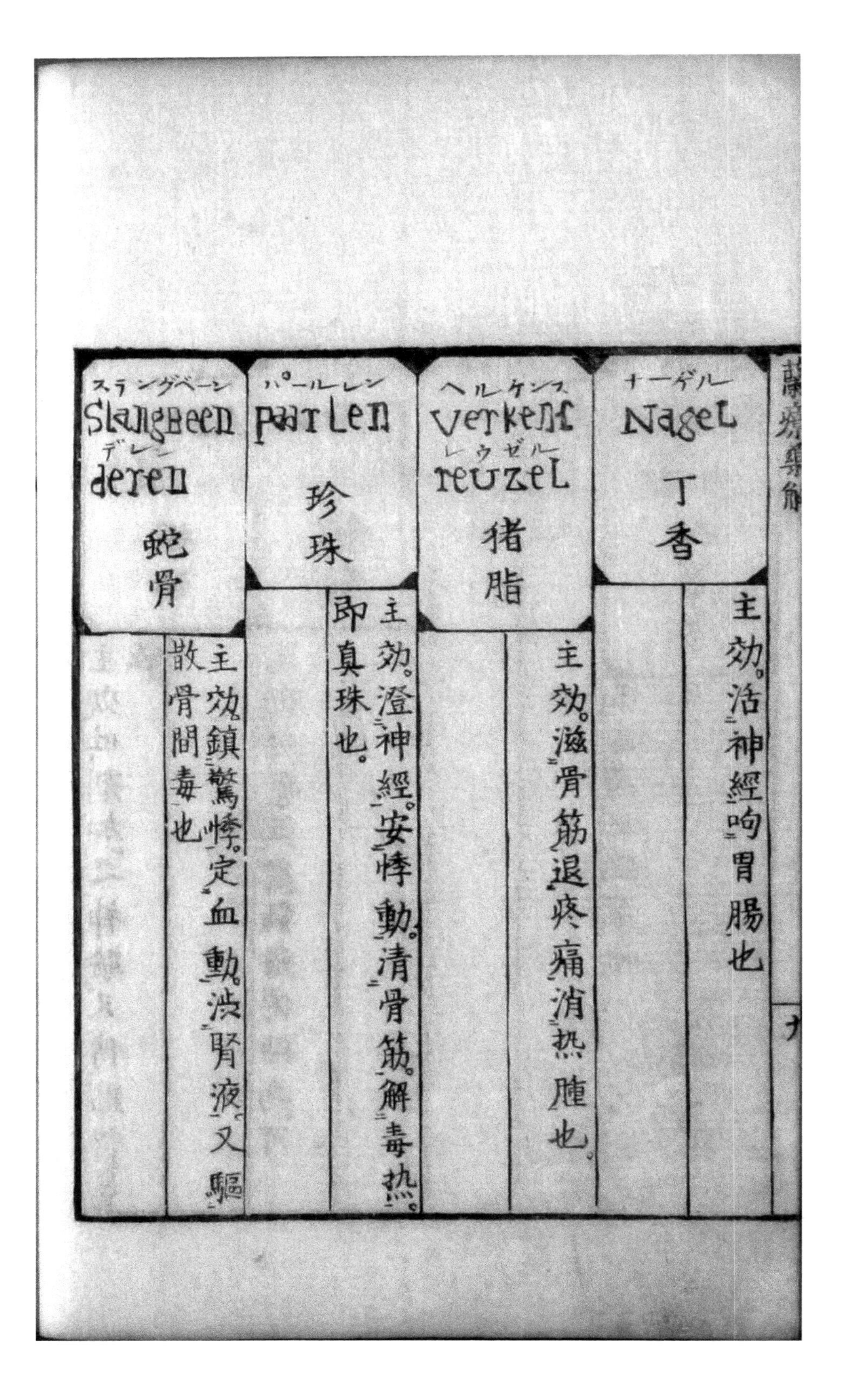
蘭療藥解

ナーゲル
Nagel
丁香

主効。活神經响胃腸也

ヘルケンス
Verkens
レウゼル
reuzel
猪脂

主効。滋骨筋退疼痛消热腫也。

パールレン
Paarlen
珍珠

主効。澄神經。安悸動。清骨筋。解毒热。即真珠也。

スランゲベーン
Slangbeen
デレン
deren
蛇骨

主効。鎮驚悸。定血動。渋腎液。又驅散骨間毒也

九

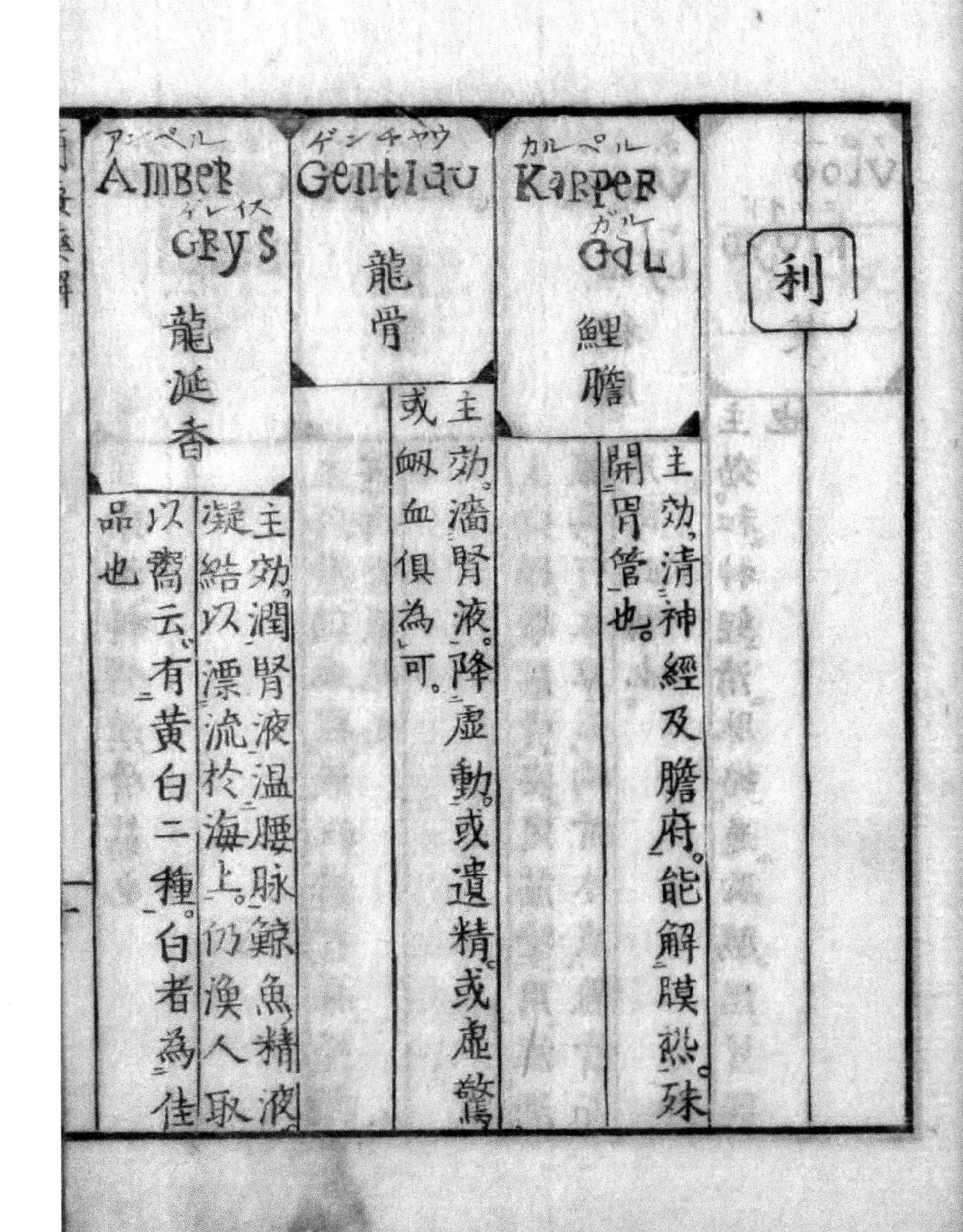
利

カルペル　ガル
Karper Gal
鯉膽
主効。清神經及膽府。能解膜熱。殊

ゲンチヤウ
Gentiau
龍骨
主効。濇腎液。降虛動。或遺精。或虛驚或衂血俱為可。

アンベル　グレイス
Amber Grys
龍涎香
主効。潤腎液。温腰脉。鯨魚精液凝結。以漂流於海上。仍漁人取以鬻云。有黄白二種。白者為佳品也。

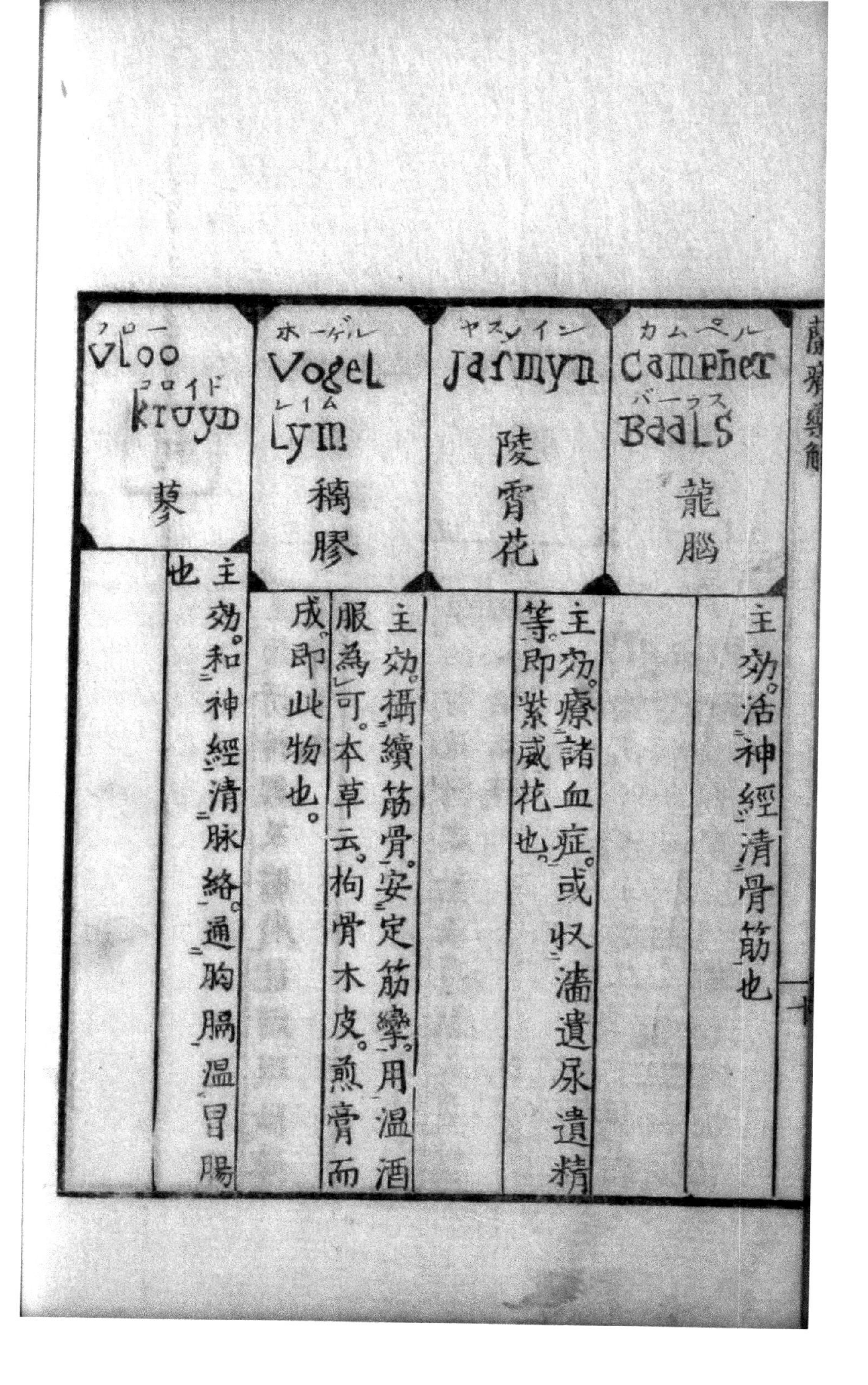

蘭療藥解

カムペル Campher バーラス Baals 龍腦

主効。活神經。清骨筋也。

ヤスミイン Jasmyn 陵霄花

主効。療諸血症。或収濇遺尿遺精等。即紫葳花也。

ホーゲル Vogel レイム Lym 黐膠

主効。摂續筋骨。安定筋攣。用温酒服為可。本草云。枸骨木皮。煎膏而成。即此物也。

フロー Vloo コロイド Kruyd 蓼

主効。和神經。清脉絡。通胸膈。温胃腸也。

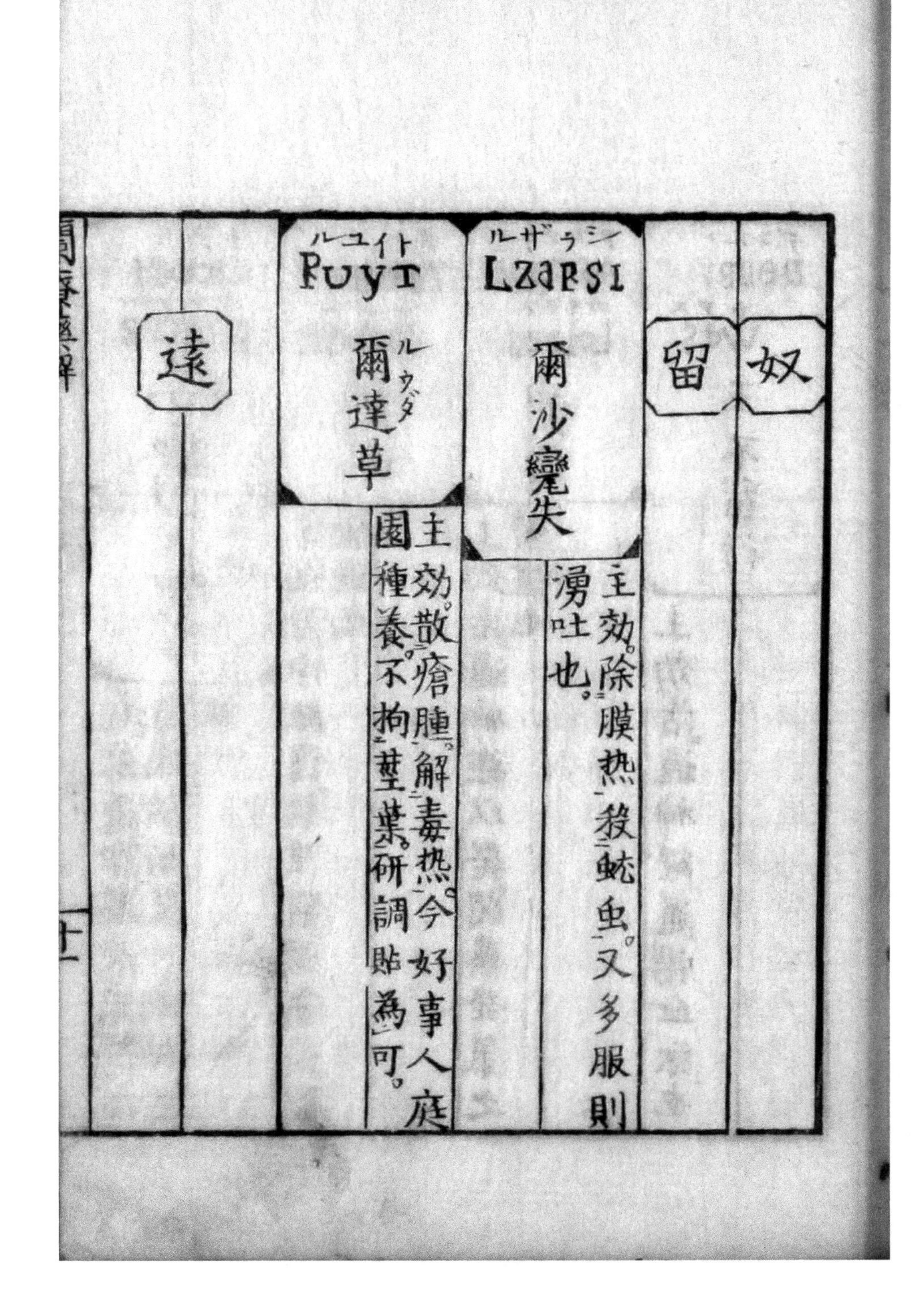

奴

留

シラザル
LZARSI
爾沙鼈失

主効。除膜熱殺蚘虫。又多服則湧吐也。

ルイト
RUYT
爾達草（ルウダ）

主効。散瘡腫。解毒熱。今好事人庭園種養。不拘茎葉。研調貼為可。

遠

蘭療藥解　十

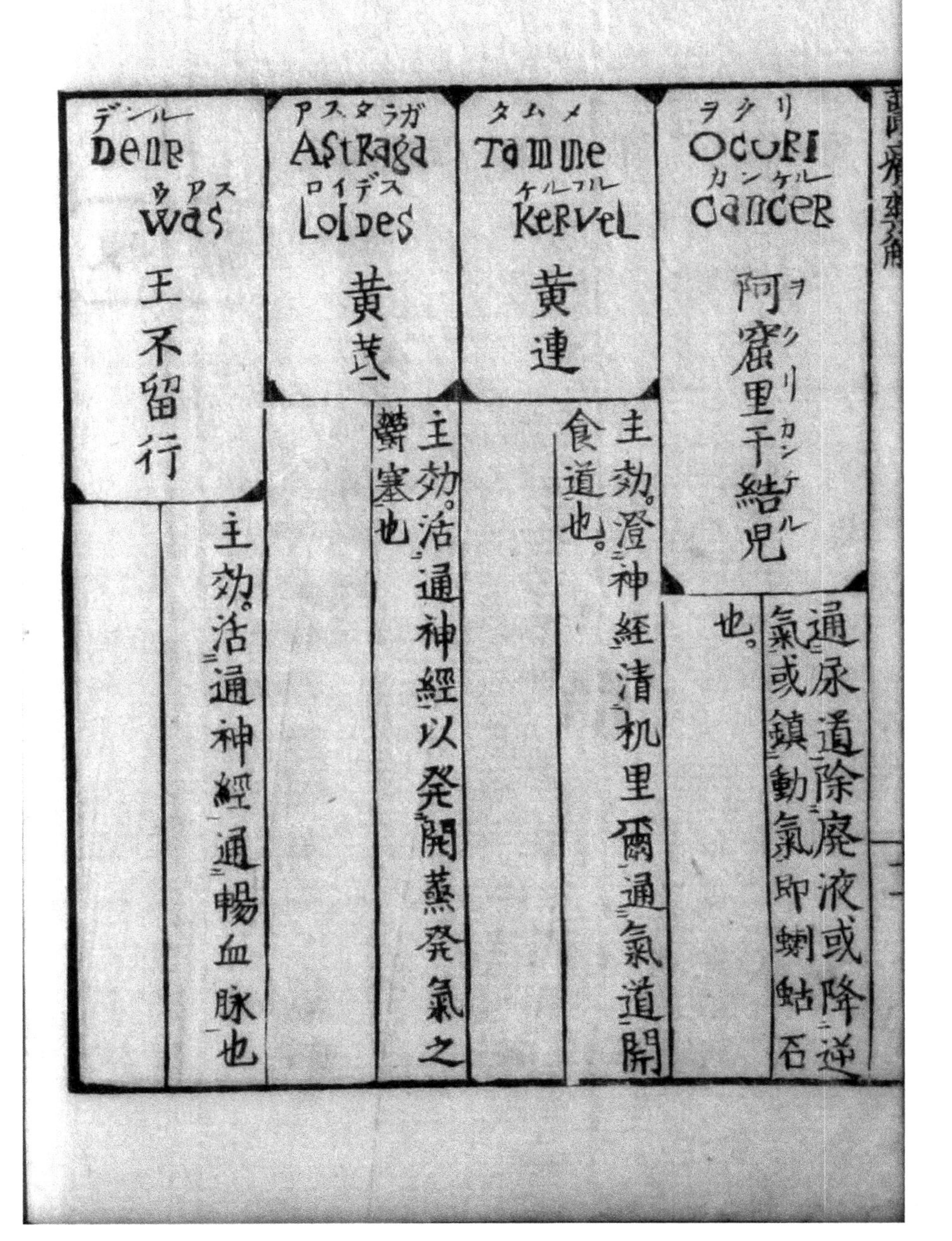

ヲクリ OCURI カンケル Cancer
阿窟里干結児（ヲクリカンケル）
通尿道除廢液或降逆氣或鎮動氣即蛔結石也。

タムメ Tamme ケルフル Kervel
黄連
主効。澄神經清机里爾通氣道開食道也。

アスタラガ Astraga ロイデス Loides
黄芪
主効。活通神經以発開蒸発氣之鬱塞也

デンル Denne ウアス Was
王不留行
主効。活通神經通暢血脉也

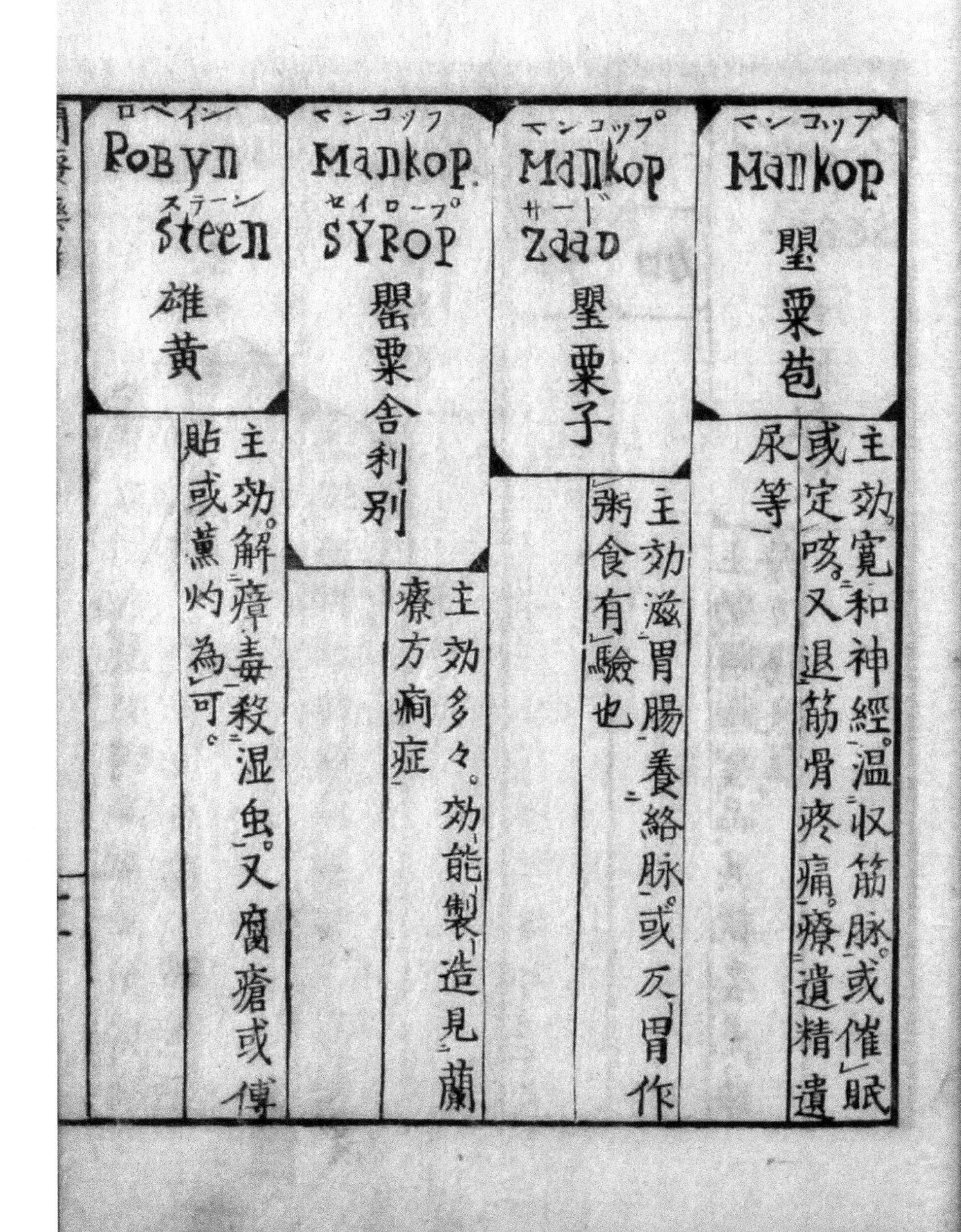

マンコップ
Mankop
罌粟苞
主効寛和神經。温収筋脈。或催眠或定咳。又退筋骨疼痛。療遺精遺尿等。

マンコップ　サード
Mankop Zaad
罌粟子
主効滋胃腸養絡脈。或反胃作粥食有驗也

マンコップ　セイロープ
Mankop. Syrop
罌粟舎利別
主効多々。効能製造見蘭療方痼症

ロベイン　ステーン
Robyn Steen
雄黄
主効解瘴毒殺湿虫。又腐瘡或傳貼或薫灼為可。

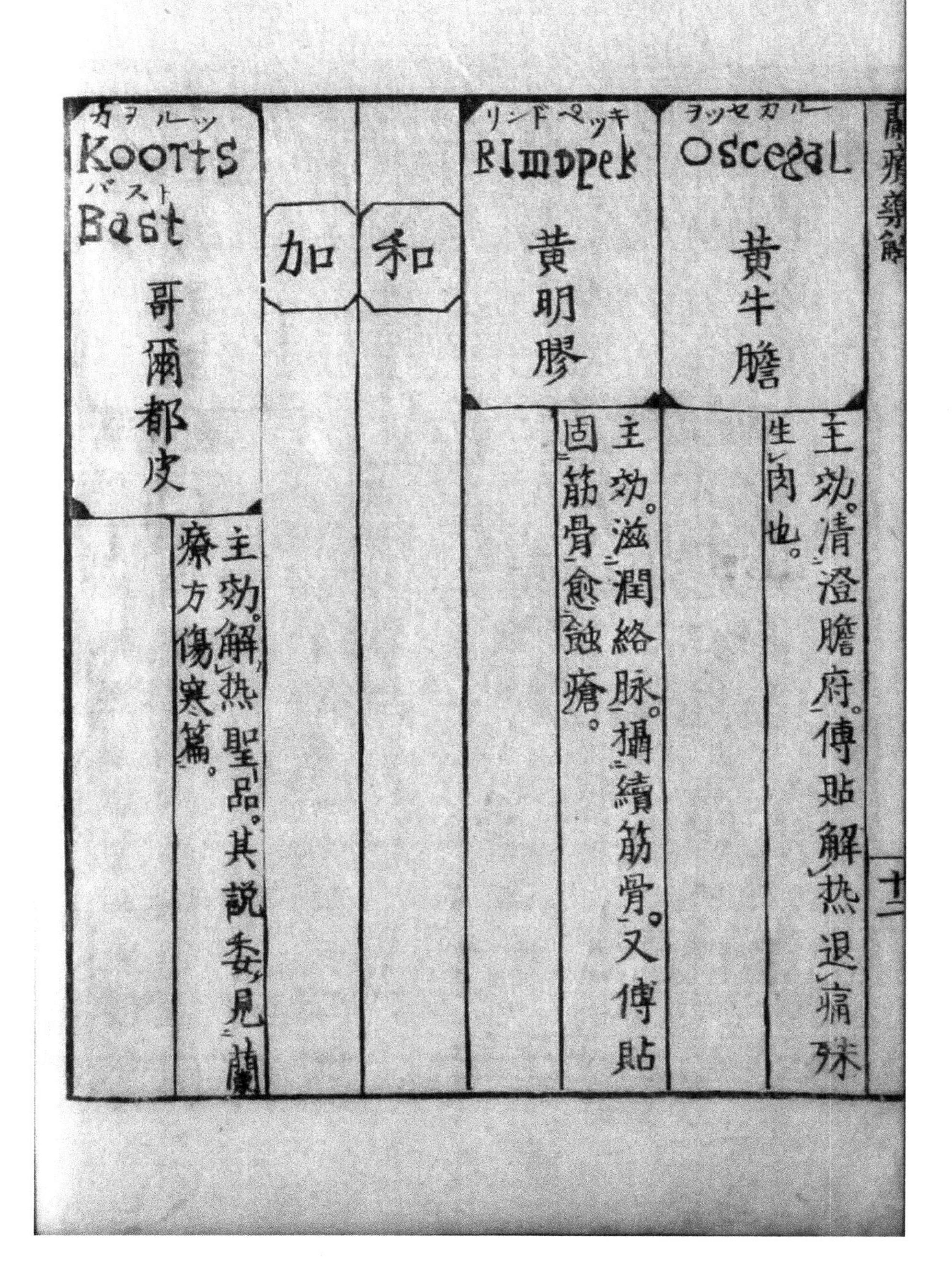

蘭療藥解

十二

ヲッセガル
Oscegal
黄牛膽
主効。清澄膽府。傳貼解熱退痛殊生肉也。

リンドペッキ
RImDpek
黄明膠
主効。滋潤絡脉。攝續筋骨。又傳貼固筋骨愈蝕瘡。

和

加

カヲルツ
Koorts
バスト
Bast
哥爾都皮
主効。解熱聖品。其說委見蘭療方傷寒篇。

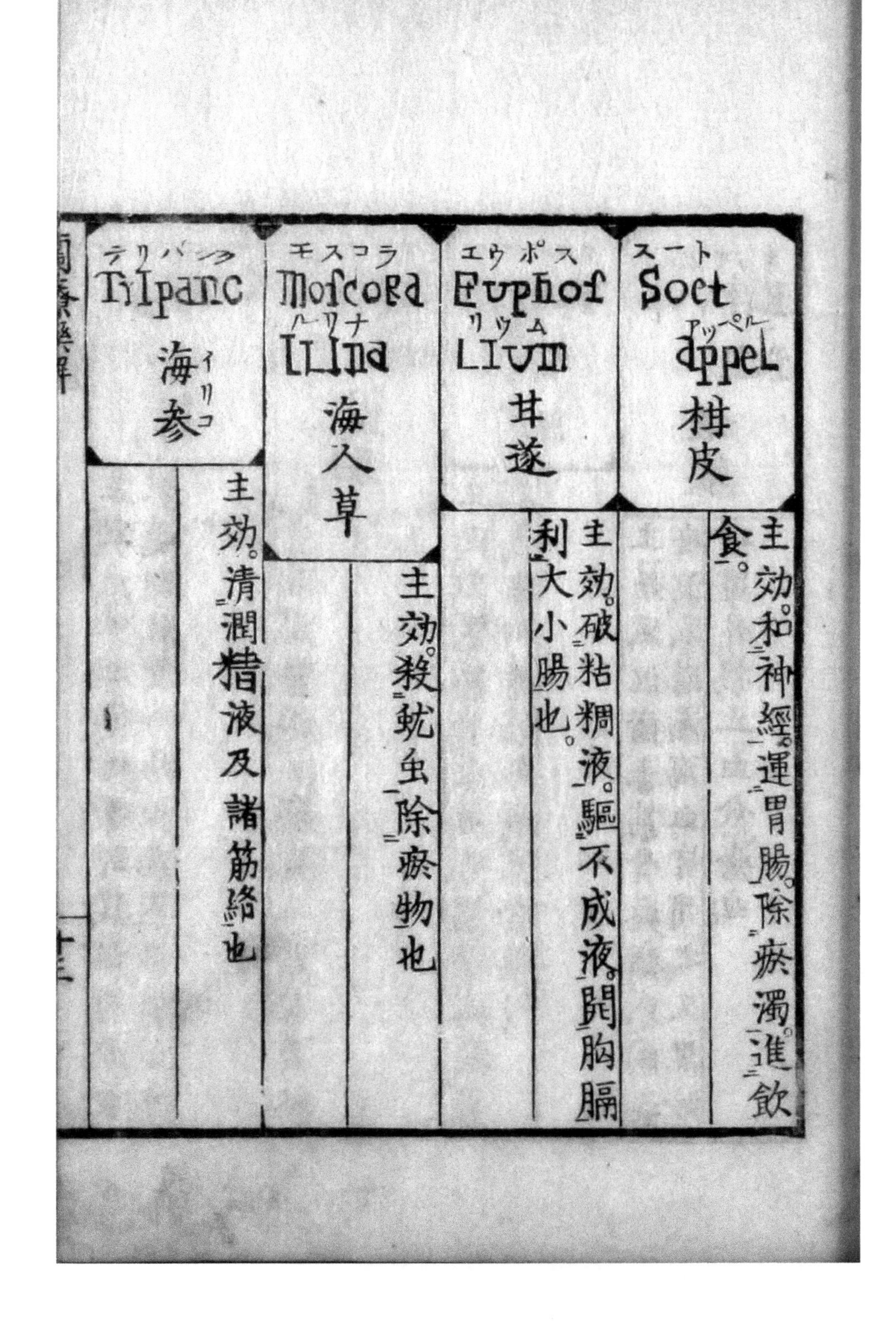

スート　アッペル
Soet Appel
椑皮
主効。和神經。運胃腸。除痰濁。進飲食。

エウポス　リツム
Euphof LIUM
芉遂
主効。破粘稠液。驅不成液。開胸膈利大小腸也。

モスコラ　ルリナ
Moscora LLIna
海人草
主効。殺蚘虫。除痰物也

テリパング
Tripanc
海参　イリコ
主効。清潤精液及諸筋絡也

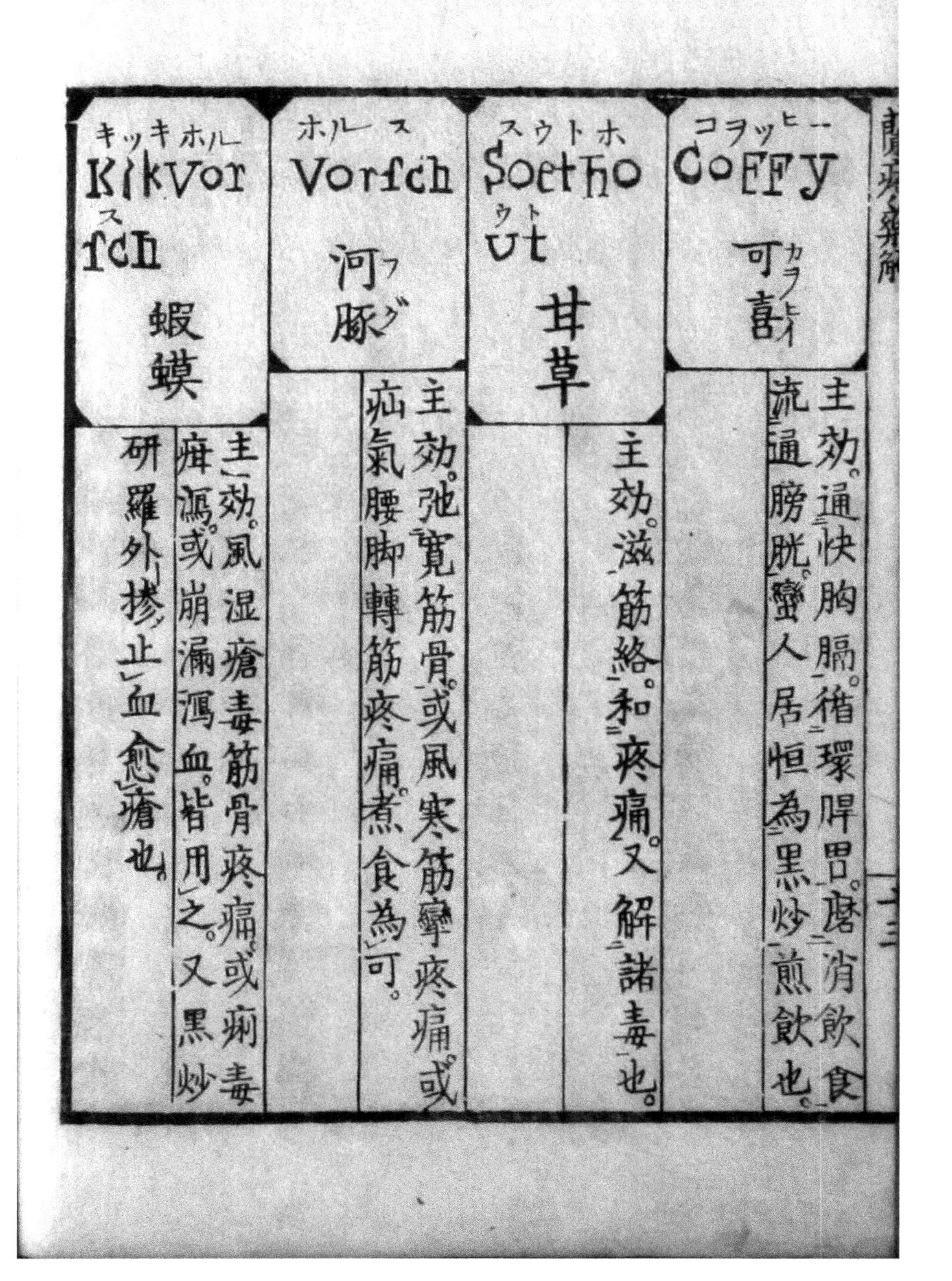

蘭療藥解

コヲッヒー
COFFY
可喜（カヲヒイ）

主効。通快胸膈。循環脾胃。磨消飲食。流通膀胱。蠻人居恒為黑炒煎飲也。

スウトホウト
Soethout
甘草

主効。滋筋絡。和疼痛。又解諸毒也。

ホルス
Vorsch
河豚（フグ）

主効。弛寛筋骨。或風寒筋攣疼痛。或疝氣腰脚轉筋疼痛。煮食為可。

キッキホルス
Kikvorsch
蝦蟆

主効。風湿瘡毒筋骨疼痛。或痢毒痔漏。或崩漏瀉血。皆用之。又黑炒研羅外摻止血愈瘡也。

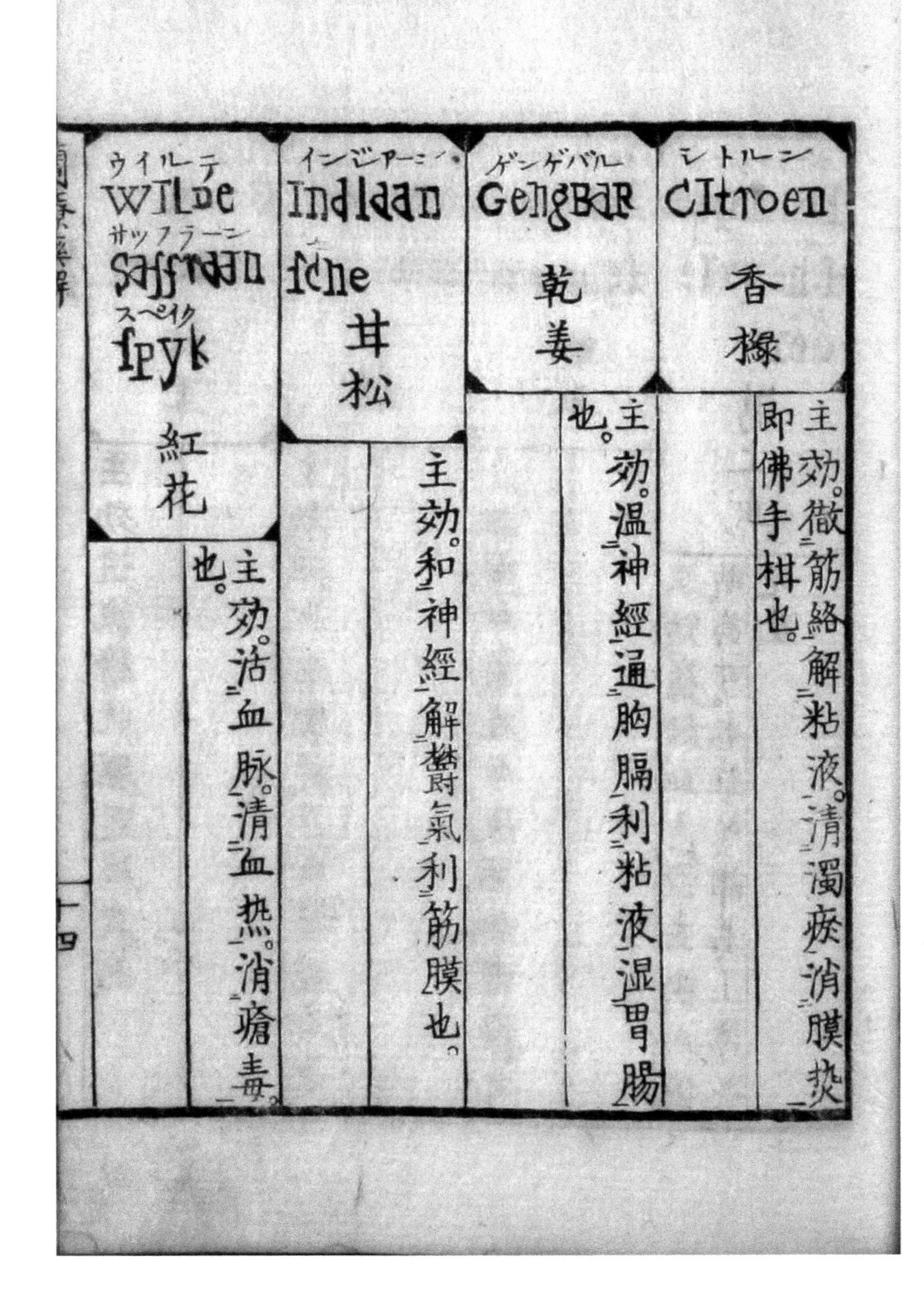
シトルーン
CItroen
香橼
主効。徹〻筋絡〻解〻粘液。清〻濁痰〻消〻膜热〻即佛手柑也。
ゲンゲバル
GengBAR
乾姜
主効。温〻神經〻通〻胸膈〻利〻粘液〻温〻胃腸
インジアーニ
Indiaan
sche
茸松
主効。和〻神經〻解〻鬱氣〻利〻筋膜也。
ウイルテ
WILDE
サッフラーン
saffraan
スペイク
spyk
紅花
主効。活〻血脉。清〻血熱。消〻瘡毒。

蘭療藥解

十四

ローデ　ミセルス
Roode ciceri
紅豆
主効。通流膀胱。驅逐廢液也。

ゲドローゲデ　ナムラック
Gedroogde namrak
干漆
主効。破血脈凝結。逐血室濁血也。

ケレーフテ　シケーレン
Kreefte scheeren
蠏瓜
主効。解血筋。逐血凝。諸血滯服之

ボーネンスパーン　セフリー　ゲン
Bonenspaan sche vrije gen
葛上虫
主効。腐蝕血肉。流去瘀血。傳貼爲可。本草所謂葛上亭長是也。

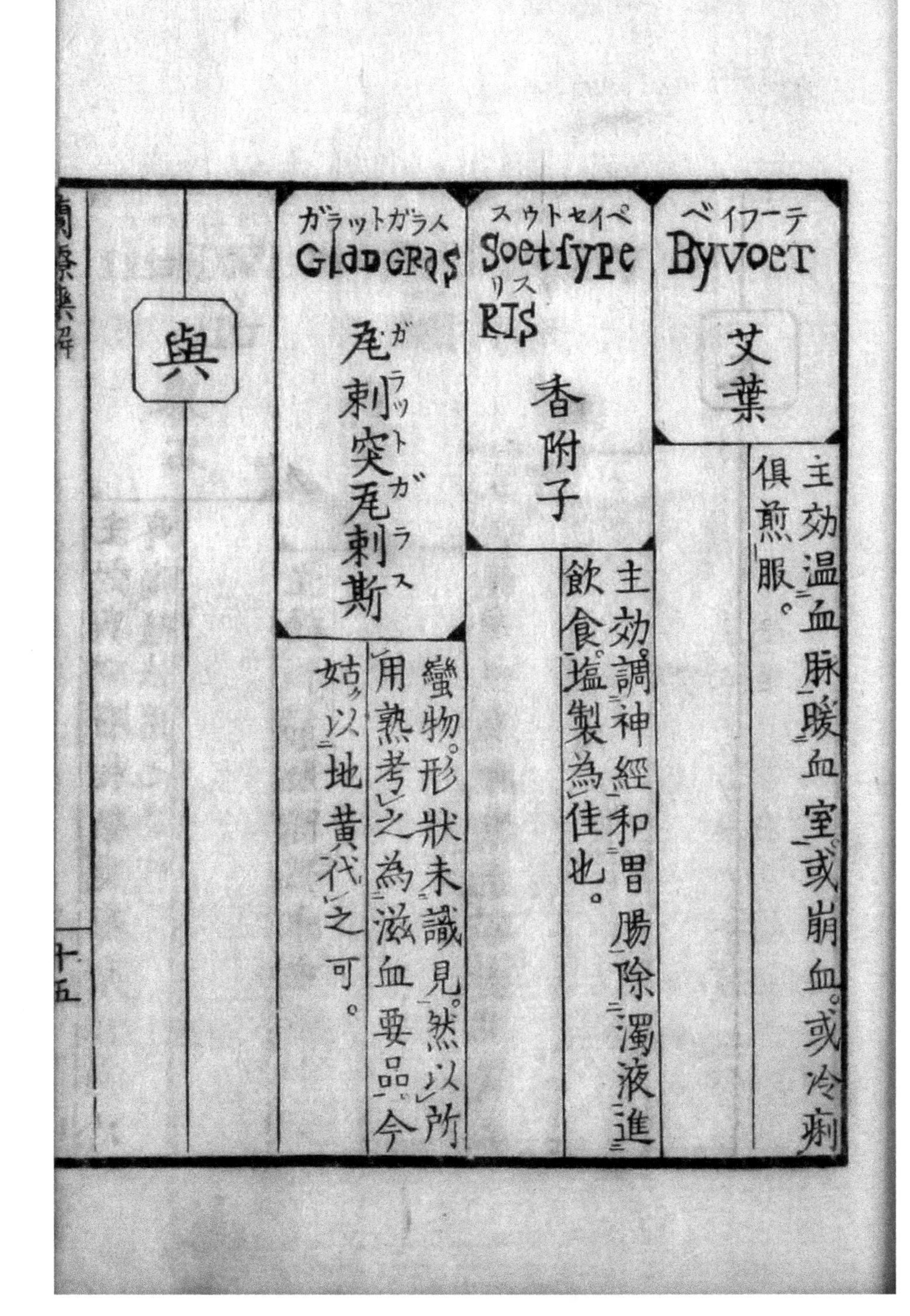

ベイフーテ
Byvoet
艾葉
主効温血脉暖血室或崩血或冷痢倶煎服。

スウトセイペリス
Soetfype RIS
香附子
主効調神經和胃腸除濁液進飲食塩製為佳也。

ガラットガラス
GladGras
尾刺突尾刺斯
蠻物形狀未識見然以所用熟考之為滋血要品今姑以地黄代之可。

與

蘭療藥解　十五

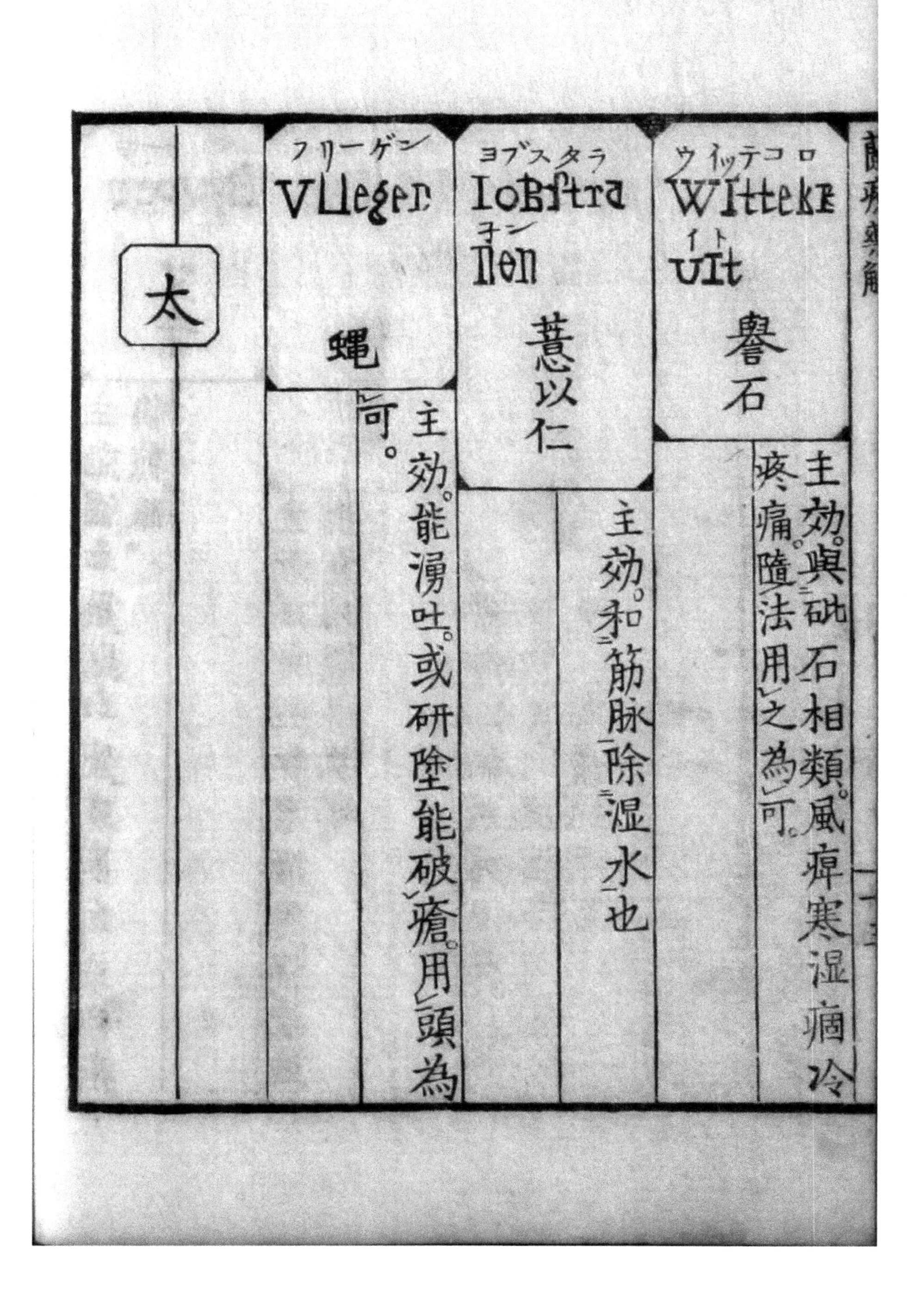
蘭療藥解

ウイッテコロイト
WItteKRUIt
礜石
主効。與砒石相類。風痺寒湿痼冷疼痛。隨法用之為可。

ヨブスタラヨン
IoBftraNen
薏以仁
主効。和筋脉。除湿水也

フリーゲン
VLiegen
蠅
主効。能湧吐。或研塗能破瘡。用頭為可。

太

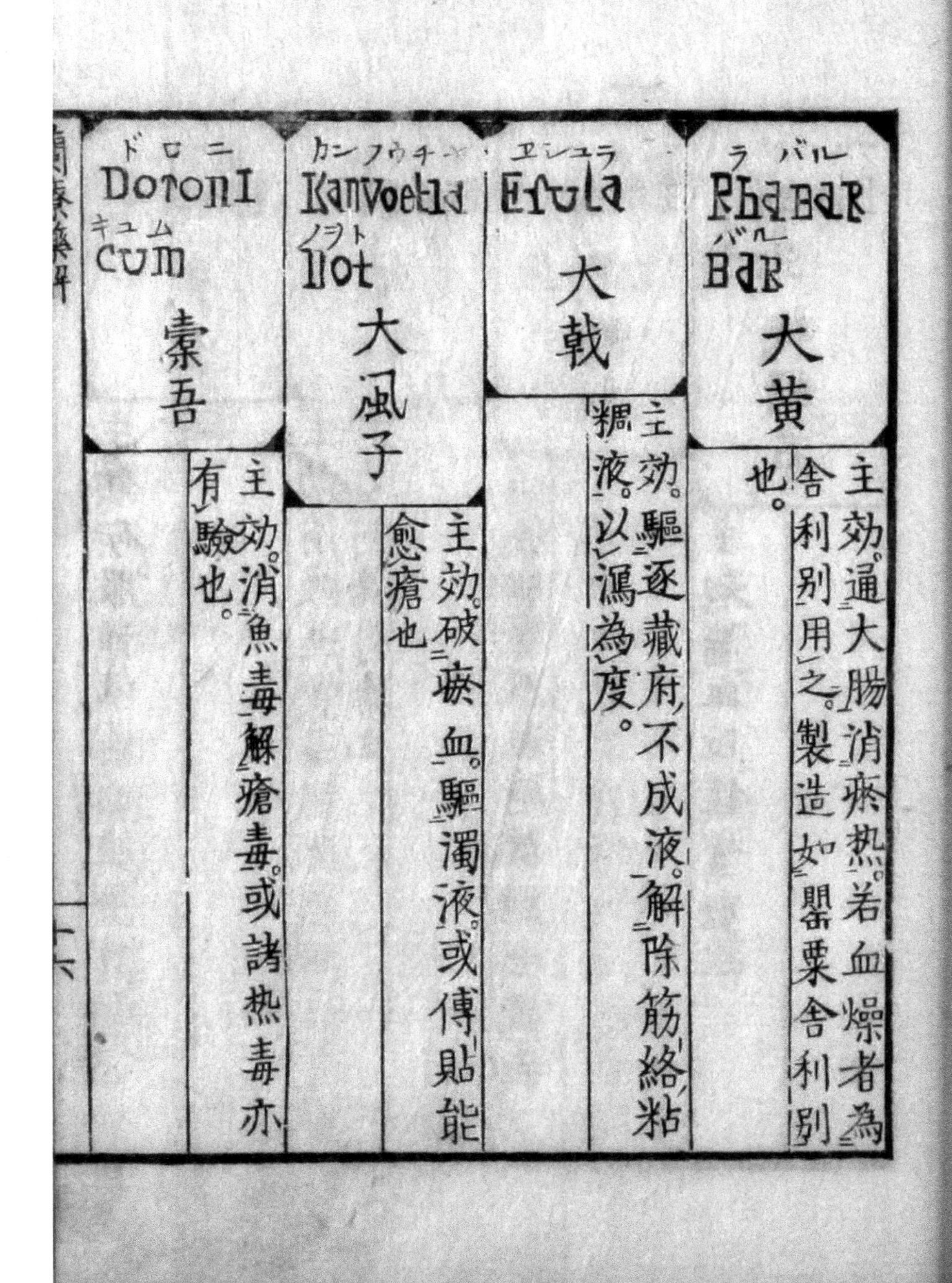

ラバルバル
Rhabarbar
大黃
主効。通大腸消痰熱。若血燥者為舍利別用之。製造如罌粟舍利別也。

エシュラ
Esula
大戟
主効。驅逐藏府不成液。解除筋絡粘稠液。以瀉為度。

カンフウチヤノット
Kanvoetla Not
大風子
主効。破瘀血。驅濁液。或傳貼能愈瘡也

ドロニキュム
Doronicum
橐吾
主効。消魚毒解瘡毒。或諸熱毒亦有驗也。

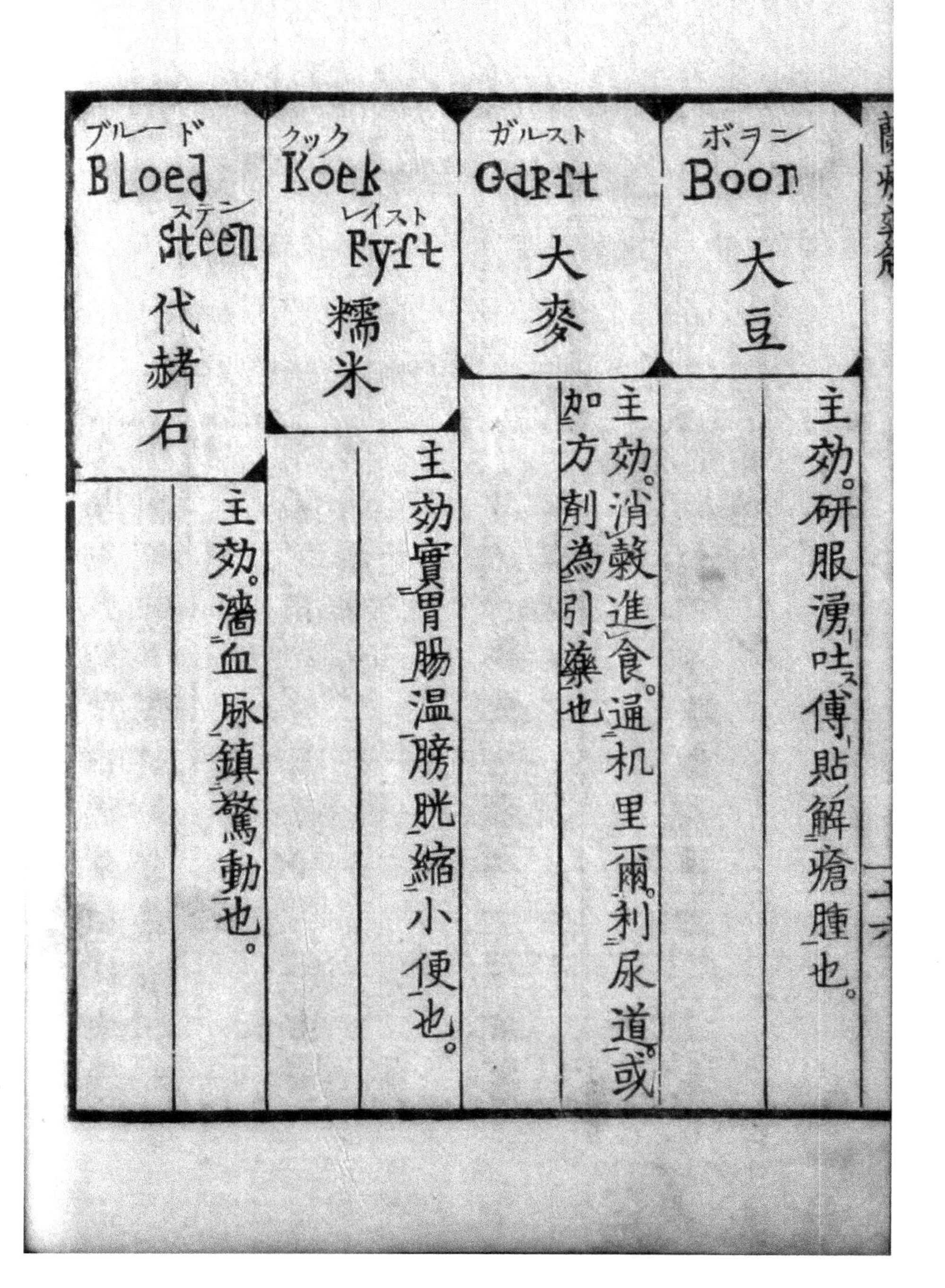

ボヲン
Boon
大豆
主効。研服瀉吐、傅貼解瘡腫也。

ガルスト
Garst
大麥
主効。消穀進食。通机里爾利尿道或加方劑為引藥也。

クック
Koek
レイスト
Rijst
糯米
主効實胃腸温膀胱縮小便也。

ブルード
Bloed
ステン
Steen
代赭石
主効。濇血脉鎮驚動也。

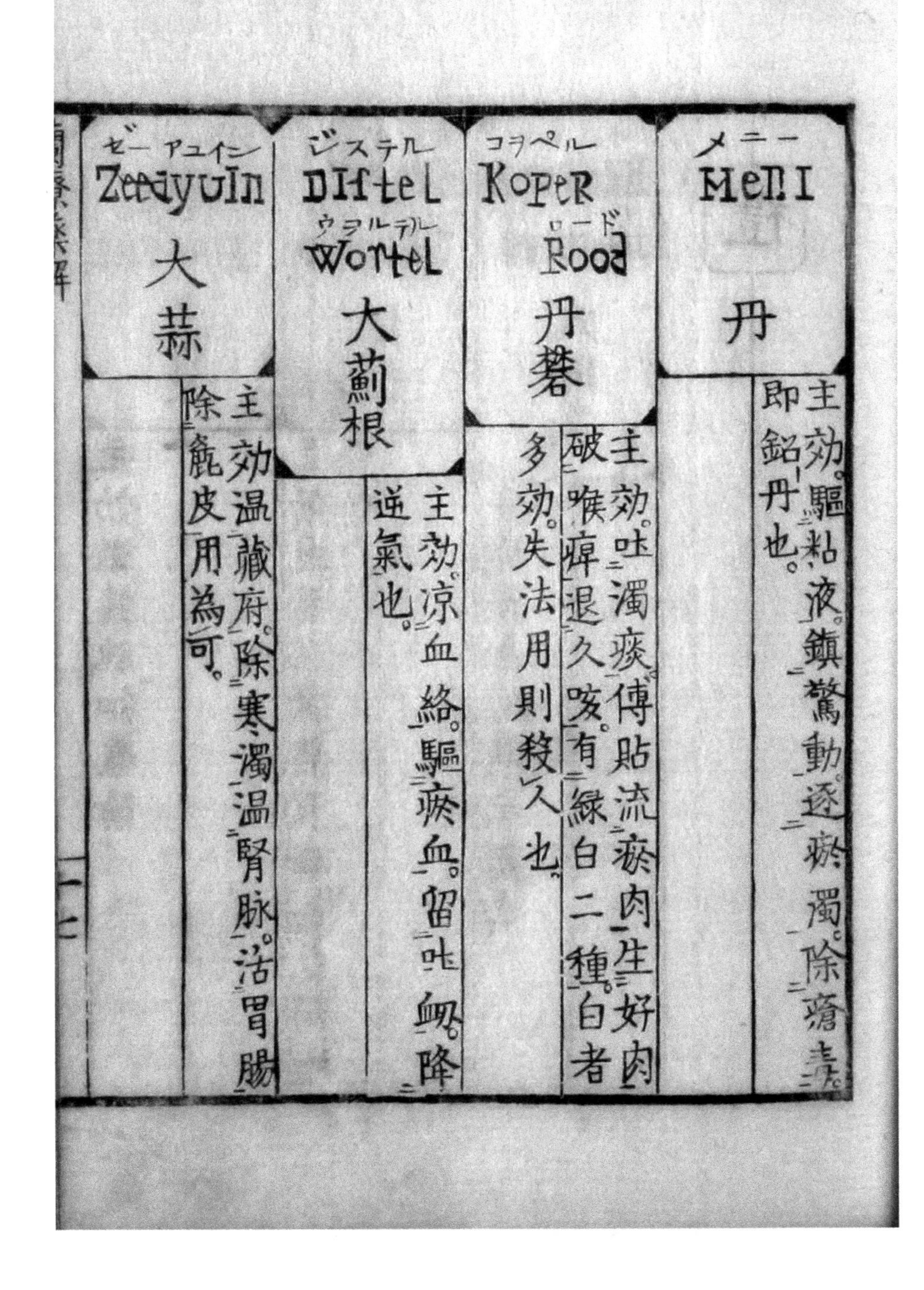

メニー
Meni
丹
主効。驅粘液。鎮驚動。透瘀濁。除瘡毒。即鉛丹也。

コヲペル
Koper
ロード
Rood
丹礬
主効。吐濁痰。傅貼流瘀肉。生好肉。破喉痺。退久咳。有緑白二種。白者多効。失法用則殺人也。

ジステル
Distel
ウヲルテル
Wortel
大薊根
主効。涼血絡。驅瘀血。留吐衄。降逆氣也。

ゼーアユイン
Zeeayuin
大蒜
主効。温臟府。除寒濁。温腎脉。活胃腸。除麁皮用為可。

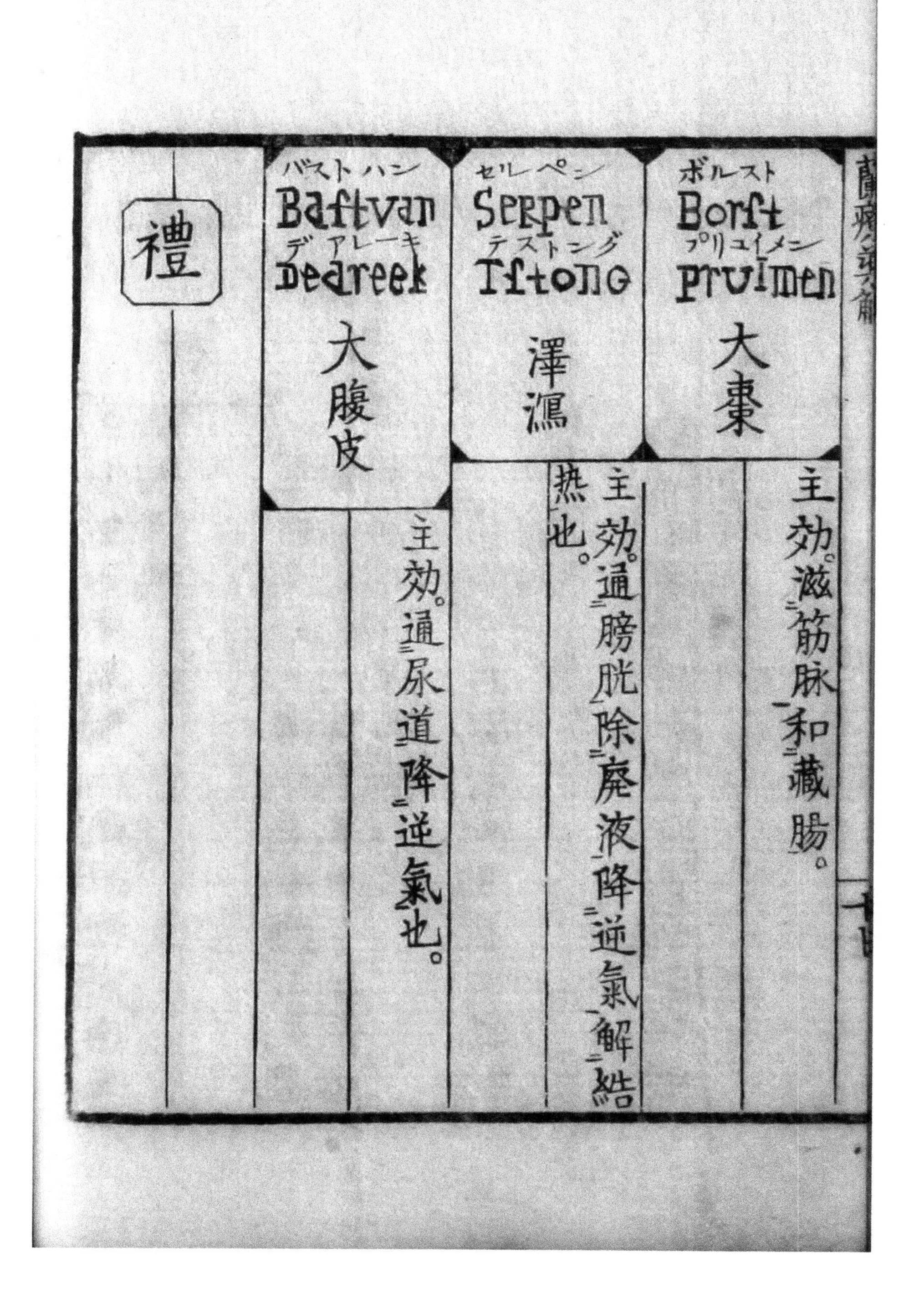
ボルスト
Borst
プリユイメン
pruimen
大棗
主効。滋筋脈、和臟腸。
セルペン
Serpen
テストング
Tstong
澤瀉
主効。通膀胱、除廢液、降逆氣、解結熱也。
バストハン
Bastvan
デアレーキ
Deareek
大腹皮
主効。通尿道、降逆氣也。
禮

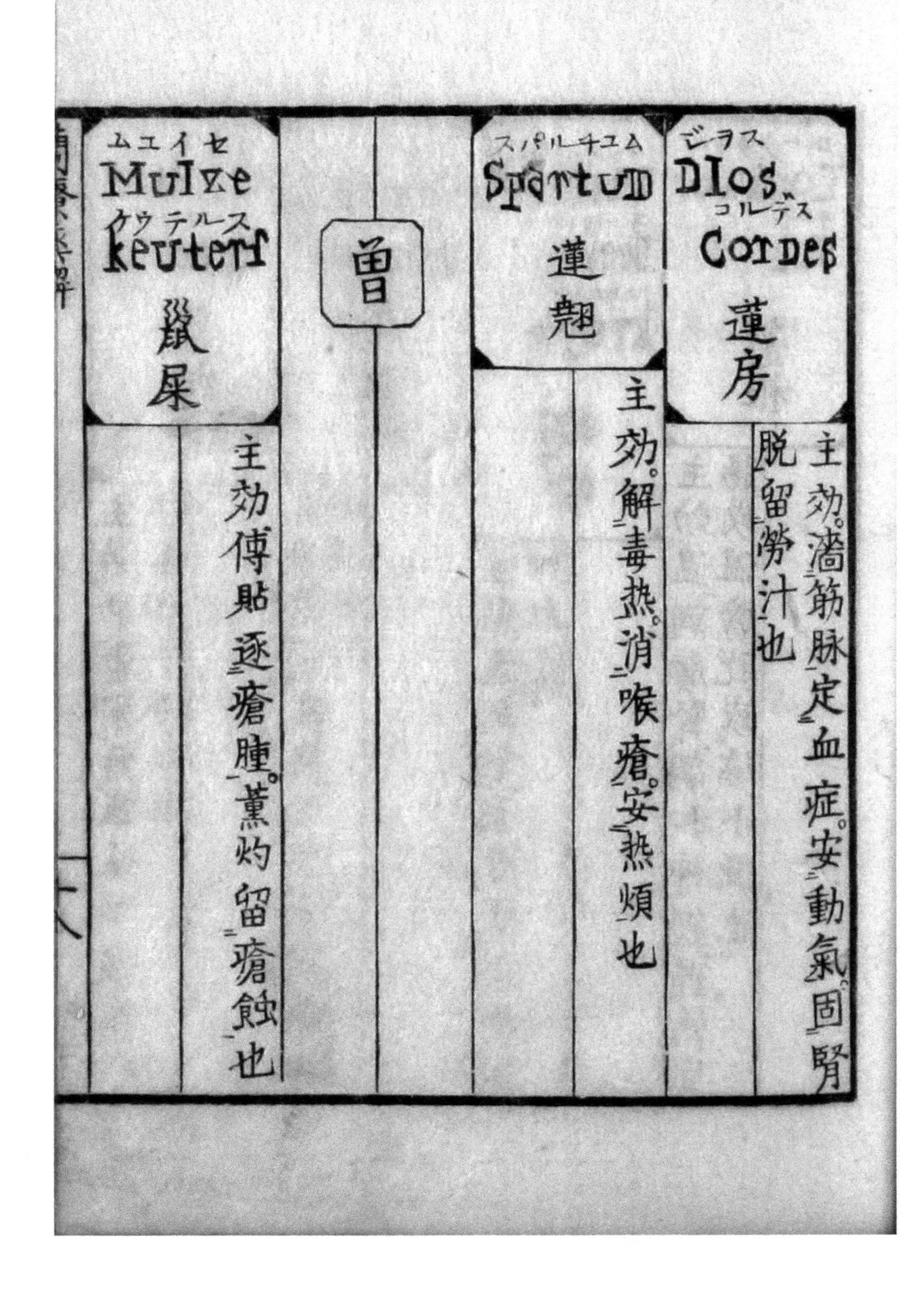
ジヲス
Dios
コルデス
Cordes
蓮房
主効濇筋脉定血症安動氣固腎脱留勞汁也
スパルチユム
Spartum
蓮翹
主効解毒熱消喉瘡安熱煩也
曽
ムユイセ
Mulze
クウテルス
keuters
鼠屎
主効傅貼逐瘡腫薫灼留瘡蝕也

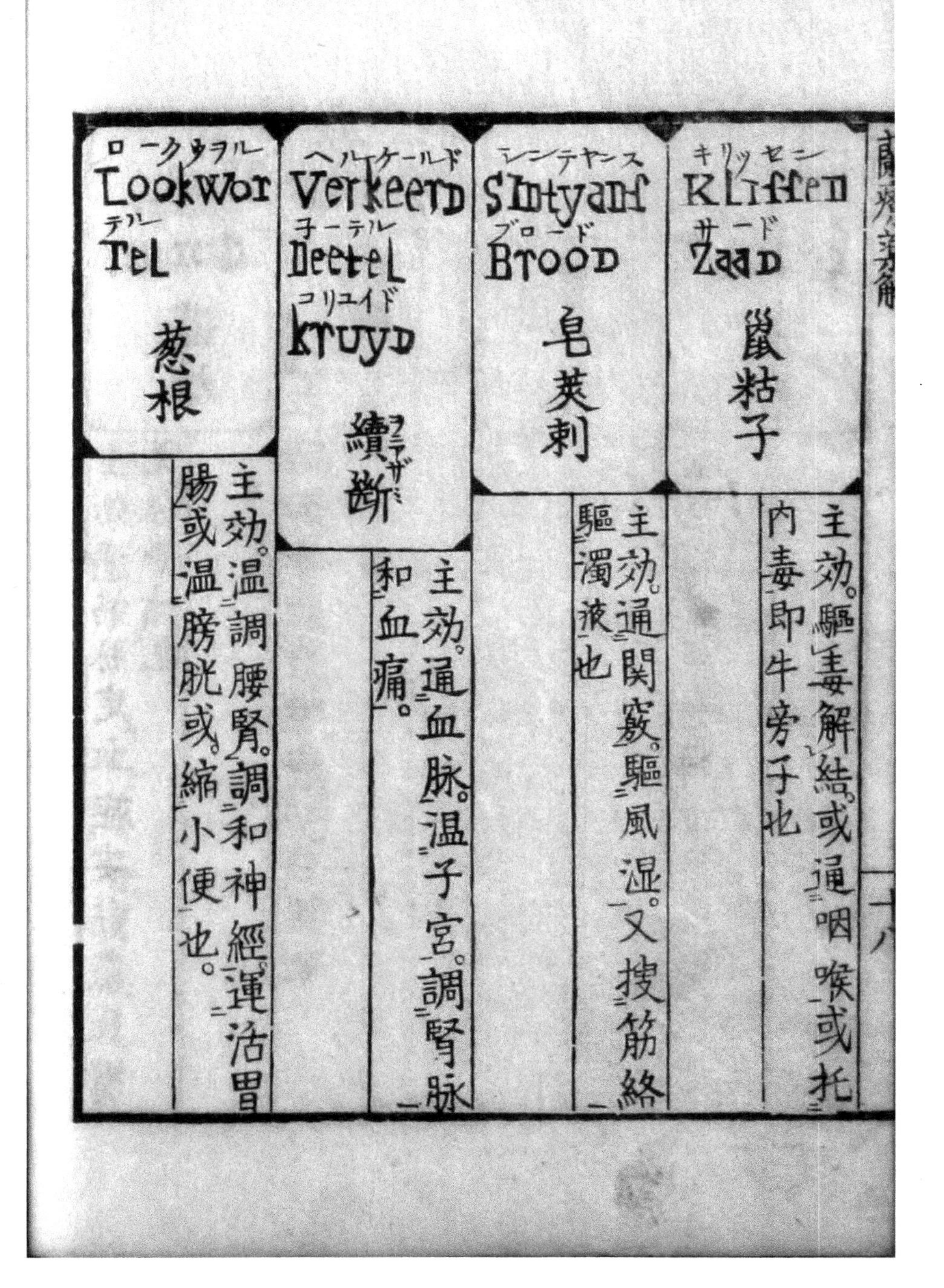

蘭療薬解　十八

キリッセン　Kliffen　サード　Zaad
鼠粘子
主効。驅毒解結。或通咽喉。或托内毒。即牛旁子也

シンテヤンス　Sintyans　ブロード　Brood
皂莢刺
主効。通関竅。驅風湿。又搜筋絡驅濁液也

ヘルケールド　Verkeerd　テーテル　Deetel　コリユイド　Kruyd
續斷
主効。通血脉。温子宮。調腎脉和血痛。

ロークヲル　Lookwor　テル　Tel
葱根
主効。温調腰腎。調和神經。運活胃腸。或温膀胱。或縮小便也。

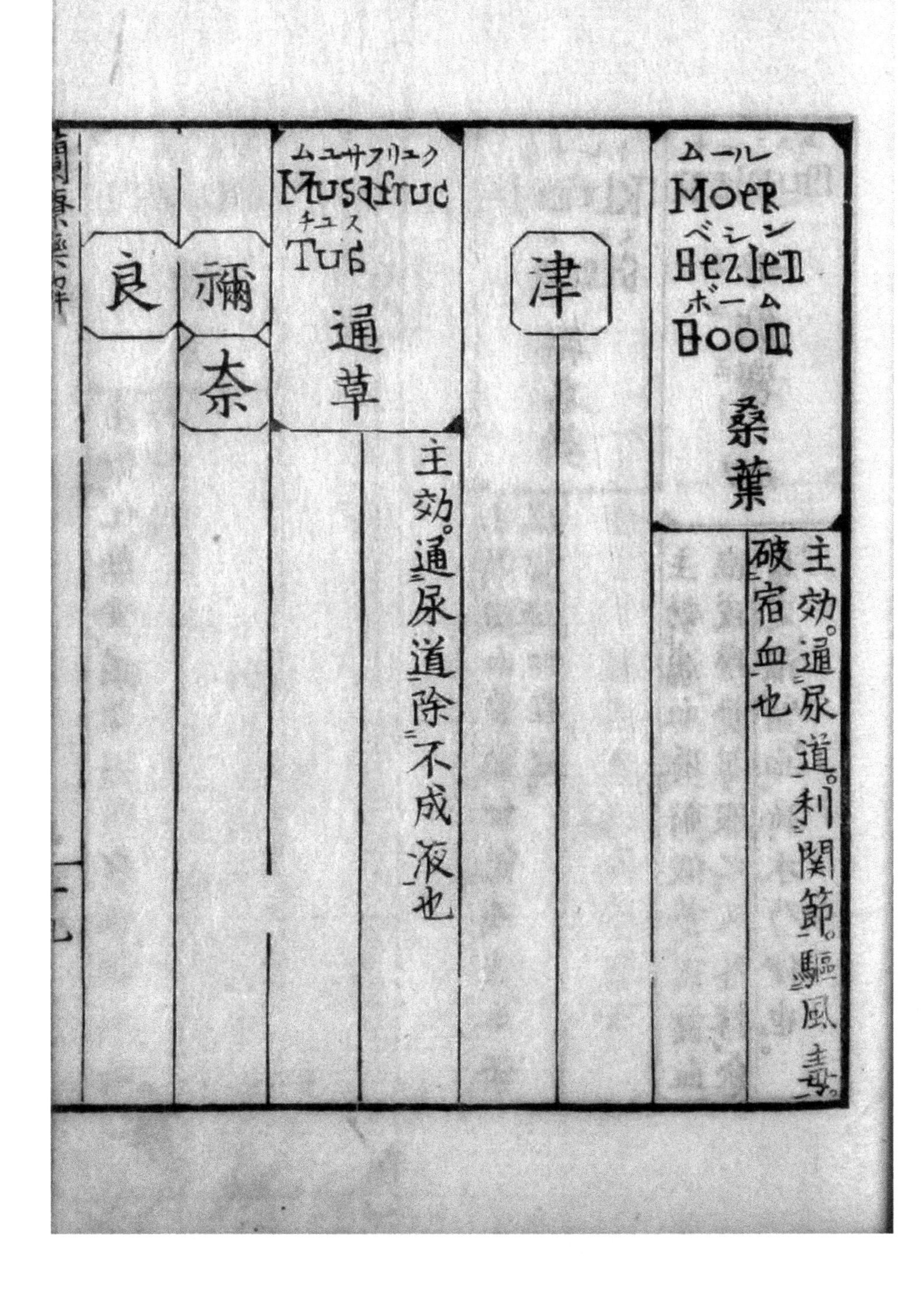
ムールベレンボーム
Moer
Bezien
Boom
桑葉
主効。通尿道。利関節。驅風毒。破宿血也
津
ムサフリユクチユス
Musafruc
Tus
通草
主効。通尿道。除不成液也
彌
奈
良

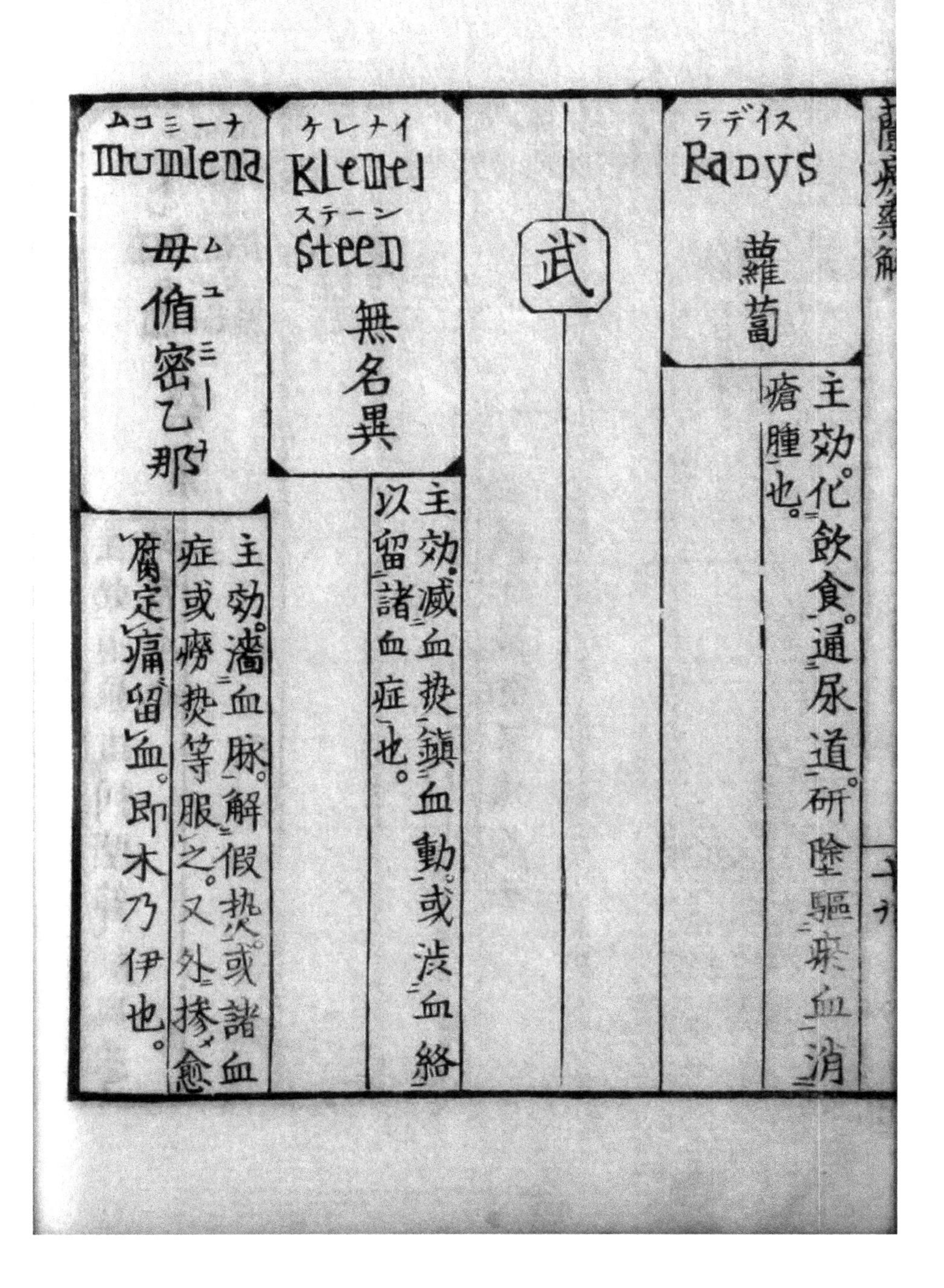

蘭療藥解

ラデイス
Radys
蘿蔔

主効化飲食。通尿道。研墜驅痰血消瘡腫也。

武

ケレナイ
Kleinel
ステーン
Steen
無名異

主効減血挍鎮血動或渋血絡以留諸血症也。

ムユミーナ
Mumlena
母脩密乙那

主効濇血脉。解假热或諸血症或癆热等服之。又外掺愈瘡定痛留血。即木乃伊也。

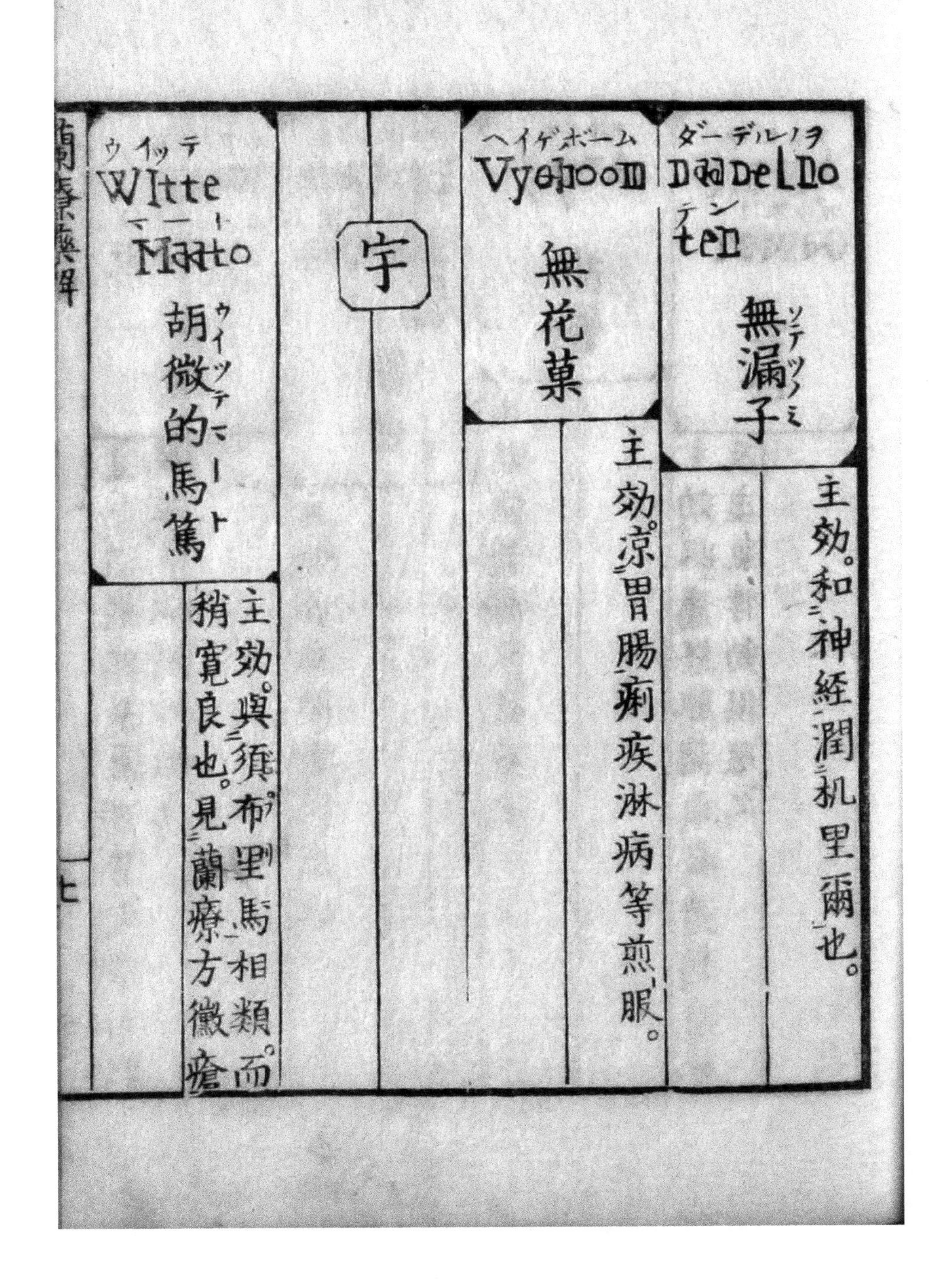

ダーデルドーテン
Daadel Doten
無漏子（ソテツノミ）
主效。和ニ神經ヲ潤ニ机里爾ヲ也。

ヘイゲボーム
Vyeboom
無花菓
主效涼ニ胃腸痢疾淋病等煎服。

宇

ウイッテマールト
Witte Marto
胡微的馬篤（ウイッテマールト）
主效。與ニ須布里馬ト相類而稍寛良也。見ニ蘭療方黴瘡

蘭療藥解　七

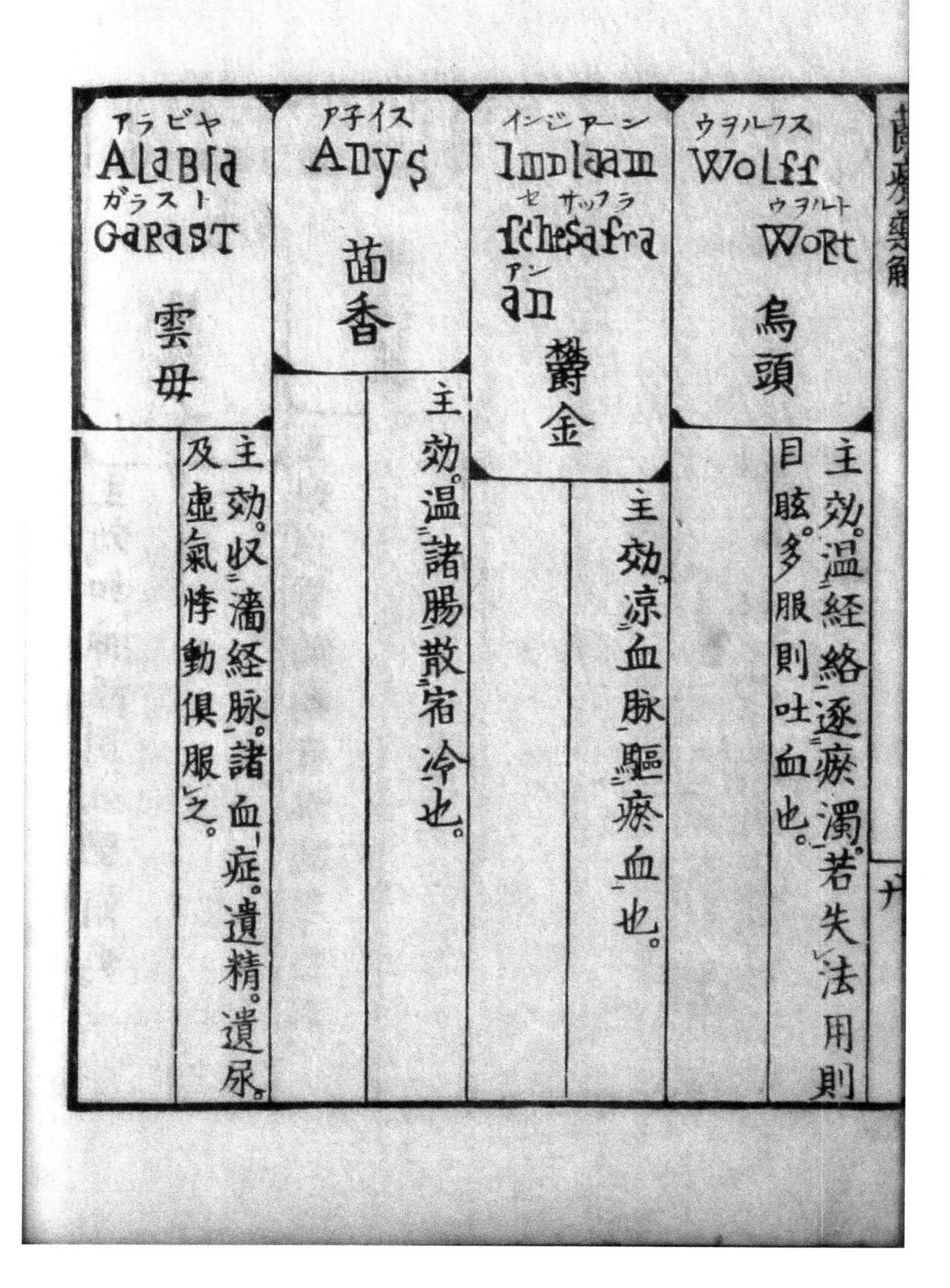

ウヲルフス Wolff ウヲルト Wort
烏頭
主効。温経絡逐瘀濁若失法用則目眩多服則吐血也。

インジアーン Indiaan セサッフラアン Schesafraan
欝金
主効。涼血脉駆瘀血也。

アチイス Anys
茴香
主効。温諸腸散宿冷也。

アラビヤ Alabia ガラスト Garast
雲母
主効。収濇経脉。諸血症。遺精。遺尿。及虚氣悸動俱服之。

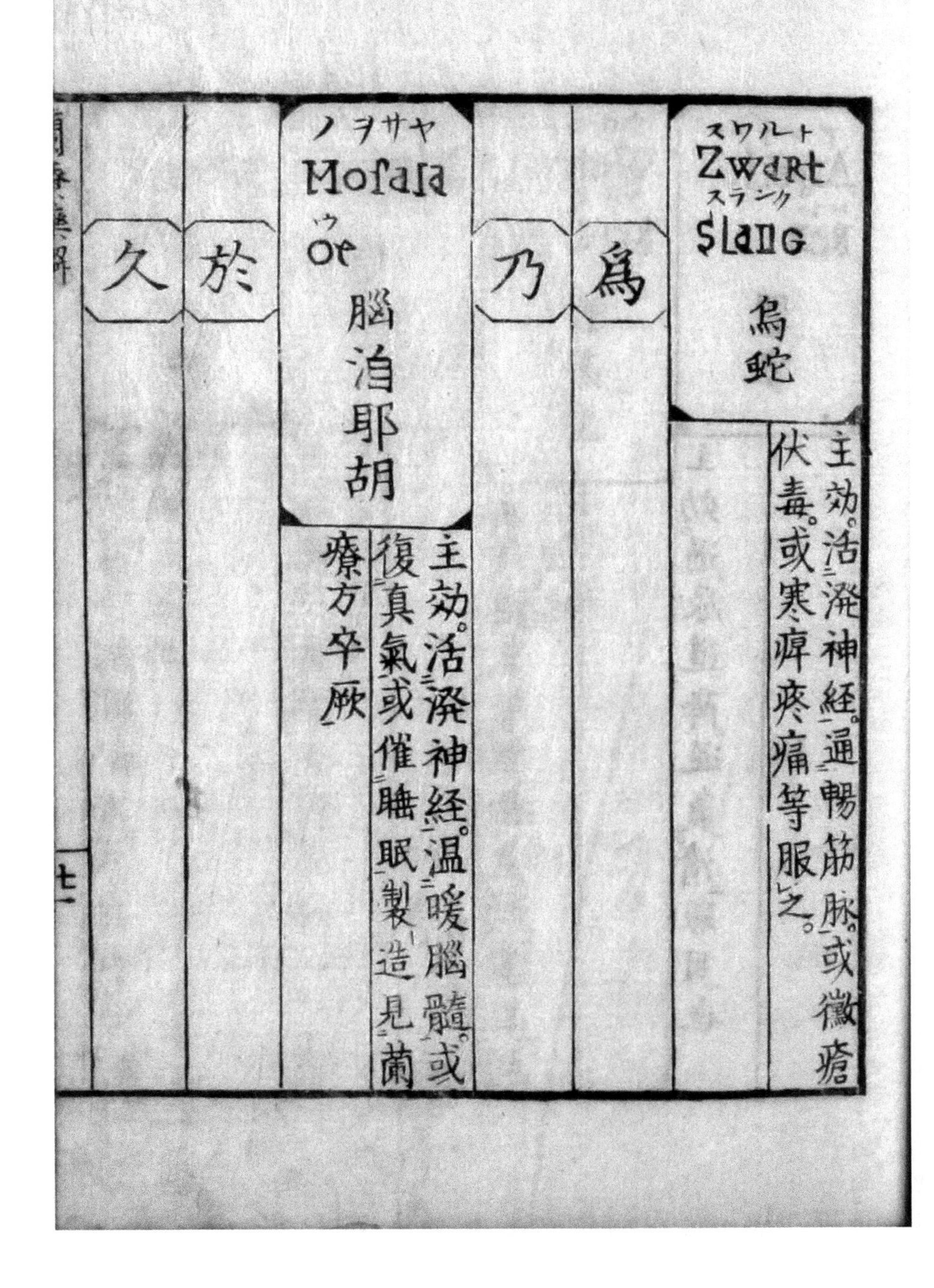
スワルト
Zwert
スランク
Slang
烏蛇
主效。活₌潑神經₋通₌暢筋脉。或徽瘡伏毒。或寒痺疼痛等服₋之。
爲
乃
ヤサヲノ
Mosara
ウ
Oe
腦洎耶胡
主效。活₌潑神經。温₌暖腦髓。或復₌真氣或催₌瞌眠₋製造見₌蘭療方卒厥₋
於
久

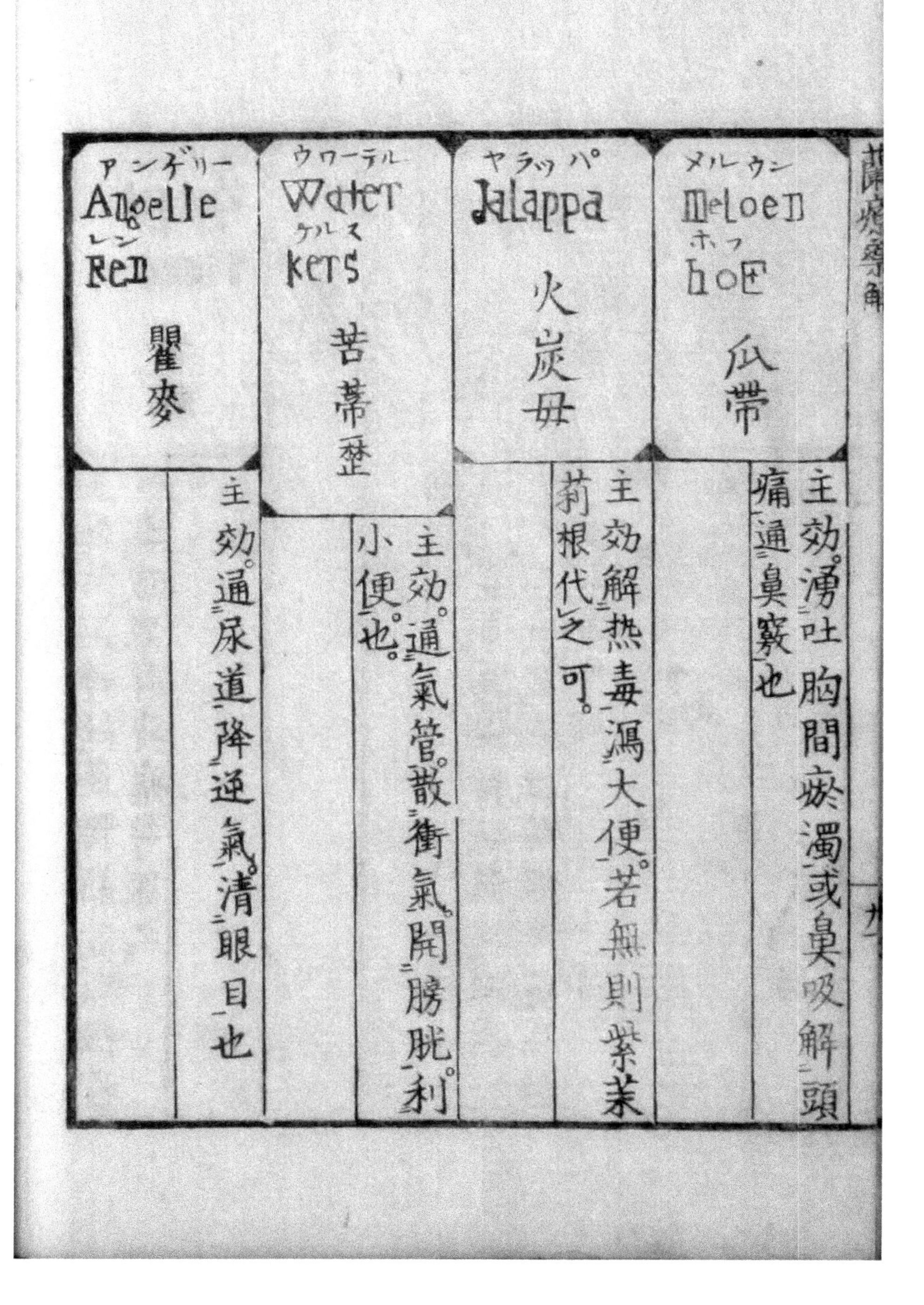
蘭療藥解
メルウン
Meloen
ホッフ
hoEf
瓜蔕
主効。湧吐胸間痰濁。或臭吸解頭痛。通臭竅也
ヤラッパ
Jalappa
火炭母
主効解熱毒。瀉大便。若無則紫茉莉根代之可。
ウワーテル
Water
ケルス
kers
苦蒂蘣
主効。通氣管。散衝氣。開膀胱。利小便也。
アンゲリー
Angelle
レン
Ren
瞿麥
主効。通尿道。降逆氣。清眼目也

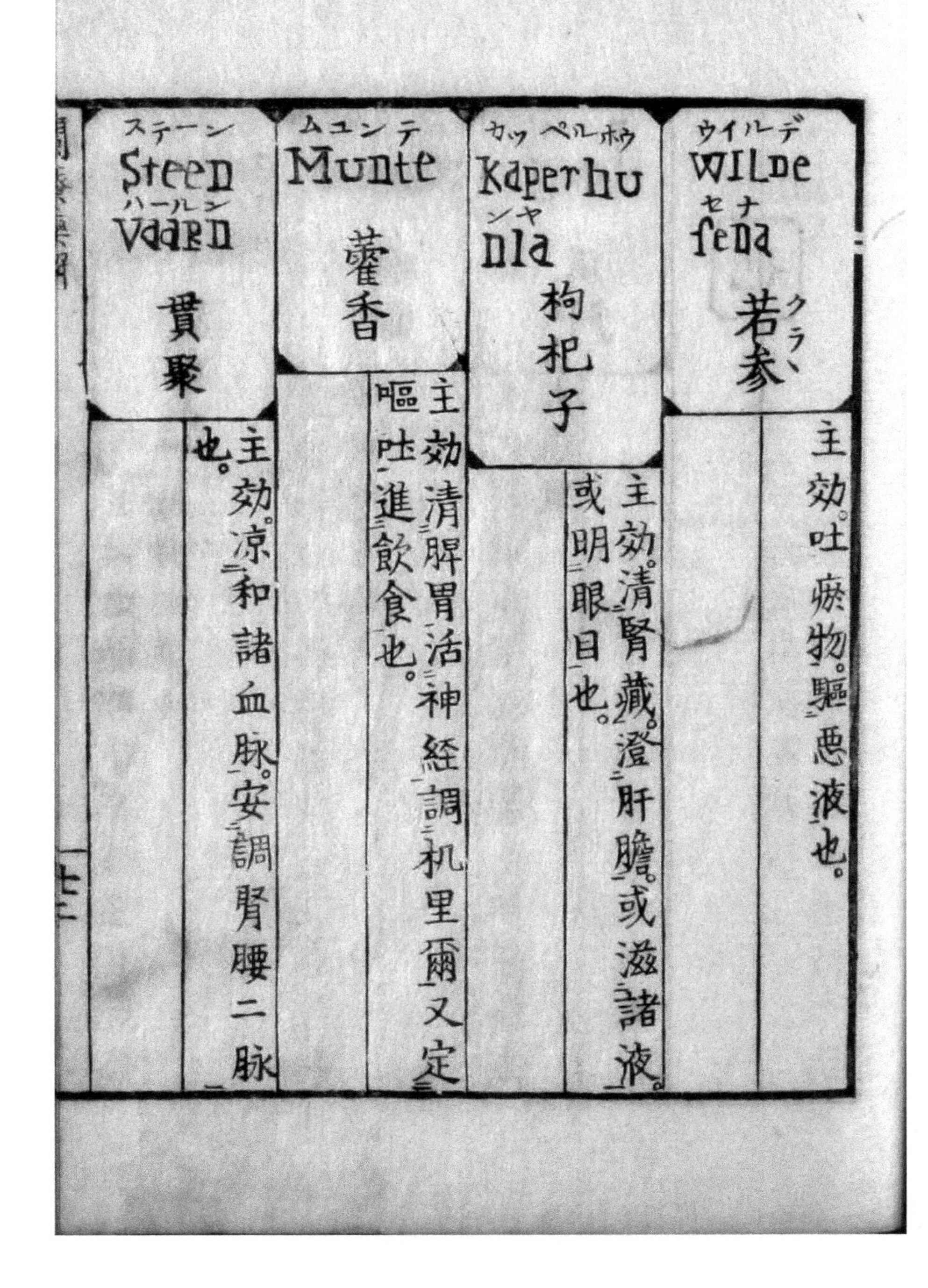

ウイルデ WILDe セナ fena
若参（クラヽ）
主効吐瘀物。驅悪液也。

カッペルホウ Kaperhu ンヤ nla
枸杞子
主効清腎藏。澄肝膽。或滋諸液。或明眼目也。

ムユンテ Munte
藿香
主効清脾胃活神經調机里爾又定嘔吐進飲食也。

ステーン Steen ハールン vaarn
貫聚
主効涼和諸血脉。安調腎腰二脉也。

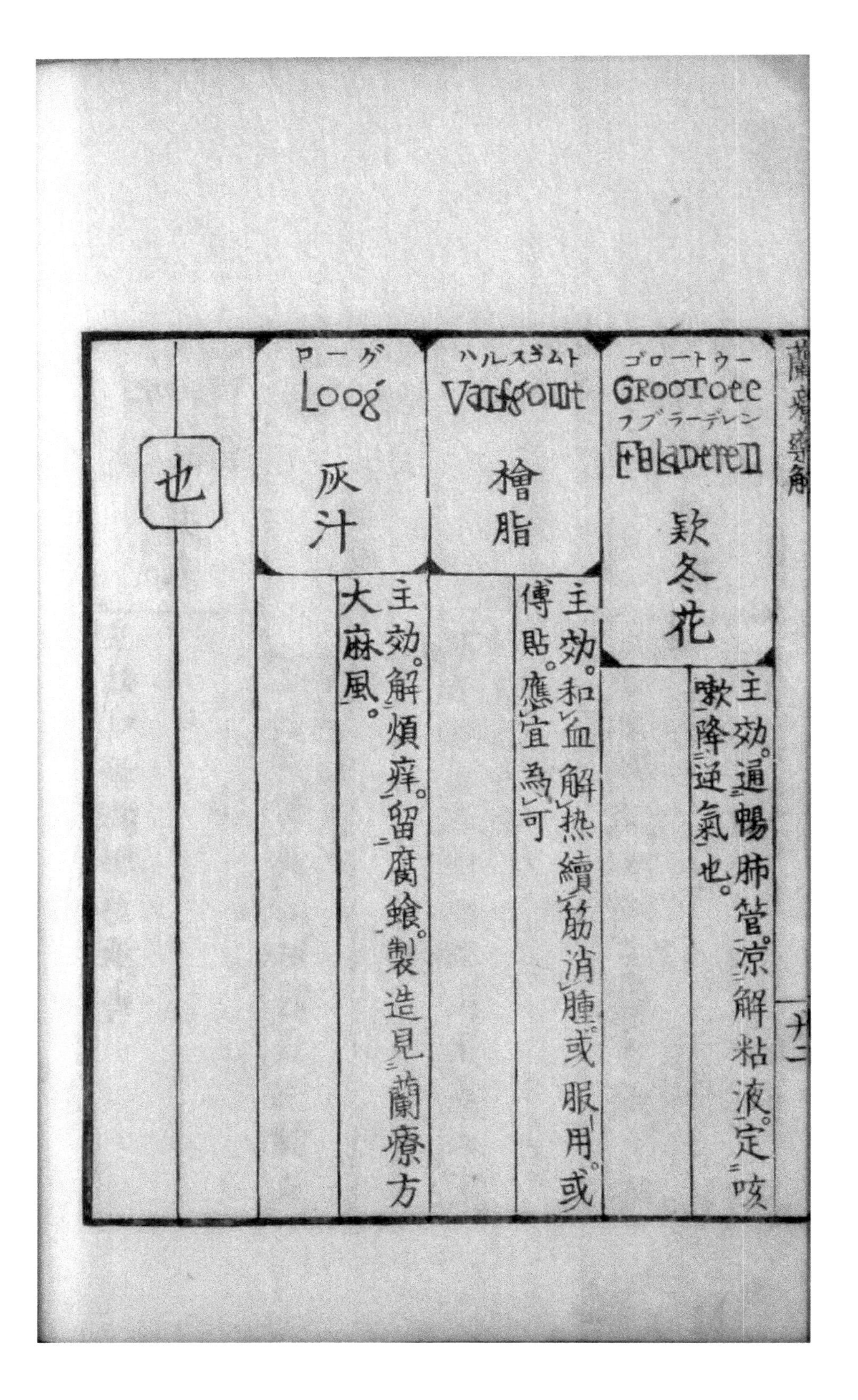

ゴロートウー
GROOTOEE
フブラーデレン
FBladeren
款冬花

主効。通暢肺管。凉解粘液。定咳嗽降逆氣也。

ハルスゴムト
Valsgomt
檜脂

主効。和血解熱續筋消腫。或服用。或傅貼。應宜為可

ローグ
Loog
灰汁

主効。解煩痒。留腐蝕。製造見蘭療方大麻風。

也

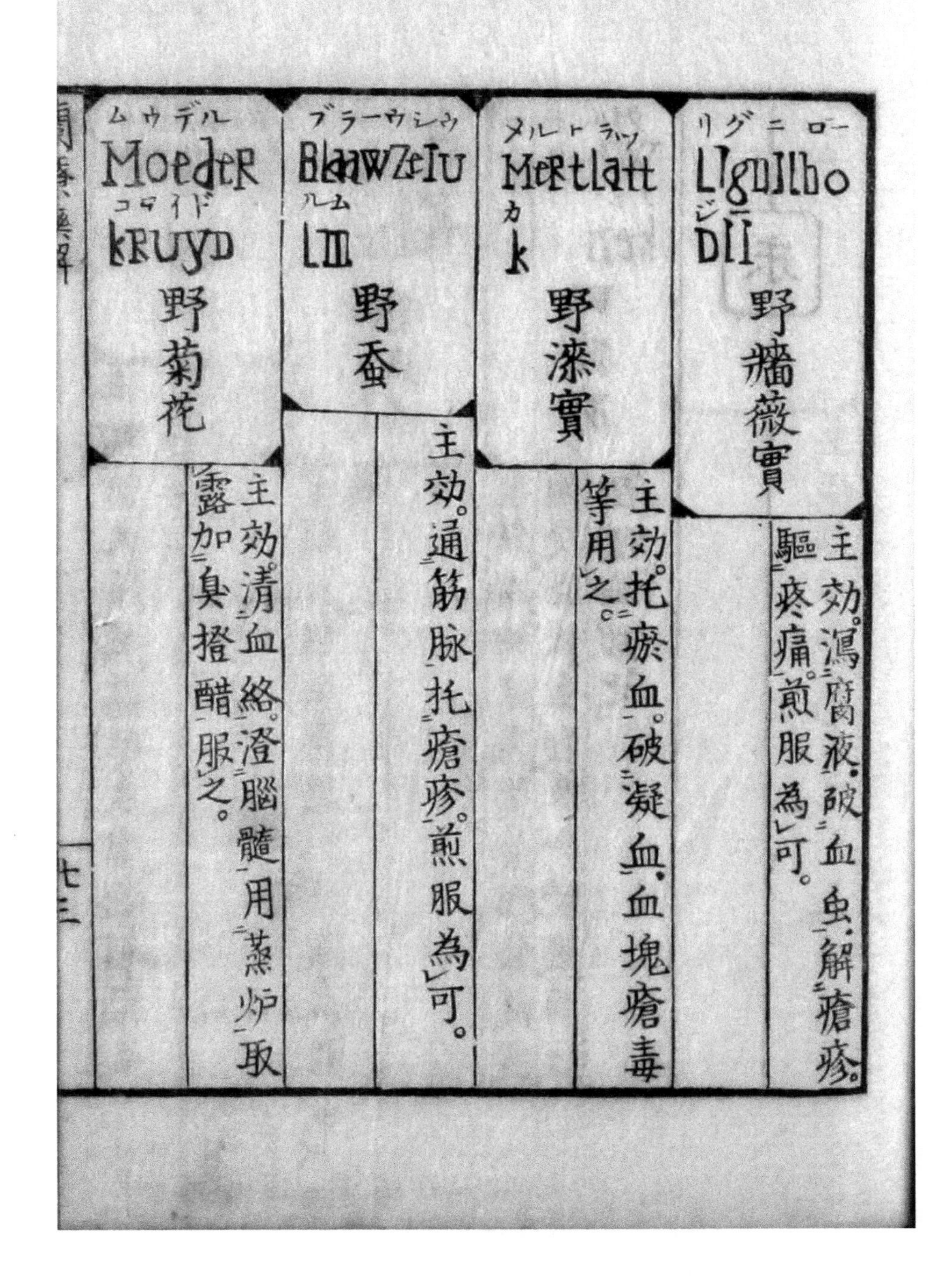
ローニグリ
Ligulibo
ジニ
DII
野薔薇實
主效。瀉腐液，破血虫，解瘡疹。驅疼痛，煎服為可。
メルトラツ
Mertlatt
カ
k
野漆實
主效。托瘀血。破凝血，血塊瘡毒等用之。
ブラーウシウ
Blaawzeiu
ルム
LM
野蚕
主效。通筋脉，托瘡疹。煎服為可。
ムウデル
Moeder
コライド
kruyd
野菊花
主效。清血絡。澄腦髓，用蒸炉取露加臭橙醋服之。
七三

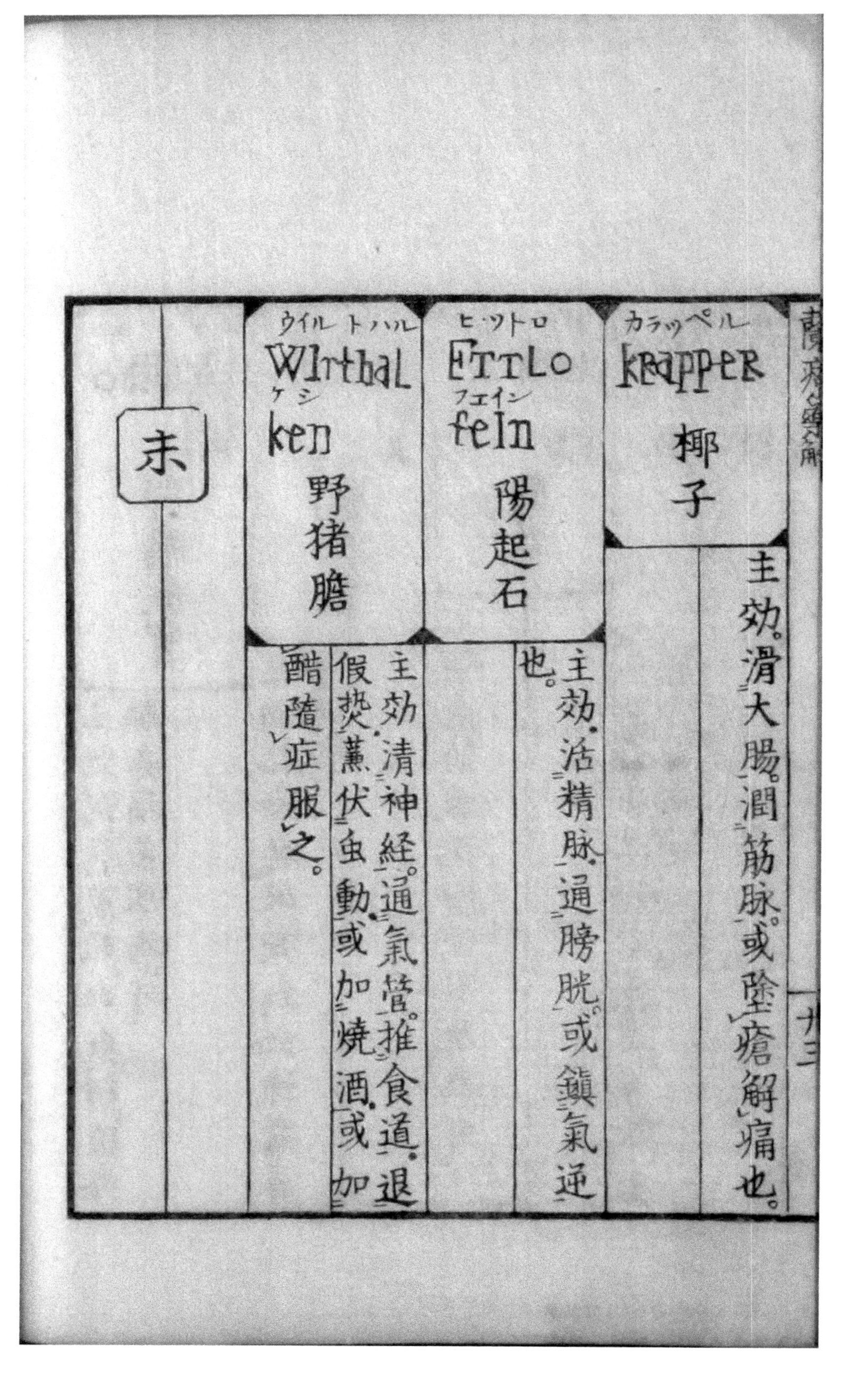

カラッペル
krapper
椰子

主効。滑大腸。潤筋脉。或墜瘡解痛也。

ヒ・ツトロ フエイン
ETTLO fein
陽起石

主効。活精脉。通膀胱。或鎭氣逆也。

ウイルトハル ケシ
WIrtbaL ken
野猪膽

主効。清神經。通氣管。推食道。退假熱。薰伏虫。動或加燒酒。或加醋隨症服之。

末

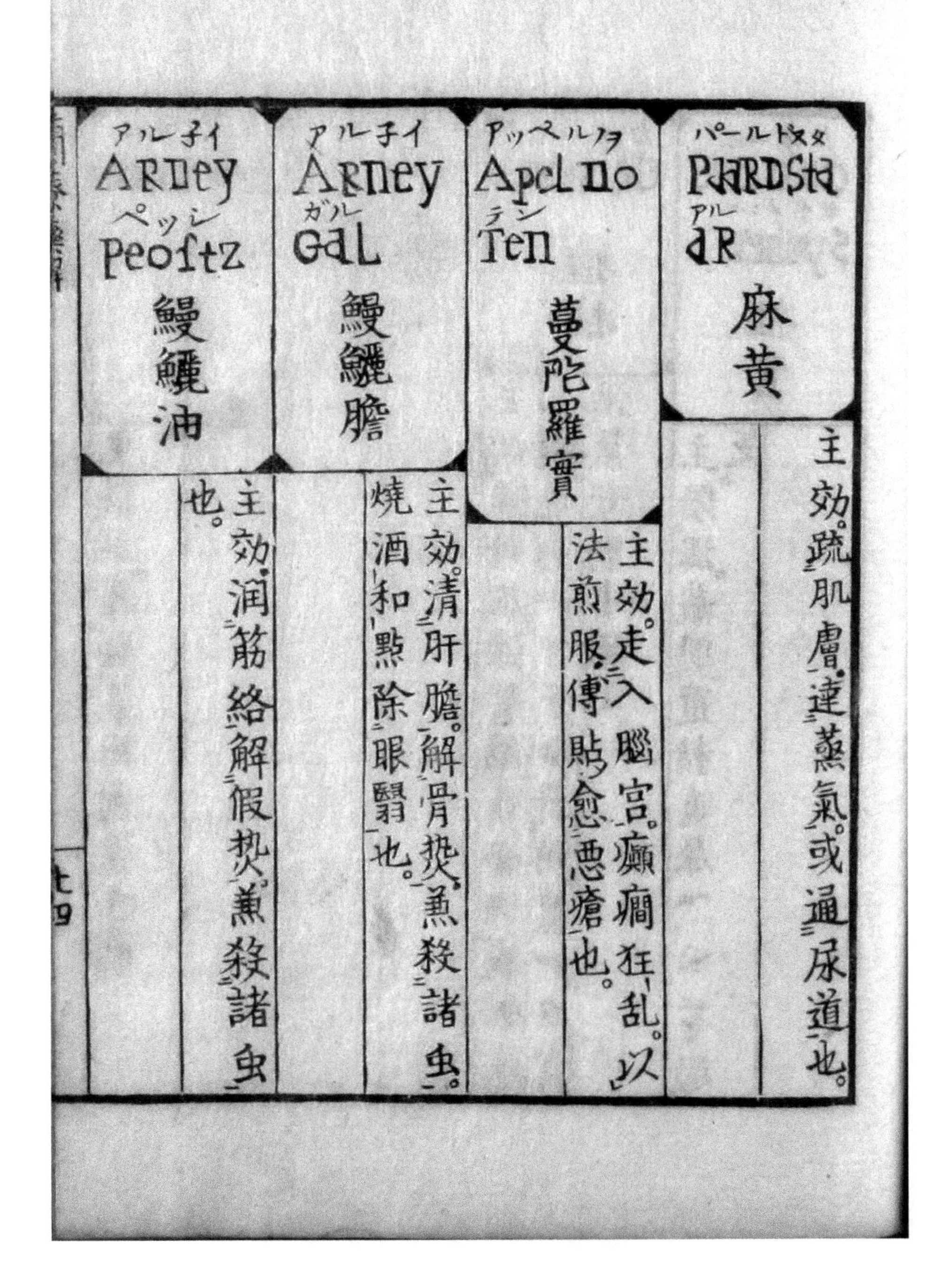

パールドスタ
PJARDSta
アル
dR
麻黄

主効。疏肌膚，達蒸氣。或通尿道也。

アッペルノタ
Apel no
テン
Ten
蔓陀羅實

主効。走入腦宮。癲癇狂乱。以法煎服，傅貼愈悪瘡也。

アルネイ
ARney
ガル
GaL
鰻鱺膽

主効。清肝膽。解骨热，兼殺諸虫。燒酒和點除眼翳也。

アルネイ
ARney
ペッツ
Peoftz
鰻鱺油

主効。潤筋絡，解假热，兼殺諸虫也。

七四

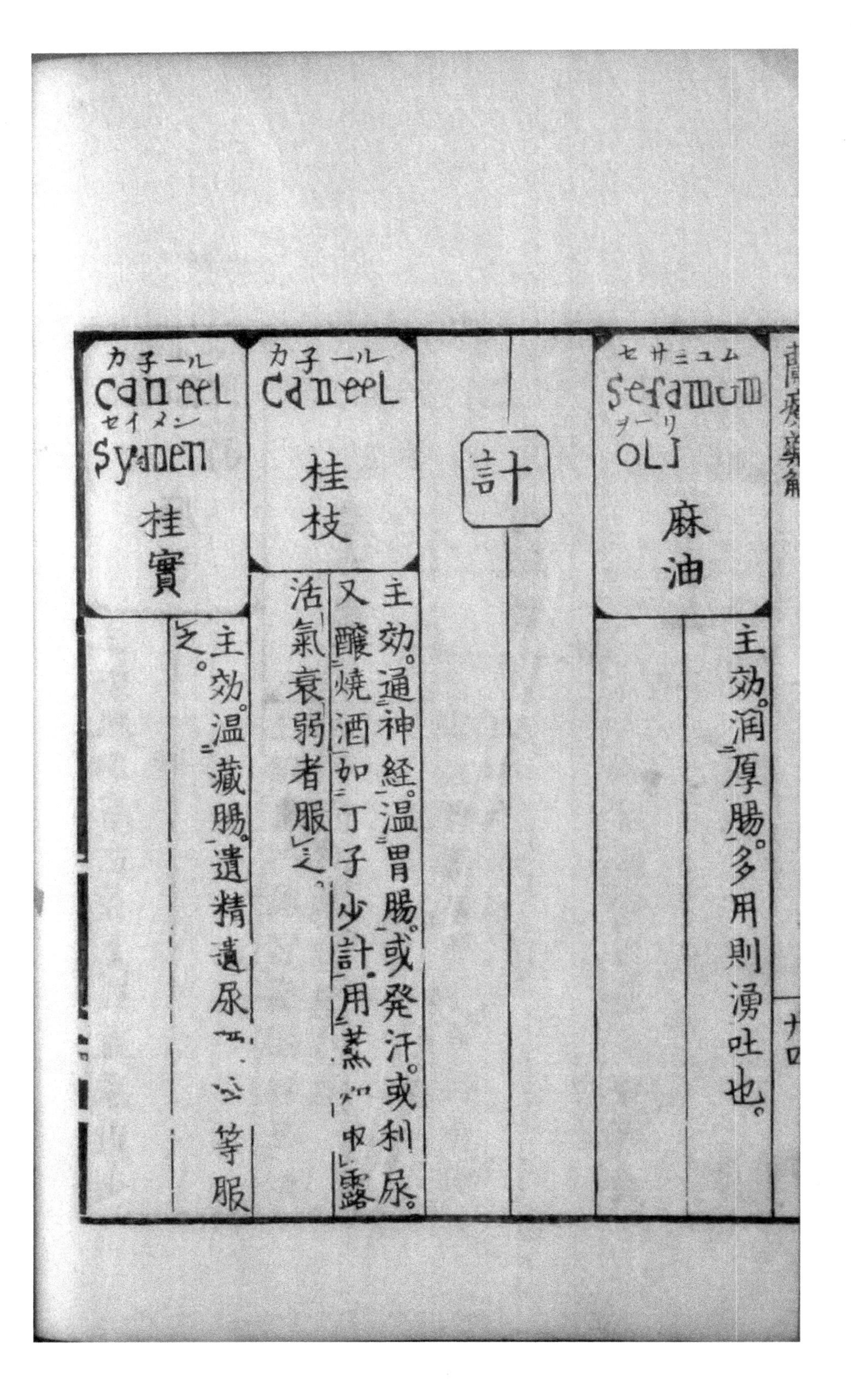
セサミユム
Sesamum
ヲーリ
OLI
麻油
主効。潤厚腸。多用則湧吐也。
計
カ子ール
Caneel
桂枝
主効。通神經。温胃腸。或発汗。或利尿。又醸燒酒。如丁子少許。用蒸取露。活氣衰弱者服之。
カ子ール
Caneel
セイメン
Syanen
桂實
主効。温藏腸。遺精遺尿等服之。

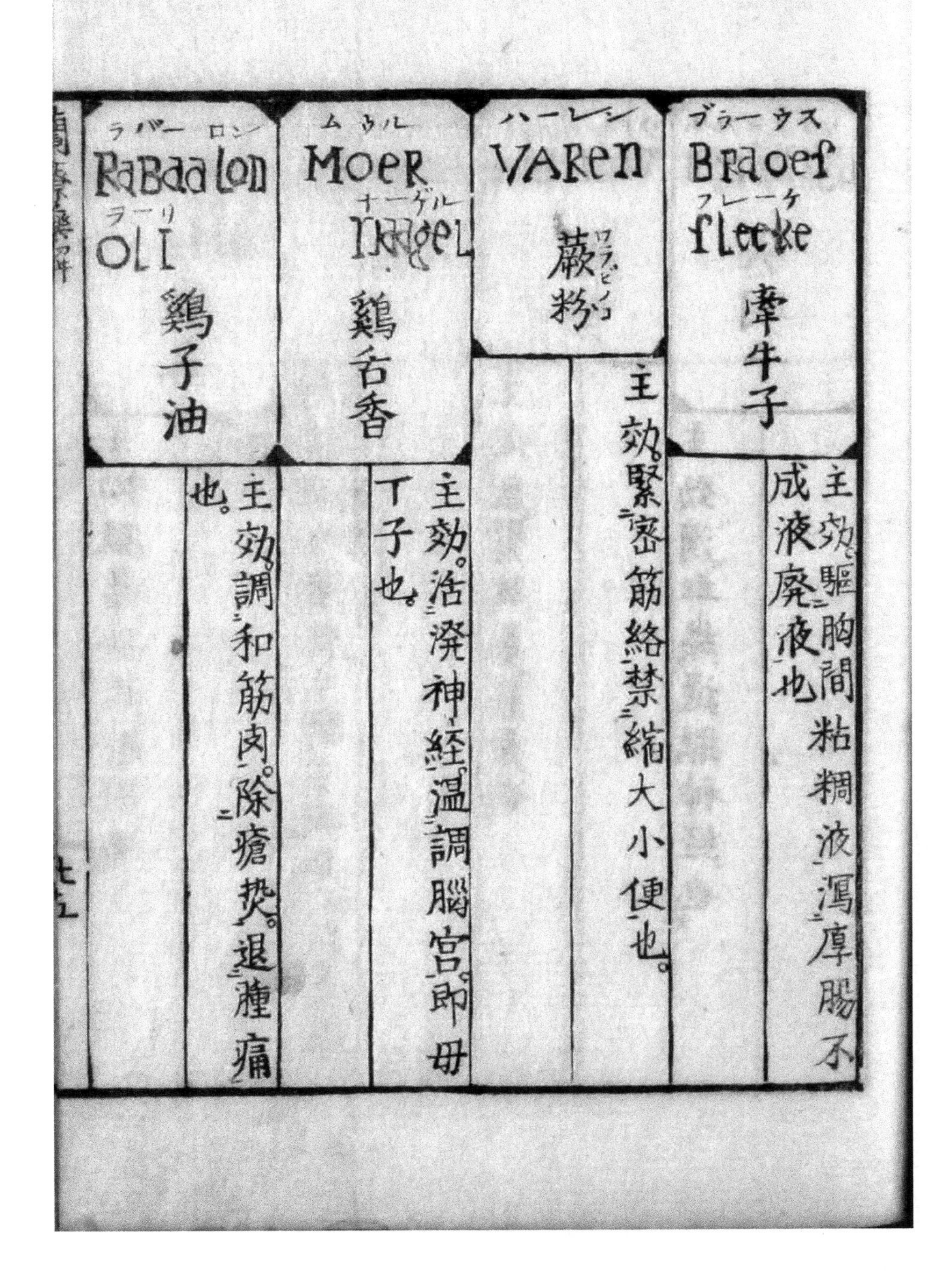

ブラーウス フレーケ
Braoef fleeke
牽牛子
主效驅胸間粘稠液瀉厚腸不成液廢液也。

ハーレン
Varen
蕨粉（ワラビノコ）
主效緊密筋絡禁縮大小便也。

ムヲル ナーゲル
Moer Nagel
鷄舌香
主效活潑神經温調腦宮即母丁子也。

ラバーロン ヲーリ
Rabaalon Oli
鷄子油
主效調和筋肉除瘡拠退腫痛也。

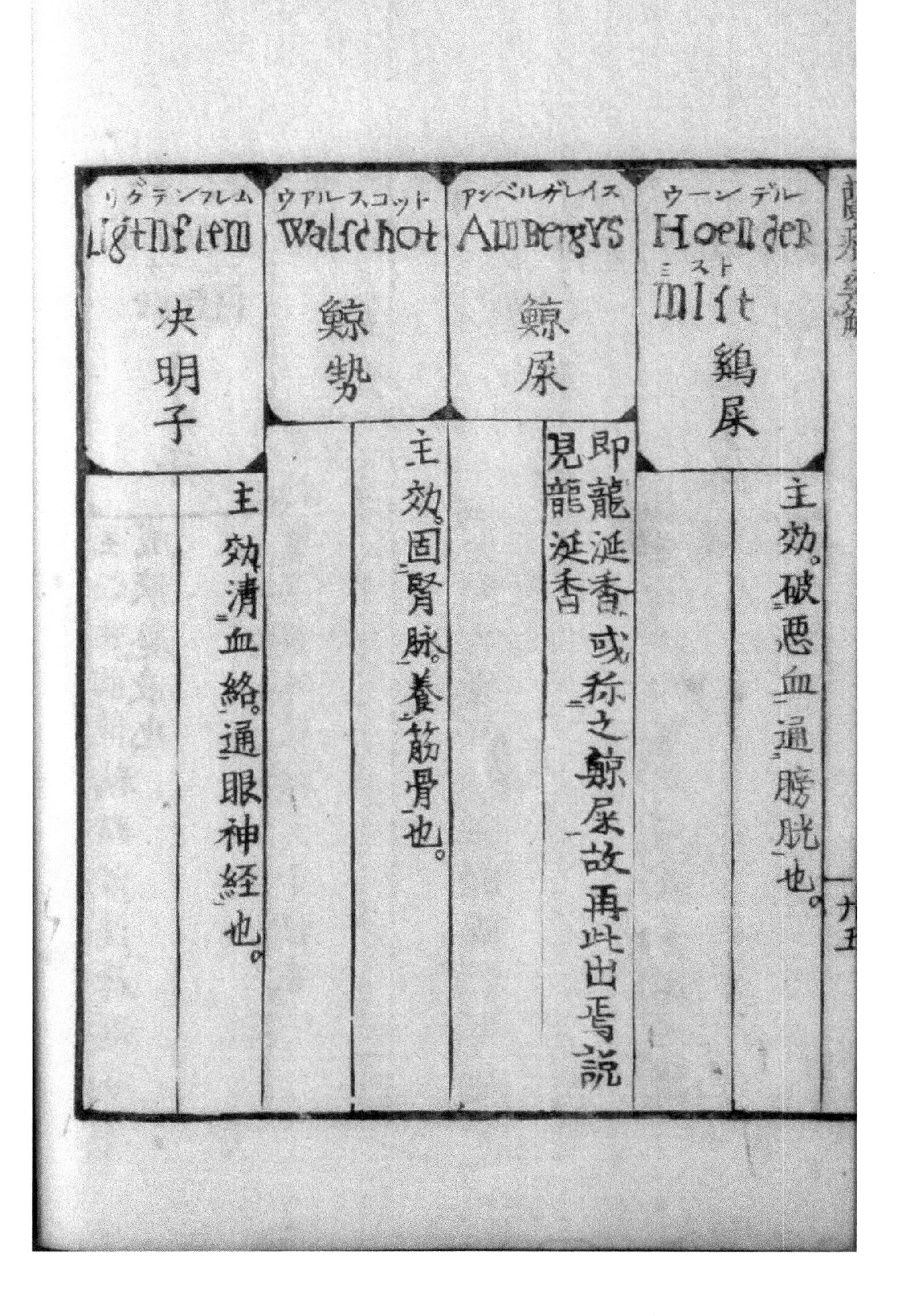

ウーンデル
Hoender
ミスト
Mist
鶏屎
主効。破悪血通膀胱也。

アンベルガレイス
Ambergrys
鯨屎
即龍涎香。或称之鯨屎故再此出焉。説見龍涎香

ウアルスコット
Walschot
鯨勢
主効。固腎脉。養筋骨也。

リグテンフレム
Ligtnfiem
决明子
主効。清血絡。通眼神経也。

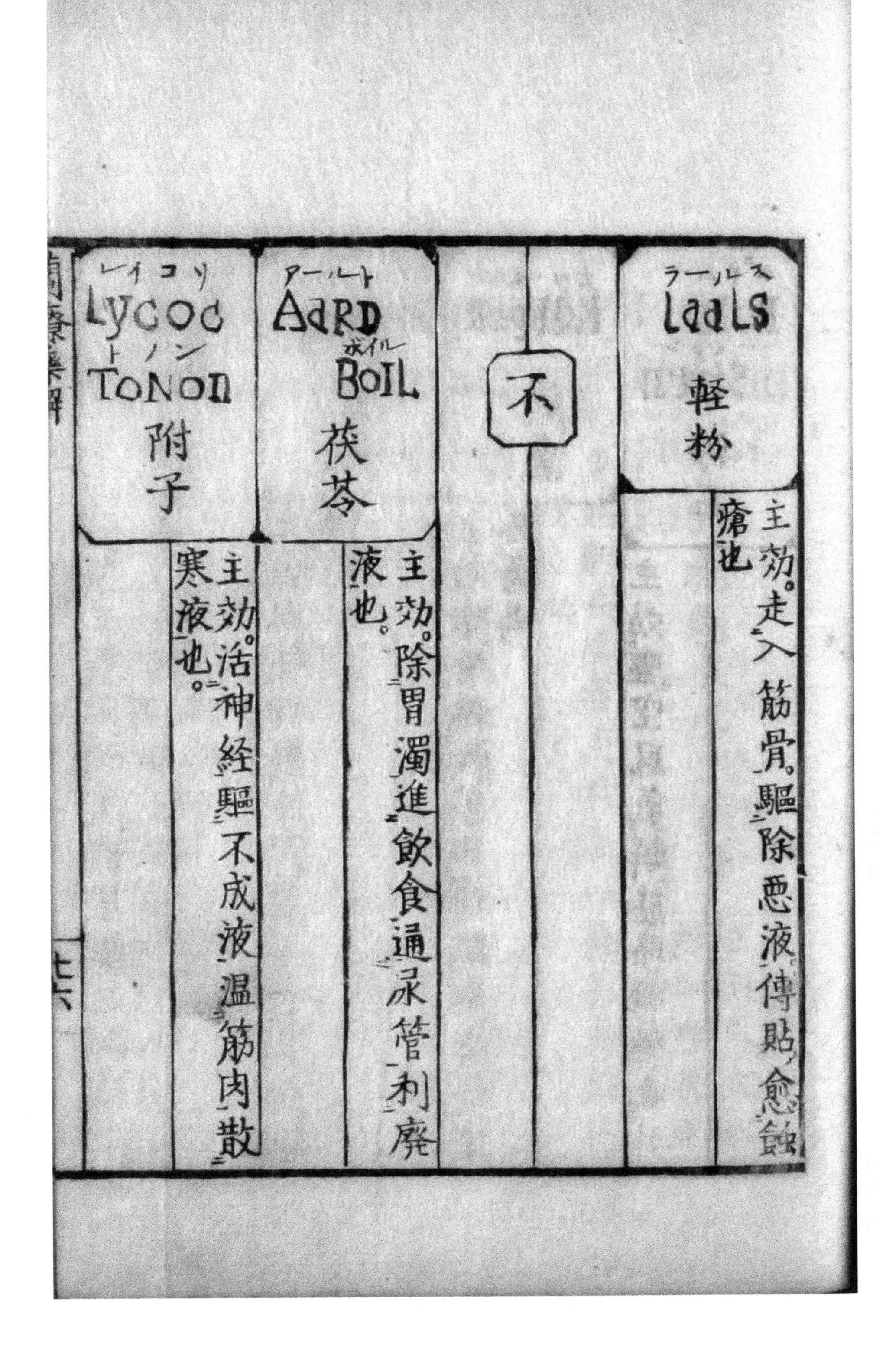

ラールス
Laals
軽粉

主効。走入筋骨。驅除悪液。傅貼。愈蝕瘡也

不

アールト
Aard
ボイル
Boil
茯苓

主効。除胃濁。進飲食。通尿管。利癈液也。

レイコリ
Lycoc
トノン
Tonon
附子

主効。活神経。驅不成液。温筋肉。散寒液也。

蘭療藥解　七六

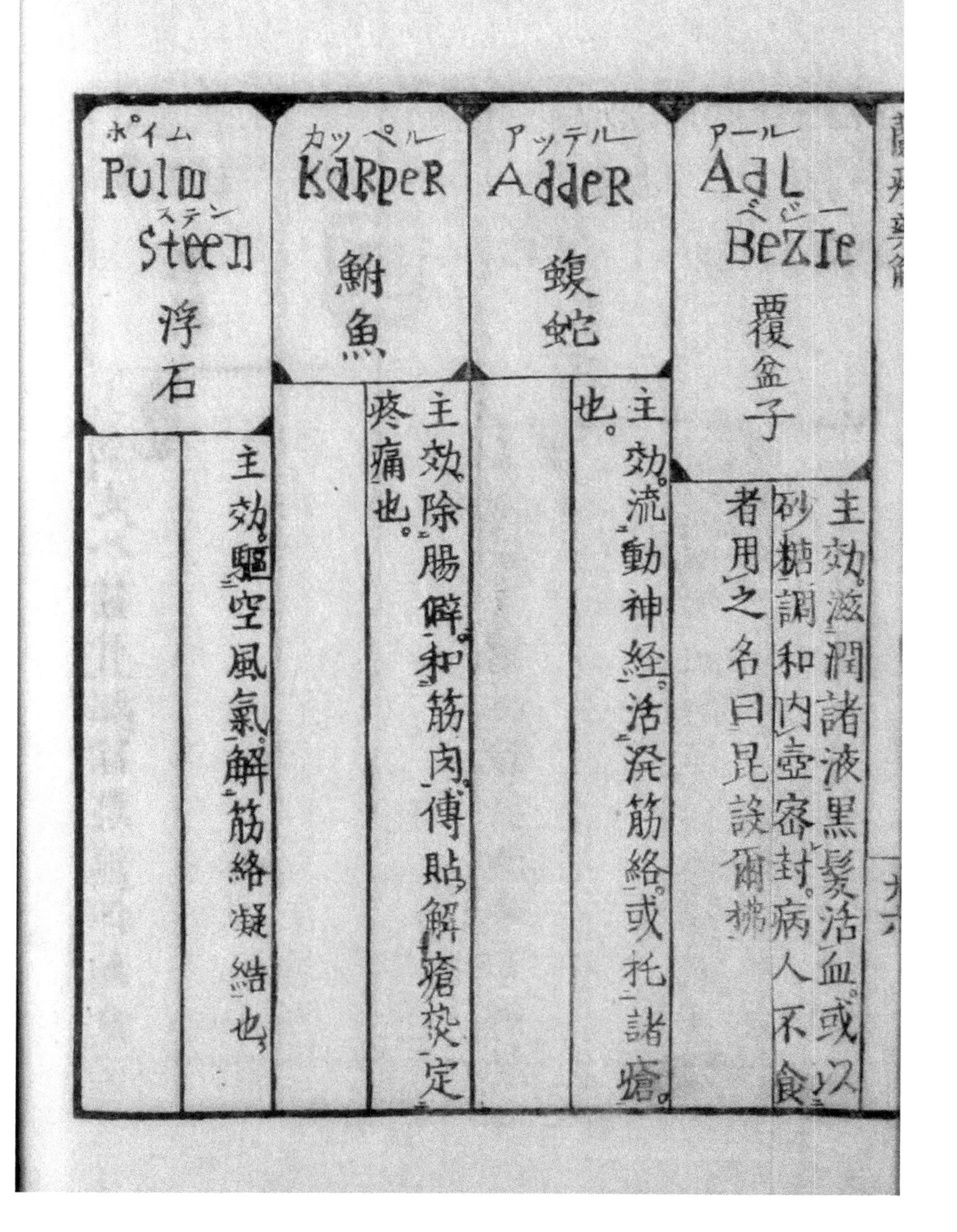

アール
Aal
ベジー
Bezie
覆盆子

主効滋潤諸液黒髪活血或以砂糖調和内壺容封病人不食者用之名曰昆設爾拂

アッテル
Adder
蝮蛇

主効流動神経活潑筋絡或托諸瘡也。

カッペル
Karper
鯽魚

主効除腸僻和筋肉傅貼解瘡炎定疼痛也。

ポイムステン
Pulmsteen
浮石

主効驅空風氣解筋絡凝結也。

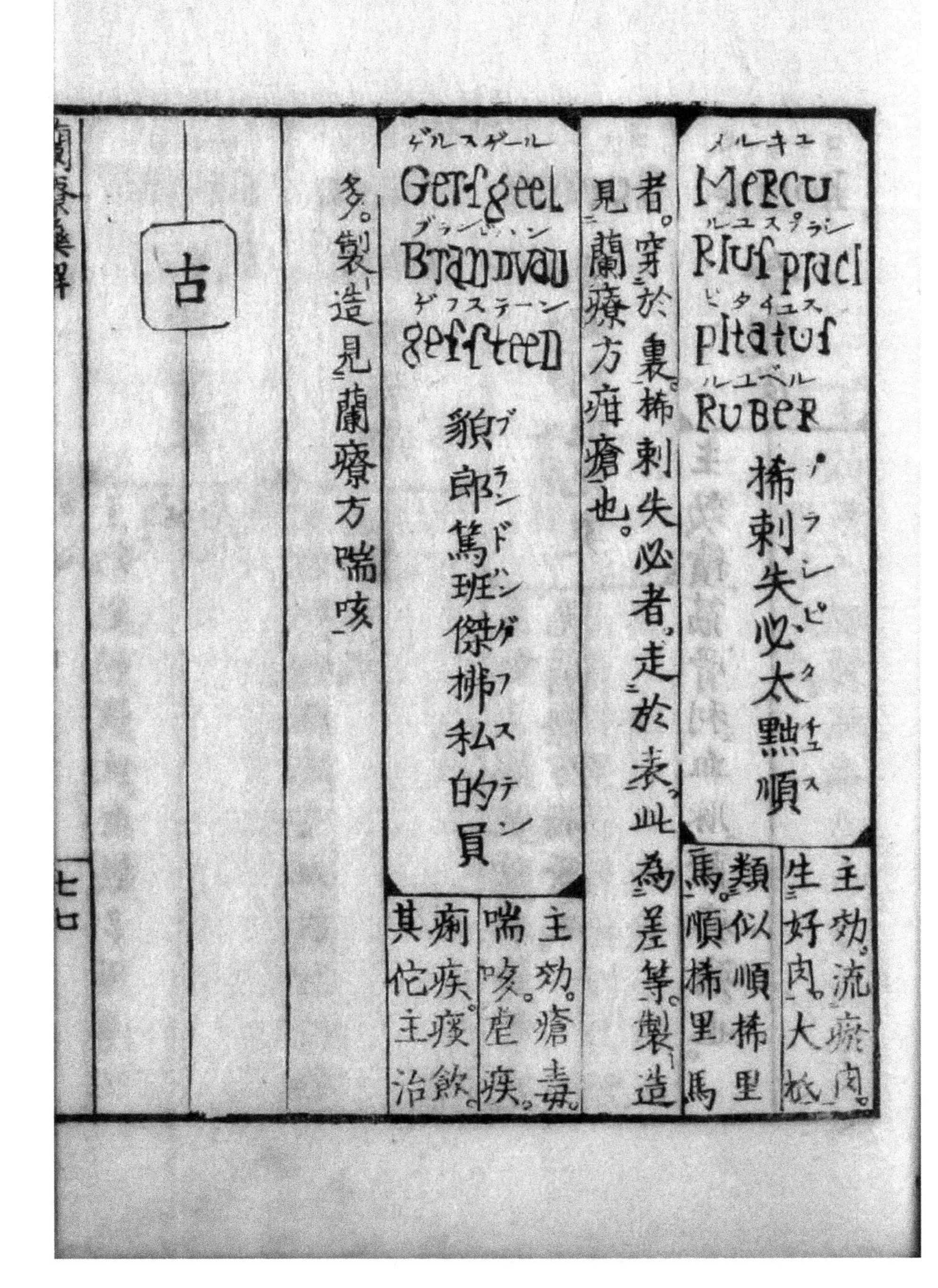

メルキユ ルユスプラシ ピタイユス ルユベル
Mercu rius praci pitatus Ruber

捇剌失必太黜順

主効。流瘀肉。生好肉。大抵類似順捇里馬。順捇里馬者。穿於裏。捇剌失必者。走於表。此為差等。製造見蘭療方疳瘡也。

ゲルスゲール ブランドハン ゲフステーン
Gersgeel Brandvau gefsteed

貌郎篤班傑拂私的貝

主効。瘡毒。喘咳。瘧疾。痢疾。痰飲。其佗主治多。製造見蘭療方喘咳。

古

蘭療藥解　七

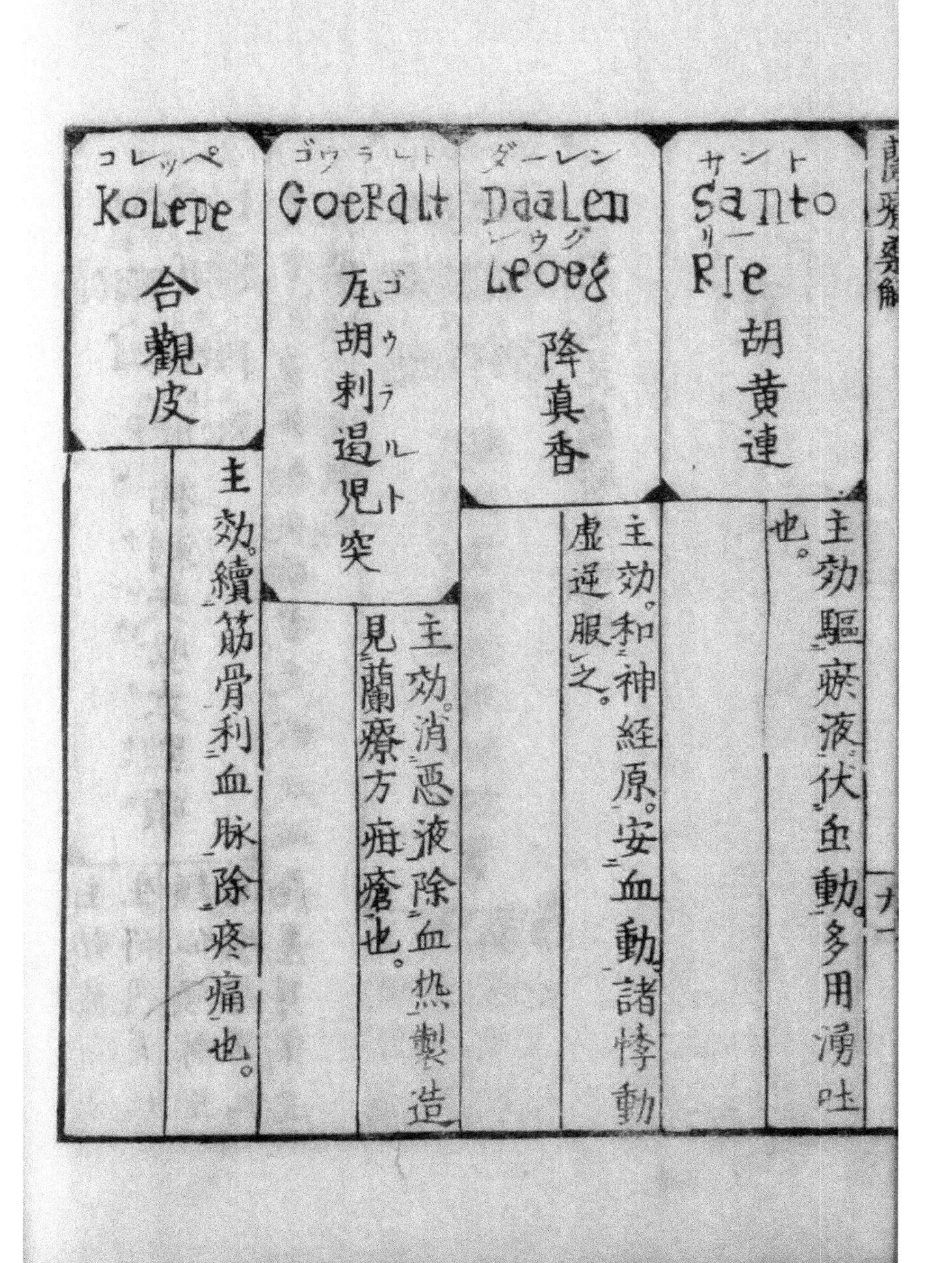
蘭藥解

九十

サント
Santo
リー
Rie
胡黄連

主効。驅瘀液。伏血動。多用湧吐也。

ダーレン
Daalen
レウグ
Leoeg
降真香

主効。和神經原。安血動。諸悸動虛遅服之。

ゴウラルト
Goeralt
尾ゴ胡ウ刺ラ遏ル兒ト突

主効。消惡液。除血熱。製造見蘭療方痾瘡也。

コレッペ
Kolepe
合歡皮

主効。續筋骨。利血脉。除疼痛也。

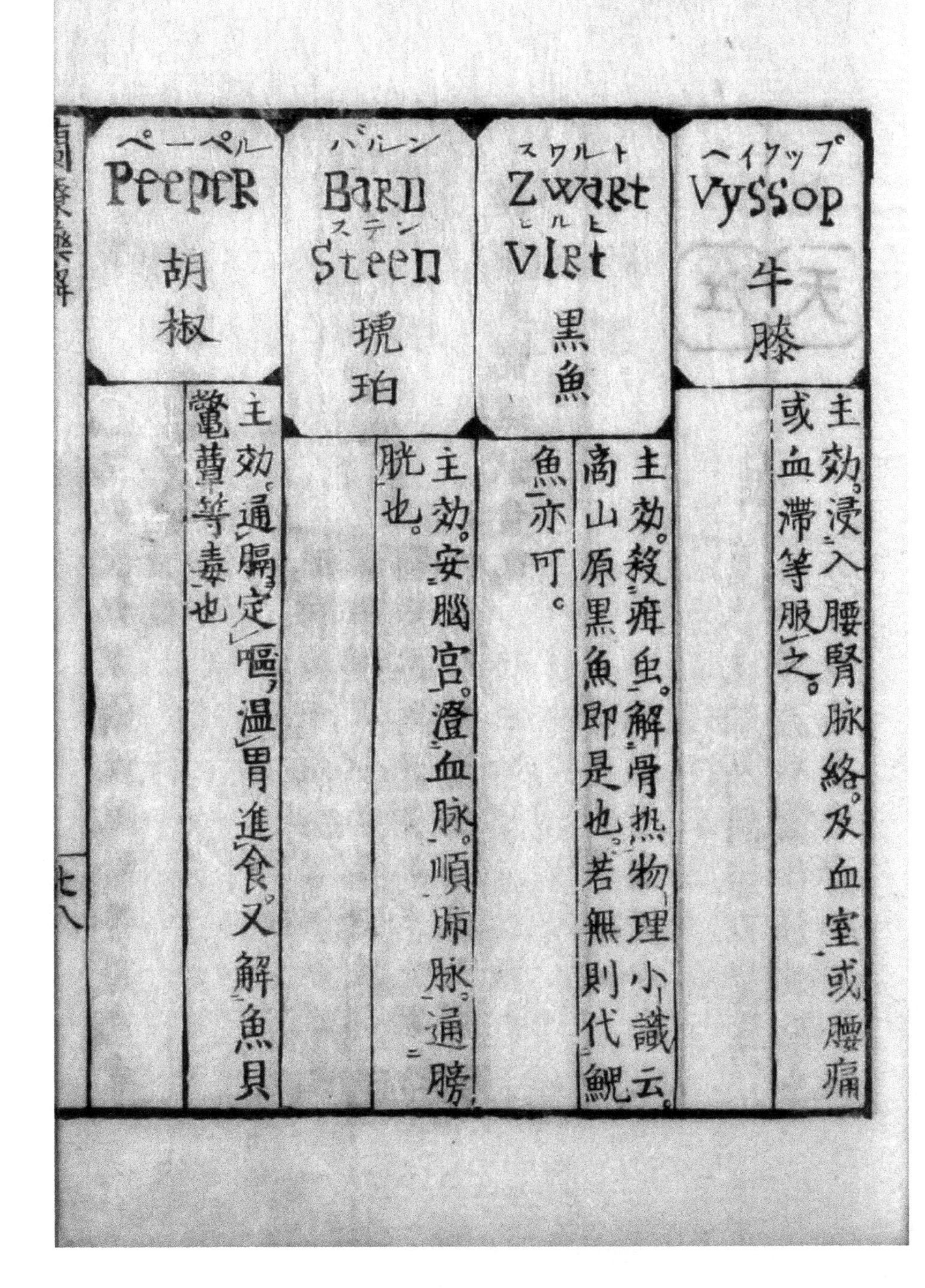

ヘイッソップ
Vyssop
牛膝
主効。浸入腰腎脈絡。及血室。或腰痛或血滞等服之。

スワルト
Zwart
ヒルト
Vlet
黒魚
主効。殺癬虫。解骨熱物理小識云。高山原黒魚即是也。若無則代鯢魚亦可。

バルン
Barn
ステン
Steen
琥珀
主効。安脳宮。澄血脈。順肺脉。通膀胱也。

ペーペル
Peeper
胡椒
主効。通膈。定嘔。温胃進食。又解魚貝鼈蕈等毒也。

蘭療藥解　七八

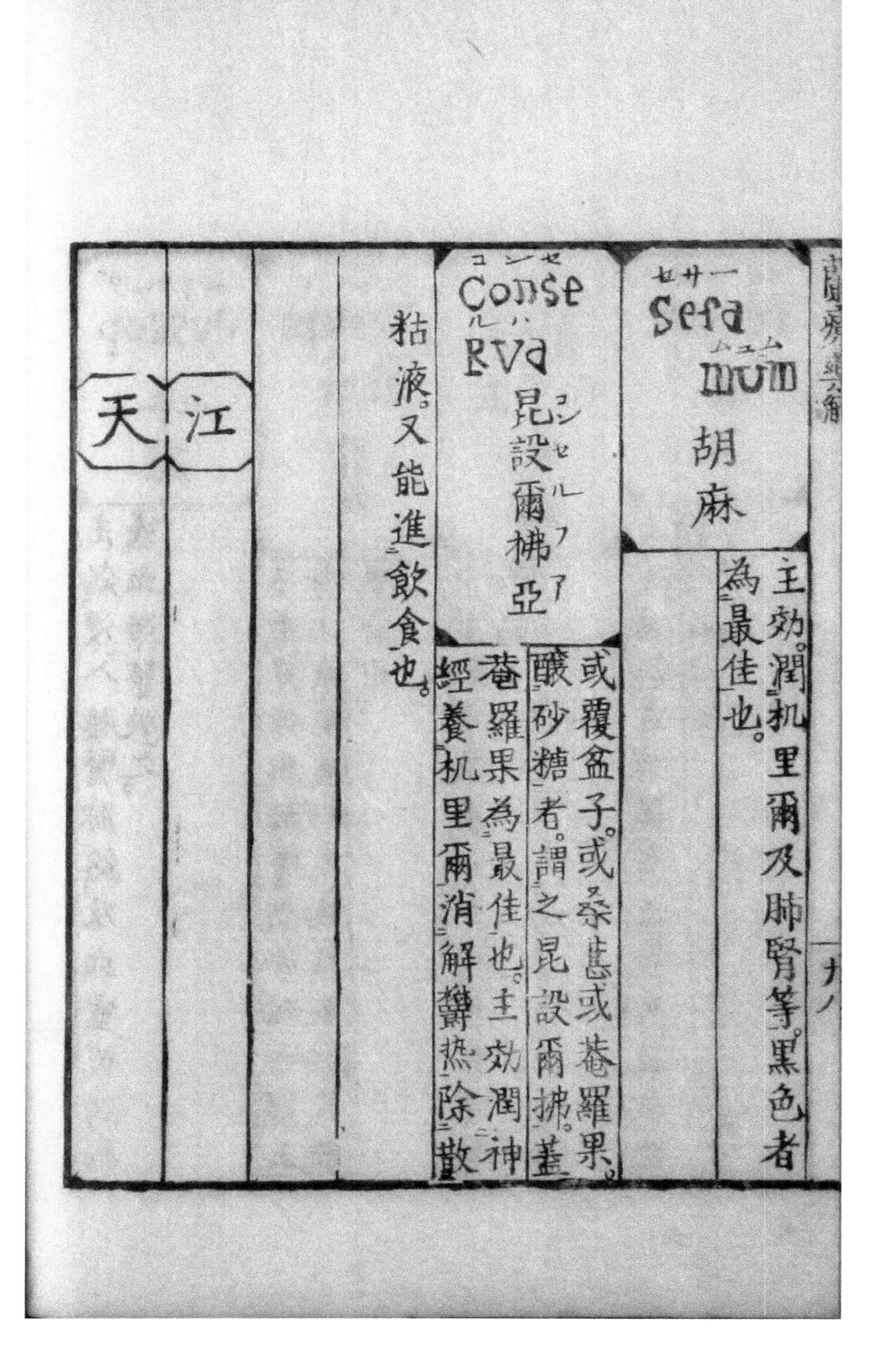

セサーム
Sefamum
胡麻

主效潤机里爾及肺腎等。黑色者為最佳也。

コンセルハ
Conserva
昆設爾拂亞

或覆盆子。或桑葚或菴羅果。醸砂糖者。謂之昆設爾拂。蓋菴羅果為最佳也。主效潤神經養机里爾消解欝熱除散枯液。又能進飲食也。

江

天

テリアツカ
Theriaca
的里亞迦

蠻物類方多。今蠻人舶来及我邦製造以鬻者皆類藥也。真方主効見蘭療方驚風。

スカープヲンステルエーテン
Zkaap ohster eeten
躑躅花

主効。驅賊風疼痛解悪毒麻痺。一名羊不食是也。

ヲウデンウヲルフスウヲルテル
Ouden Wolfs Wortel
天雄

主効。温神經。驅寒液。或血痺或痼冷服之。

スウトレスシース
Zoetlef flef
甜番椒

主効。活神經。温胃管。能進飲食兼解血凝也。

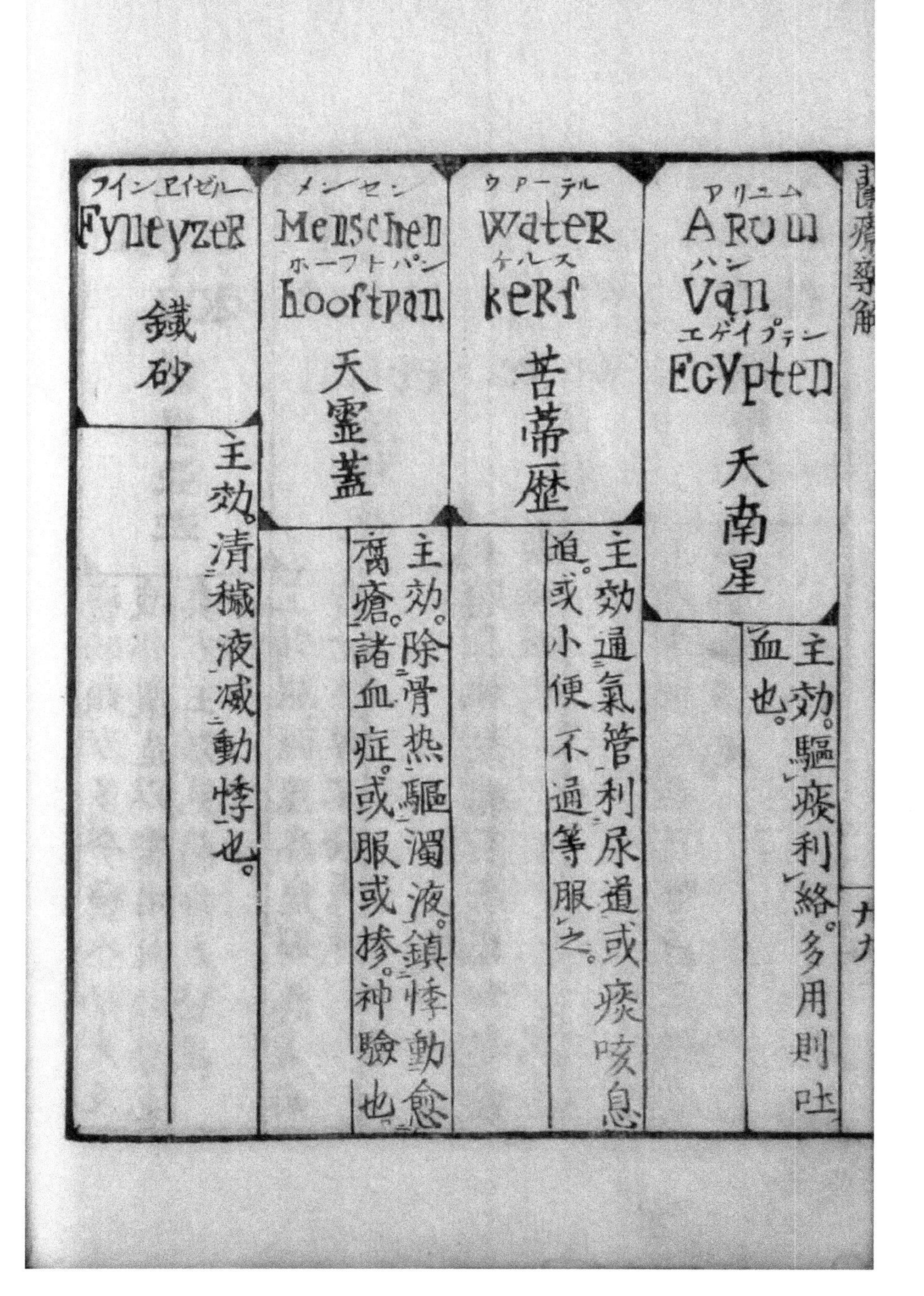
蘭療藥解
九
アリユム
Arum
ハン
Van
エゲイプテン
Egypten
天南星
主効。驅痰利絡。多用則吐血也。
ウアーテル
Water
ケルス
kers
苦葶藶
主効通氣管利尿道或痰咳息迫。或小便不通等服之。
メンセン
Menschen
ホーフトパン
hooftpan
天靈蓋
主効。除骨熱驅濁液。鎮悸動愈腐瘡。諸血症或服或摻。神驗也。
フインエイゼル
Fynleyzer
鐵砂
主効。清穢液減動悸也。

テレビンテイナ
TereBInthina
的列並底那

主效傷損腫痛。諸瘡疼痛。風毒肉痛。寒毒筋痛。假墜之。或加諸方內服。除粘液。解血熱。利血凝。退疼痛。製造見蘭療方傷損。

安

アンギリカ
AnGelIka
安及立加

主效解裏熱。和堅硬。通大腸。卽諳危利斯塩。說見蘭療方傷寒

ドイヘル
Duyvel
ステレキ
Sdrek
阿魏

主效解肉積。殺諸虫也。

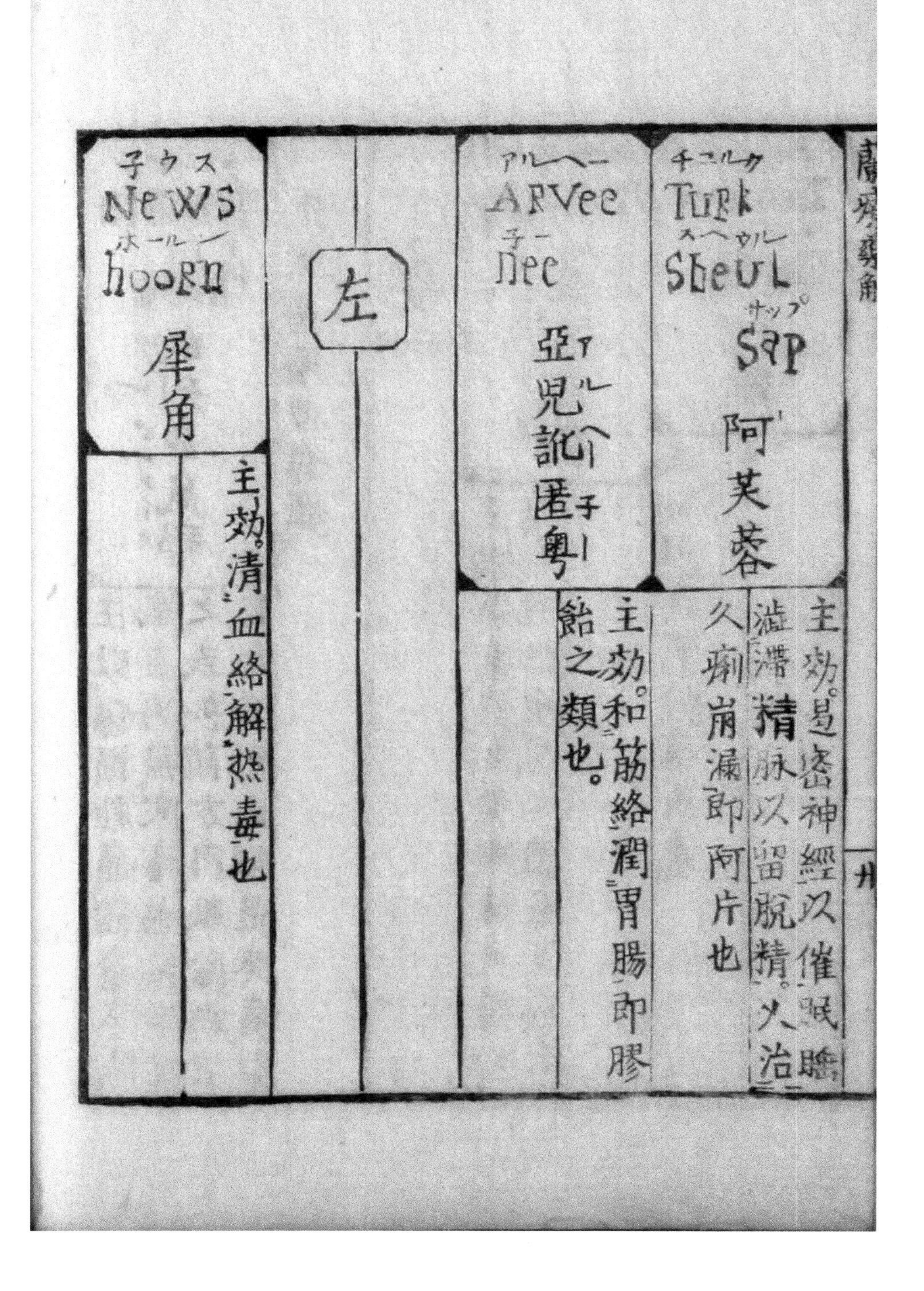

蘭療藥解

チコルク スヘウル サップ
Turk Sheul Sap
阿芙蓉

主効。昰瘖神經以催眠。瞻澁滯精脉以留脫精。久治久痢崩漏。即阿片也。

アルヘー 子ー
Arvee Nee
亞兒訛匿粤

主効。和筋絡。潤胃腸。即膠飴之類也。

左

子ウス ホールン
News hoorn
犀角

主効。清血絡。解熱毒也。

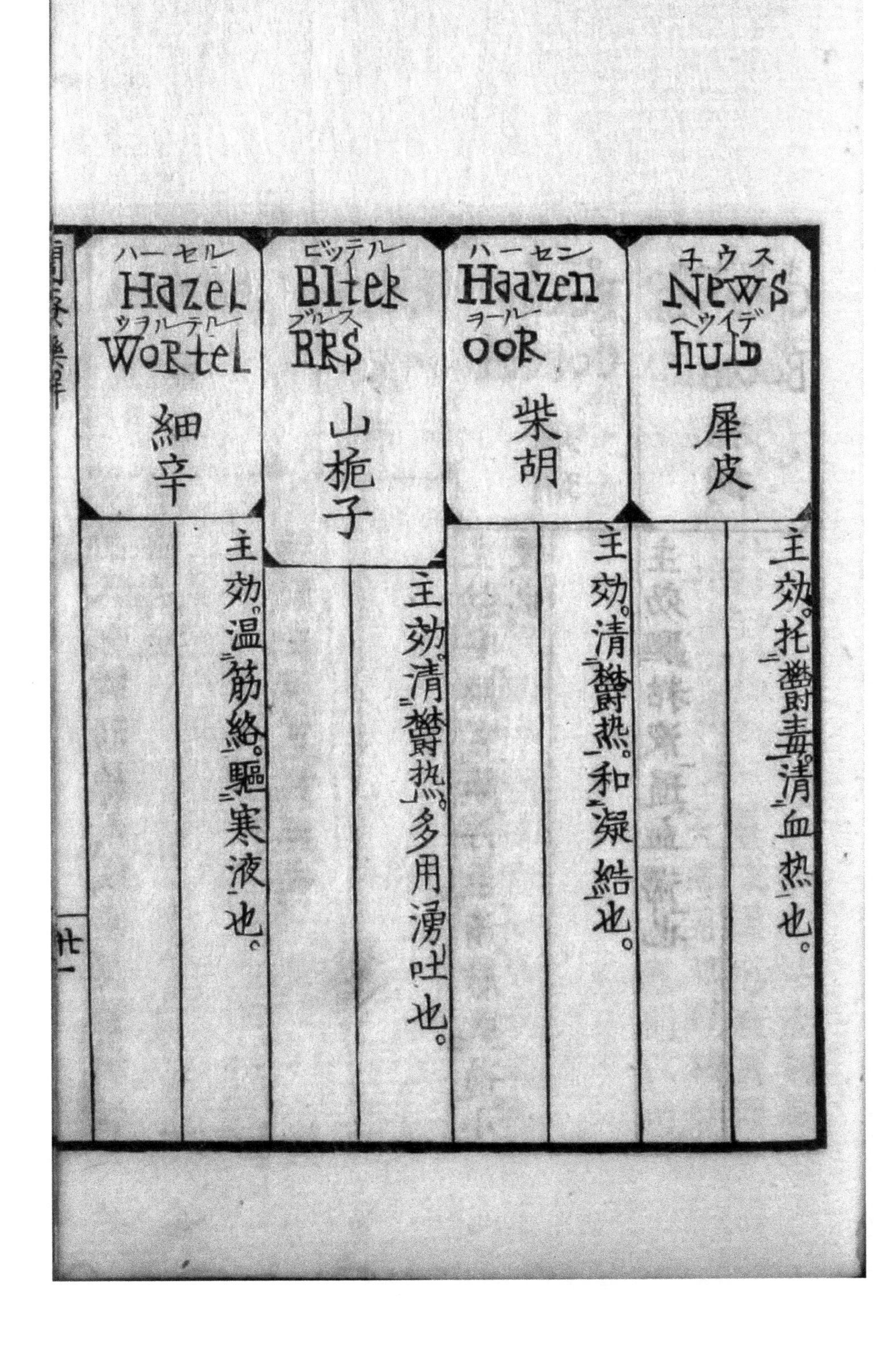

ネウス
News
ヘツイデ
huid
犀皮
主効。托二鬱毒一清二血熱一也。

ハーセン
Haazen
ヲール
oor
柴胡
主効。清二鬱熱一和二凝結一也。

ビッテル
BlteR
ブルス
BRS
山梔子
主効。清二鬱熱一多用湧吐也。

ハーセル
Hazel
ウヲルテル
WoRtel
細辛
主効。温二筋絡一驅二寒液一也。

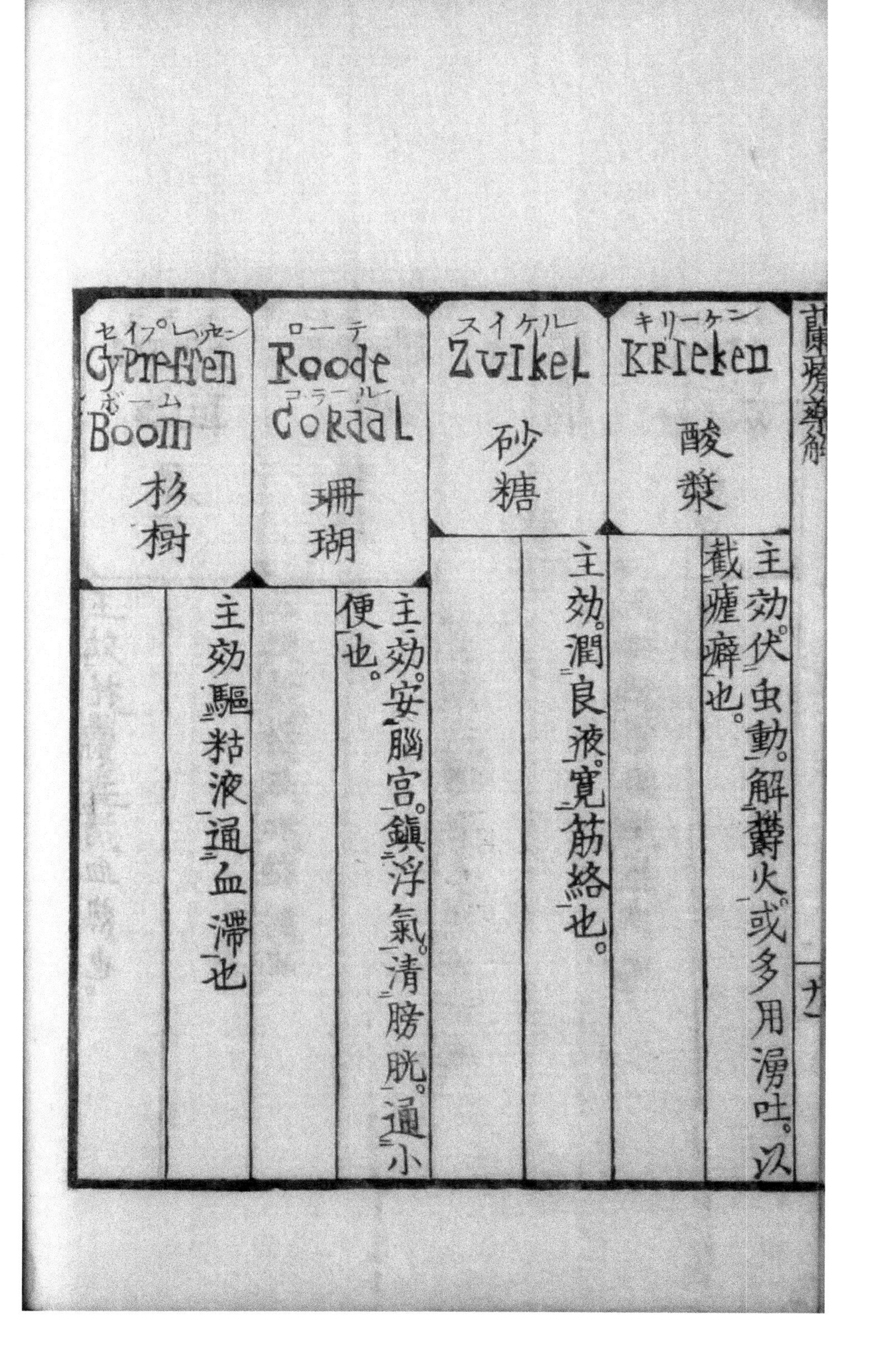
蘭療藥解
九
キリーケン
Krieken
酸橤
主効伏虫動。解欝火。或多用湧吐。以截瘧癖也。
スイケル
Zuiker
砂糖
主効。潤良液。寛筋絡也。
ローテ
Roode
コラール
Coraal
珊瑚
主効。安脳宮。鎮浮氣。清膀胱。通小便也。
セイプレッセン
Cypressen
ボーム
Boom
杉樹
主効驅粘液。通血滯也

Salpoly Chreft（サルポレイケレスト）

撒兒剌禮緒列私多（サルポレイケレスト）

主効。驅粘液。散瘀熱。或通膀胱。或滑大腸。用烟硝硫黄製造者。無則以茵蔯塩代之亦可。

Tel Poeder（テイプウデル）

茶末

主効。涼腦神經。解胸間熱。或頭痛不解。或眠睡不醒者服之。

幾

Mapfkr OeG（ルコスプツヒウグ）

薑黄

主効。破瘀血。解凝結。或風湿血痺。或寒毒疼痛服之。

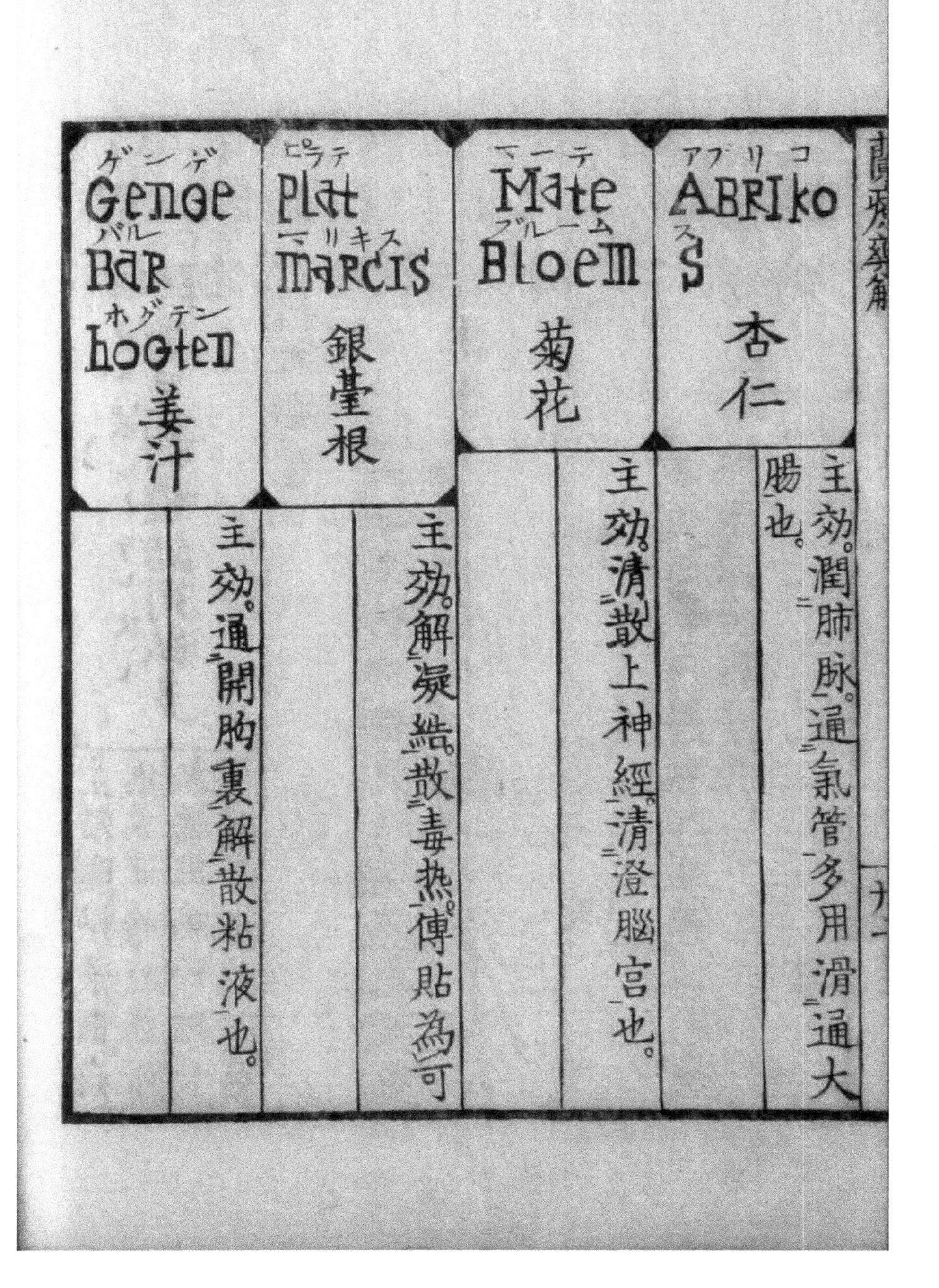

蘭療藥解

アブリコス
ABRIKOS
杏仁
主効。潤肺脉。通氣管。多用滑通大腸也。

マーテブルーム
Mate Bloem
菊花
主効。清散上神經。清澄腦宮也。

ピラテマリキス
Plat marcis
銀臺根
主効。解凝結。散毒熱。傅貼為可

ゲシゲバルホグテン
Genoe Bar hoogten
姜汁
主効。通開胸裏。解散粘液也。

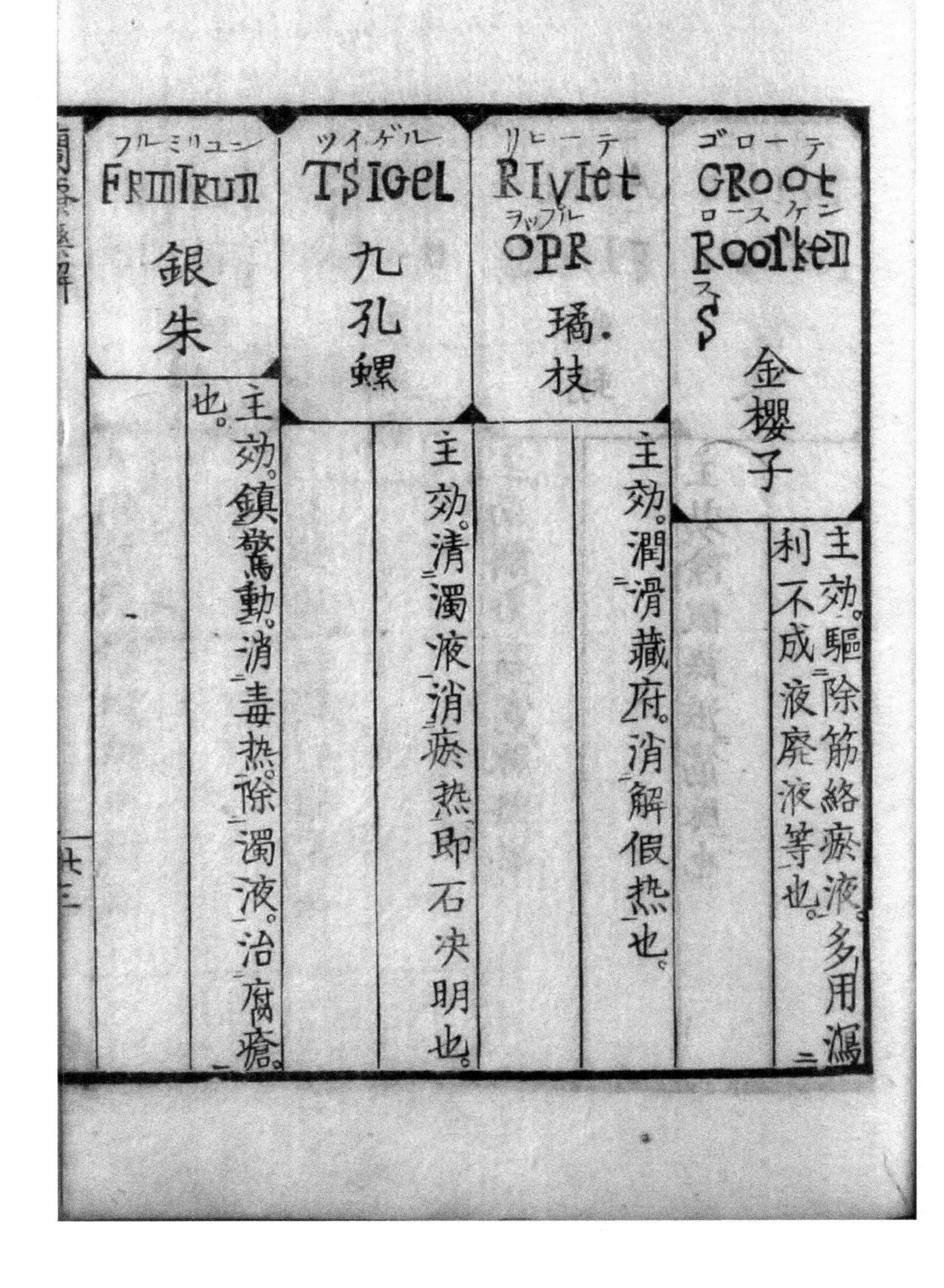

ゴローテ GROOT
ロースケン ROOSKEN
ス S
金櫻子
主効。驅除筋絡瘀液。多用瀉利不成液廃液等也。

リビーテ RIVIET
ヲップル OPR
璚枝
主効。潤滑藏府。消解假熱也。

ツイゲル TSIGEL
九孔螺
主効。清濁液。消瘀熱。即石決明也。

フルミリユン FRMIRUN
銀朱
主効。鎮驚動。消毒熱。除濁液。治腐瘡也。

蘭療藥解　廿三

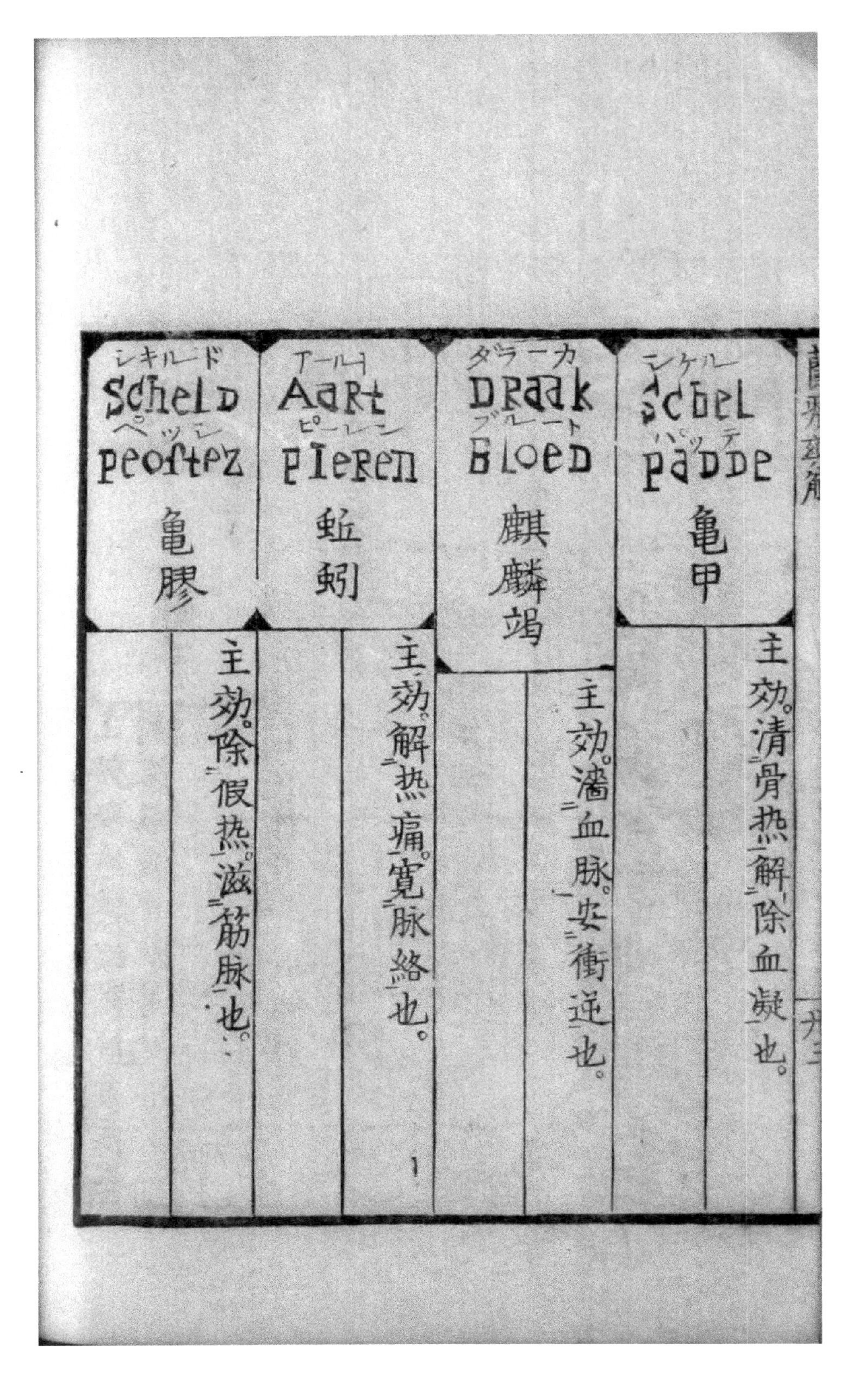

シケル
Schel
バッテ
padde
亀甲
主効。清骨热。解除血凝也。

ダラーカ
Draak
ブルート
Bloed
麒麟竭
主効。濇血脉。安衝逆也。

アールト
Aart
ピーレン
Pieren
蚯蚓
主効。解热痛。寛脉絡也。

シキルド
Scheld
ペッテ
peoftez
亀膠
主効。除假热。滋筋脉也。

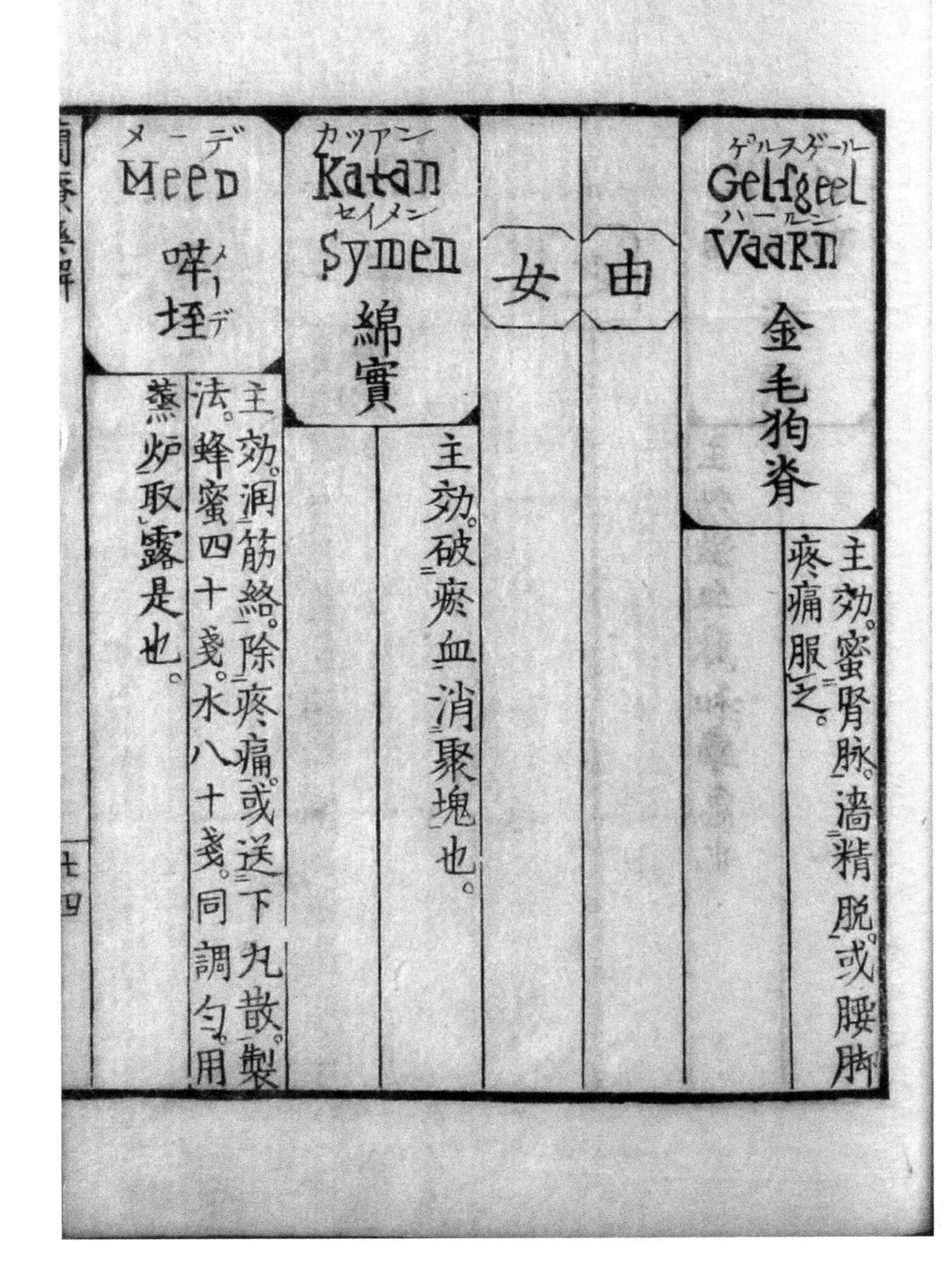
ゲルスゲール
Gelfgeel
ハールン
Vaarn
金毛狗脊
主効。蜜腎脉。濇精脱。或腰脚疼痛服之。
由
女
カツアン
Katan
セイメン
Symen
綿實
主効。破瘀血消聚塊也。
メーデ
Meed
哶𡋄
主効。潤筋絡。除疼痛。或送下丸散。製法。蜂蜜四十戔。水八十戔。同調匀。用蒸炉取露是也。

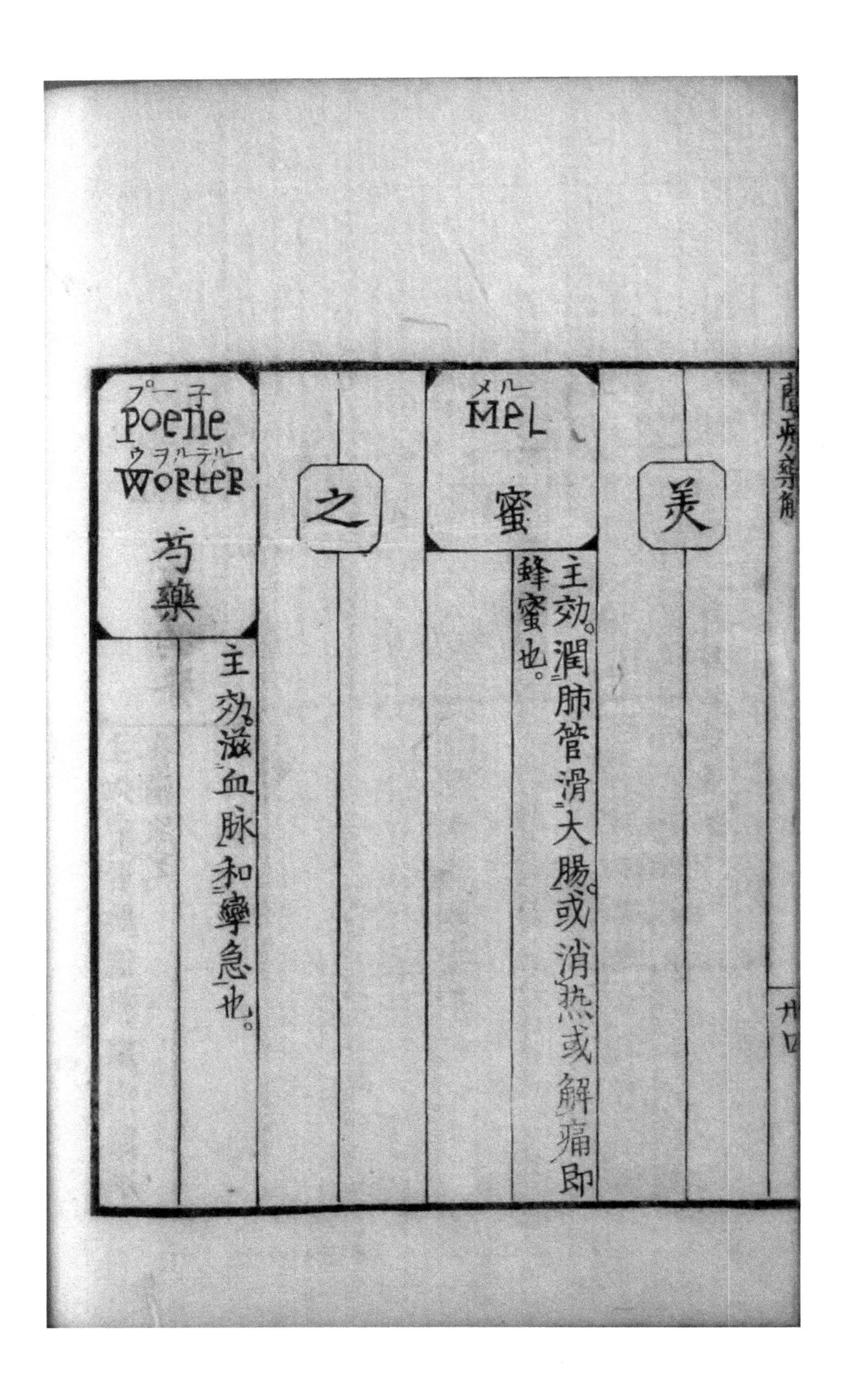

蘭療藥解
美
メル
MEL
蜜
主効。潤肺管滑大腸。或消熱或解痛即蜂蜜也。
之
プーテ
POEIIE
ウヲルテル
WORTER
芍藥
主効。滋血脉和攣急也。

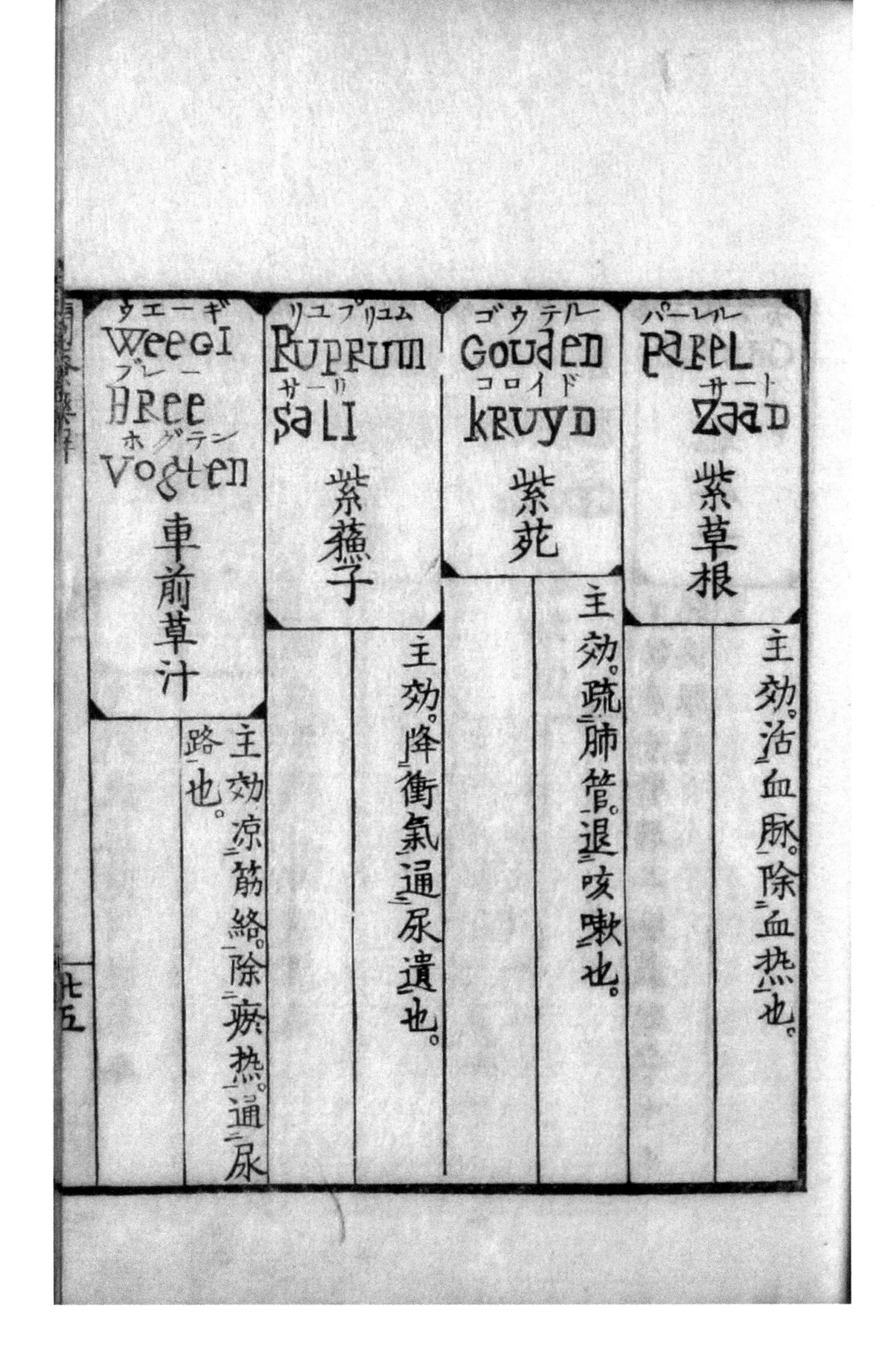

パーレル PAREL サート ZAAD
紫草根
主効。活血脈。除血热也。

ゴウテル GOUDEN コロイド KRUYD
紫苑
主効。疏肺管。退咳嗽也。

リユプリユム RUPRUM サーリ SALI
紫蘓子
主効。降衡氣通尿遺也。

ウエーギ WEEGI ブレー BREE ホグテン VOGTEN
車前草汁
主効。涼筋絡。除痰热。通尿路也。

七五

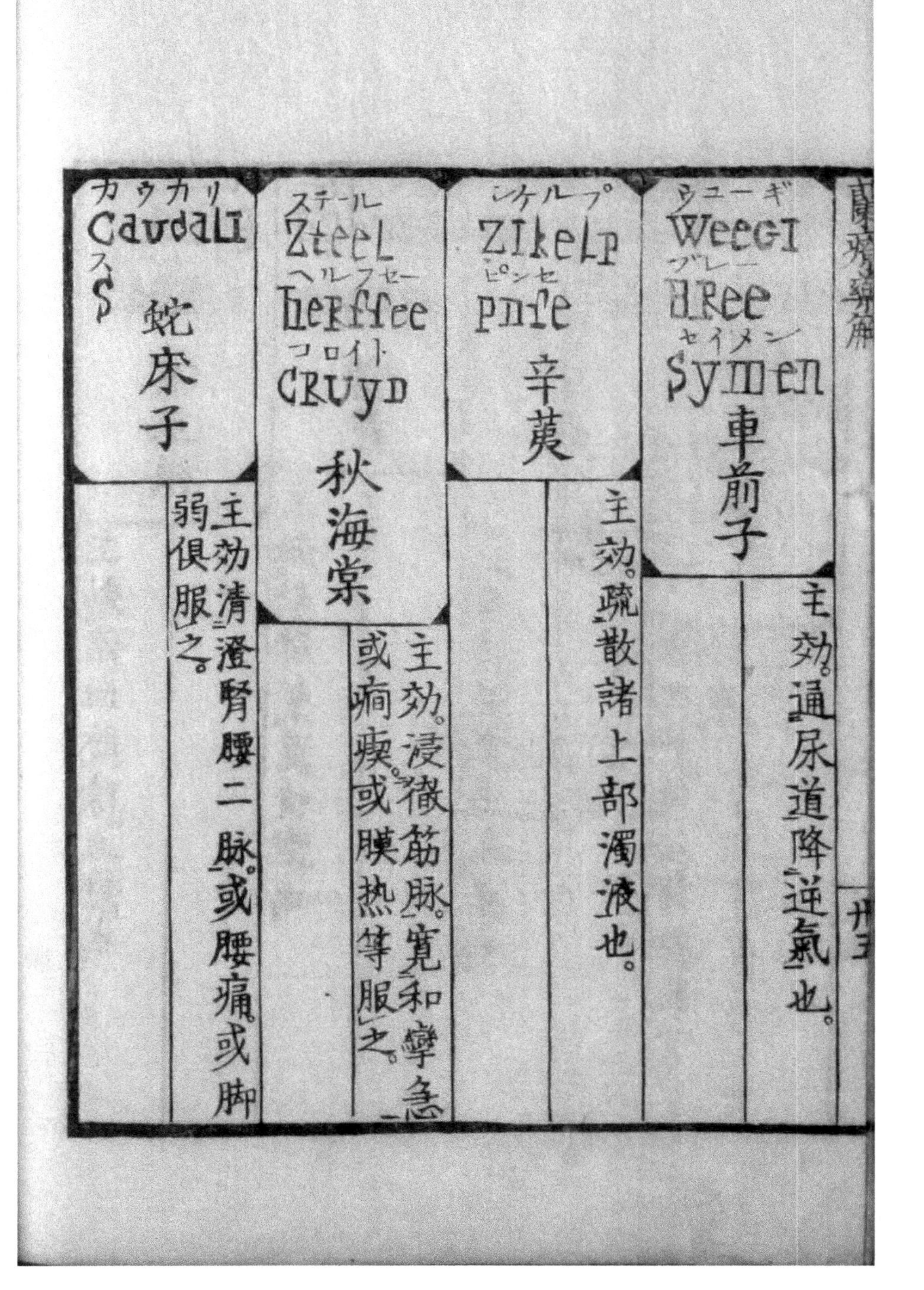

ウヱーギ Weegi
ブレー Bree
セイメン Symen
車前子
主効。通尿道、降逆氣也。

シケルプ Zikelp
ピンセ pinse
辛荑
主効。疏散諸上部濁液也。

ステール Zteel
ヘルフセー herfsee
コロイト Cruyd
秋海棠
主効。浸徹筋脉、寛和攣急。或痌瘓、或膜熱等服之。

カウカリス Caudalis
蛇床子
主効。清澄腎腰二脉。或腰痛、或脚弱、俱服之。

デストルレ
DestR
紫稍花

主効。濇収精液。陰痿遺精遺尿等。服之。本草啓條下曰啓者龍類也。其脂凝結者是也。然今人間所用則二種而出於湖沢。其形後有圖也

アールド
Aard
アッペル
appel
薯蕷

主効。潤筋絡清血热也。

センペラ
Senpela
ピー
PIe
常山

主効。除膜热多用則湧吐也

スパルレ
Sparre
ブラアデン
Bladen
松葉

主効。清血热。濇血泄也。

スパルーレ
Sparre
ブルーウメン
Bloemen
松花

主効。濇血脉。治血症。或服或擦。随宜為可

ナム
Nam
メラッカ
merak
漆葉

主効。驅瘀血。托瘡毒也。

ナムラッカ
Namrak
セイメン
symen
漆實

主効。破血凝。驅瘡毒。或通小便也

スランゲン
Slangen
ホウト
hout
蛇木

主効。消血熱。活血脉。若無則以紫檀代之。形狀後有圖也。

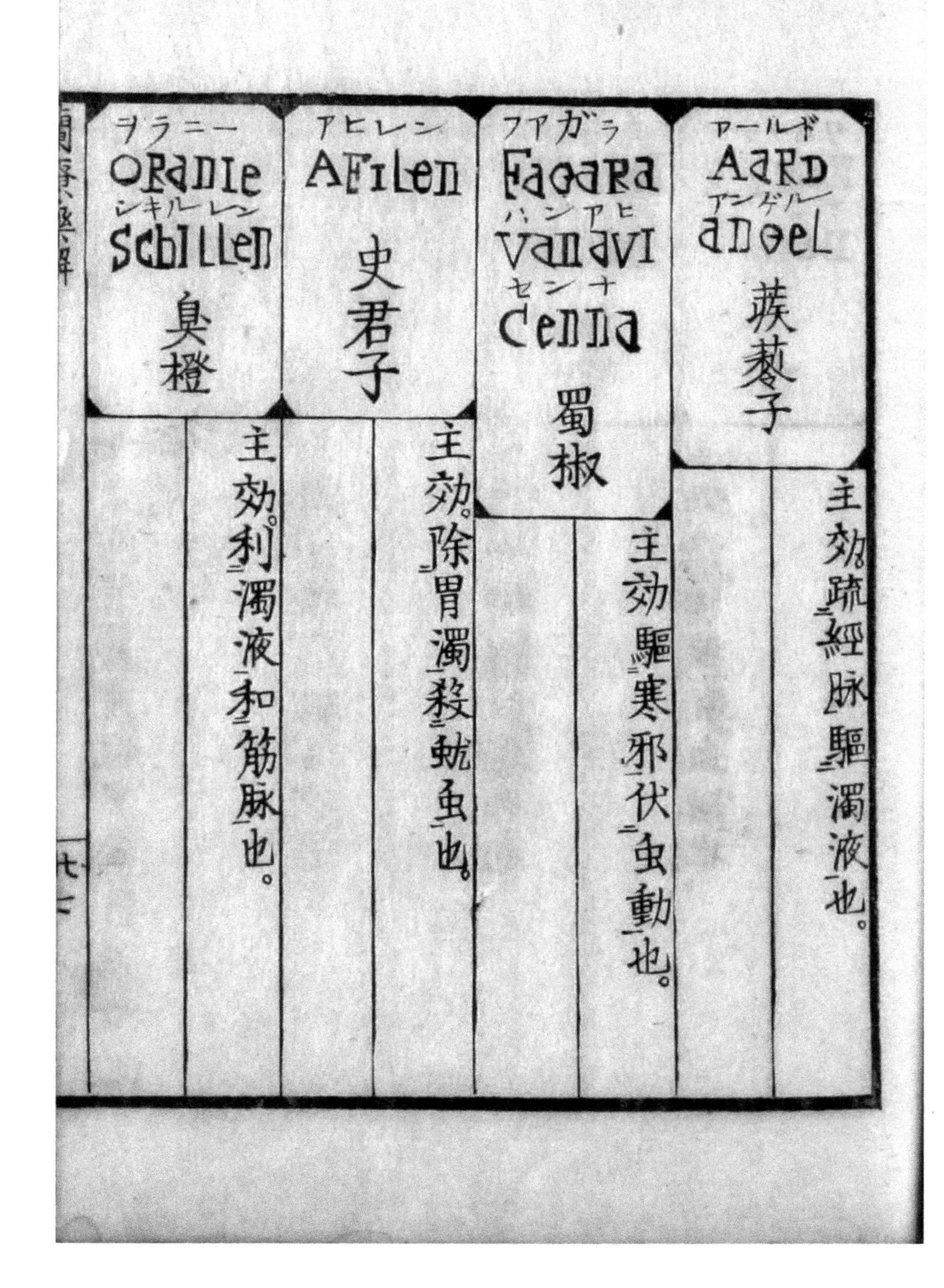

アールド
AARD
アンゲル
ANGEL
蒺藜子
主効。疏經脉。驅濁液也。

ファガラ
FAGARA
ハンアヒ
VANAVI
センナ
CENNA
蜀椒
主効驅寒邪。伏虫動也。

アヒレン
AFILEN
史君子
主効。除胃濁。殺蚘虫也。

ヲラニー
ORANIE
シキルレン
SCHILLEN
臭橙
主効。利濁液。和筋脉也。

蘭瘍藥解

GRINKOR Relell グリインコル レレニ 宿砂	Genge BaR ゲンゲ ハル 生姜	Paradys hout パラデイス ホート 沉香	Zomblad Den リムブラー デン 参葉
主効。响胃陽。運機里爾兼活設乙奴也。	主効。通絡脉。驅濁液也。	主効。和神經。安真魂也。	主効。清濁液和血脉也。

九十七

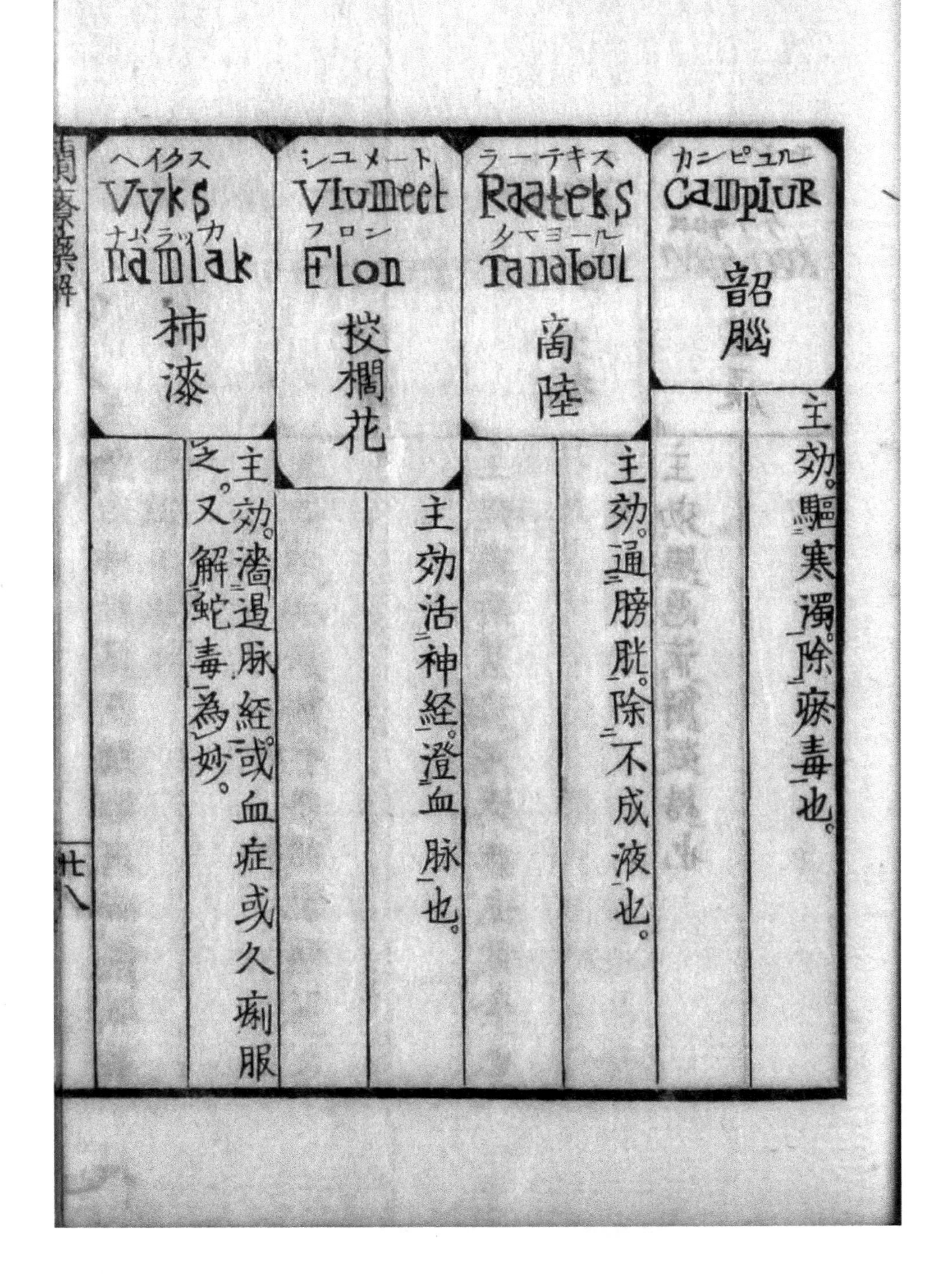

カンピユル
Campiur
韶腦
主効。驅寒濁。除痰毒也。

ラーテキス
Raateks
タマヨール
Tanaloul
商陸
主効。通膀胱。除不成液也。

シユメート
Vlumeet
フロン
Flon
椶櫚花
主効活神經。澄血脉也。

ヘイクス
Vyks
ナムラッカ
namlak
柹漆
主効。濇遏脉經。或血症或久痢服之。又解蛇毒為妙。

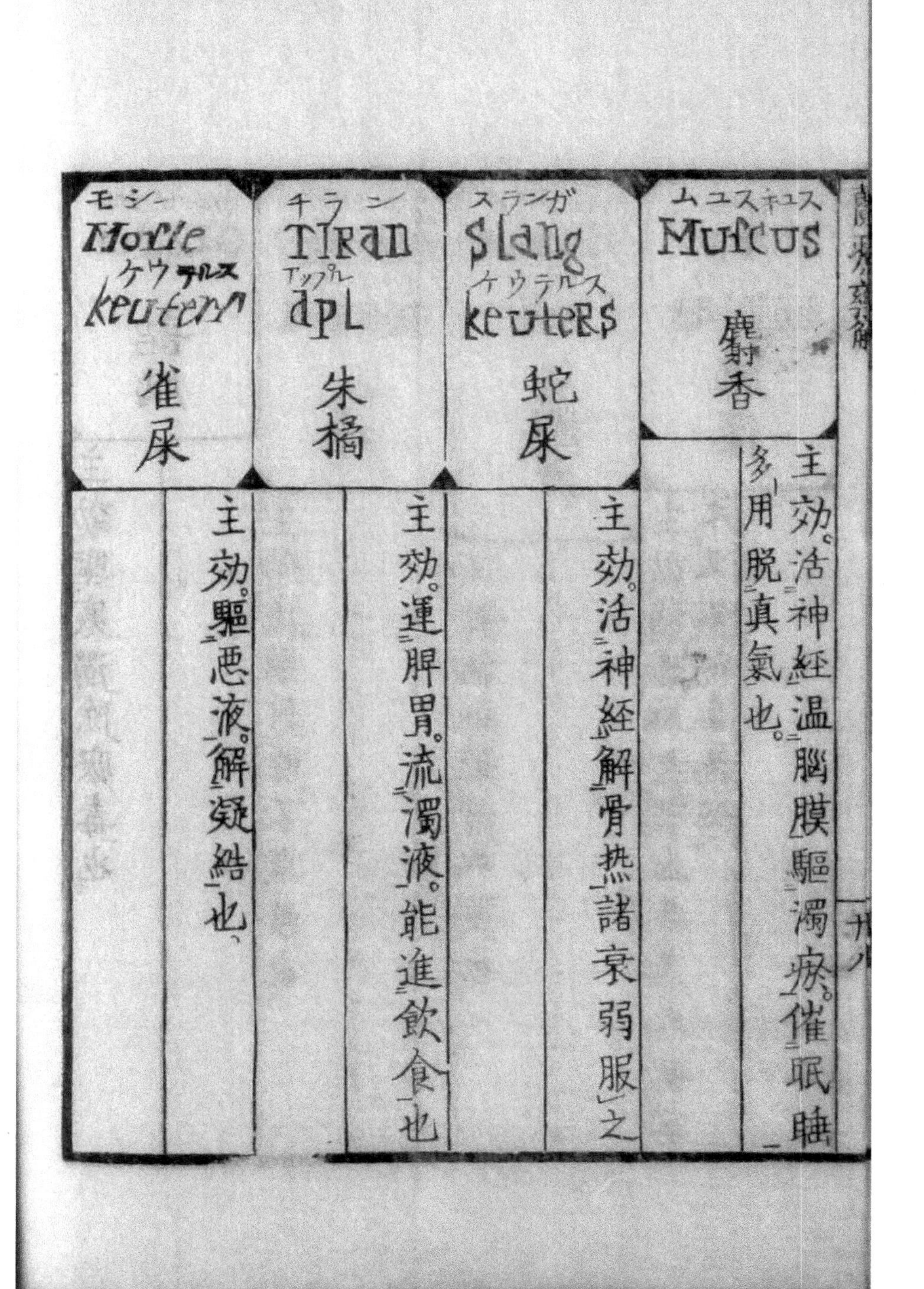

ムスキュス
Muscus
麝香
主效。活神經。溫腦膜。驅濁痰。催眠睡。多用脫真氣也。

スランガ
Slang
ケウテルス
keuters
蛇屎
主效。活神經。解骨熱。諸衰弱服之。

チラン
Tiran
アップル
apl
朱橘
主效。運脾胃。流濁液。能進飲食也。

モシー
Mosie
ケウテルス
keuters
雀屎
主效。驅惡液。解凝結也。

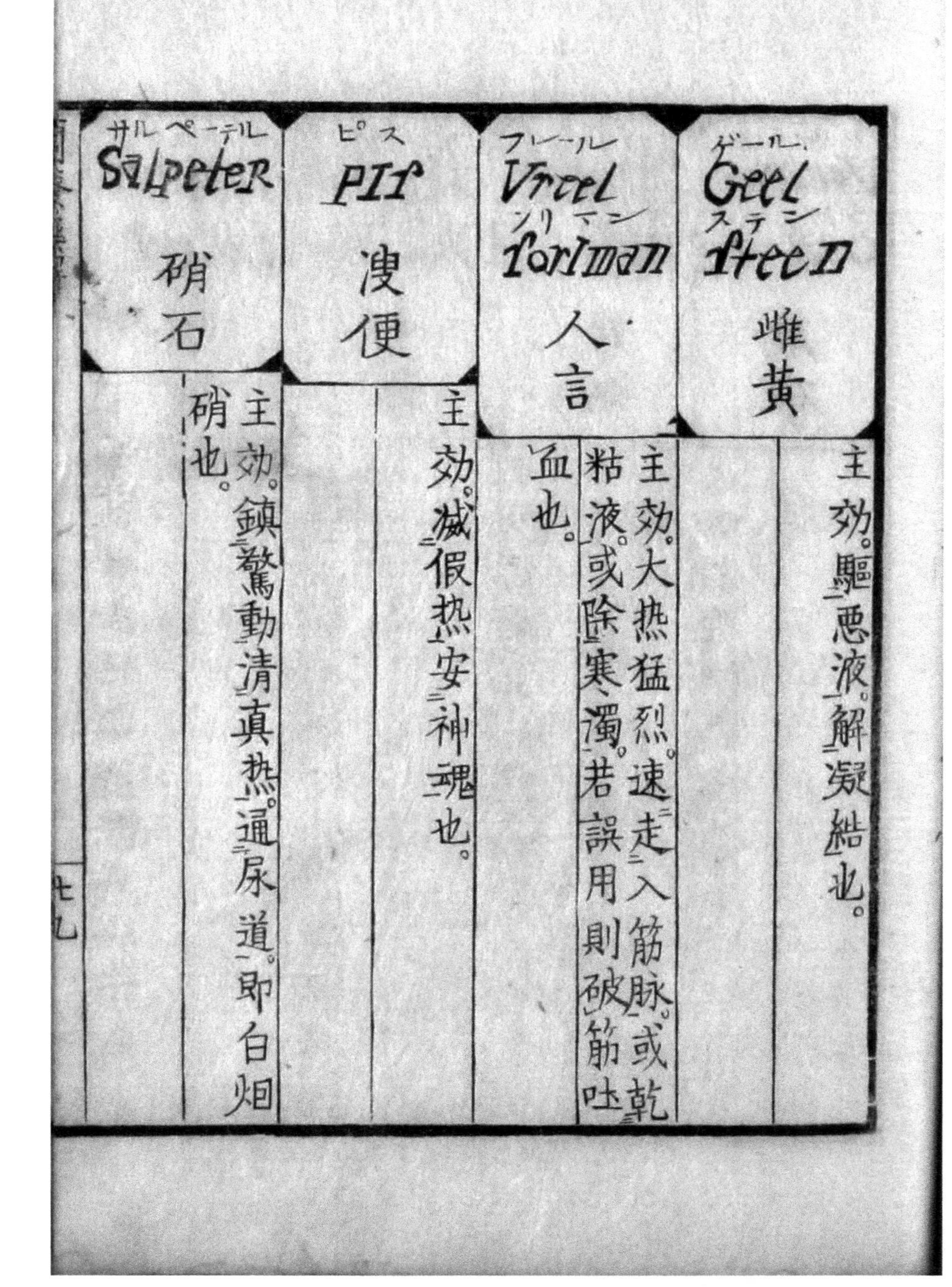

ゲール　ステン
Geel ſteen
雌黄

主効。駆悪液。解凝結也。

フレール　ソリマン
Vreel ſorlman
人言

主効。大熱猛烈。速走入筋脈。或乾粘液。或除寒濁。若誤用則破筋吐血也。

ピス
Pis
溲便

主効。滅假熱。安神魂也。

サルペーテル
Salpeter
硝石

主効。鎮驚動。清真熱。通尿道。即白焔硝也。

七九

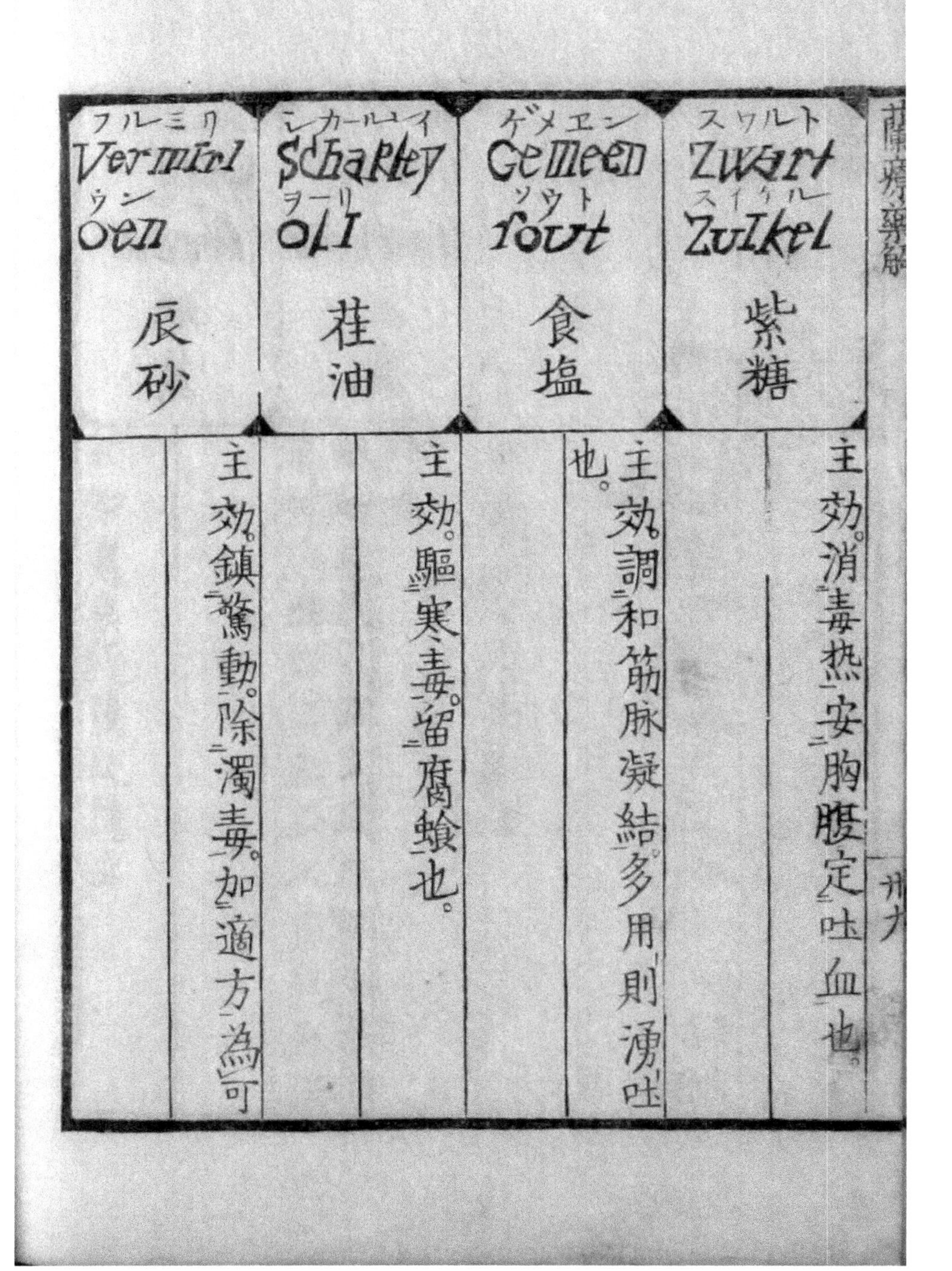

蘭療藥解

スワルト
Zwart
スイケル
Zuikel
紫糖

主効。消毒熱。安胸腹。定吐血也。

ゲメエン
Gemeen
ソウト
Zout
食塩

主効。調和筋脈凝結。多用則湧吐也。

シカールーイ
Schaktey
ヨーリ
Oli
荏油

主効。驅寒毒。留腐蝕也。

フルミリ
Vermiri
ウン
Oen
辰砂

主効。鎮驚動。除濁毒。加適方為可

卅六

ウイン ステーン
Wyn Steen
酒石

主効通神経利胃腸進飲食通尿道。蠻人従葡萄酒製出。若無則焼酒二戔加醋三匁調匀代之可。

ブラント ウエイン
Brant Wyn
焼酒

主効破積聚通経絡降衝気。多用反翻登。或疝気空風。或胃弱膨脹服之。加臭橙醋薄荷油等為可。

シヨクラート
Choclaat
私欲刺亜多

主効滋潤精液。製造見蘭療方陰痿。其形後有図也

惠

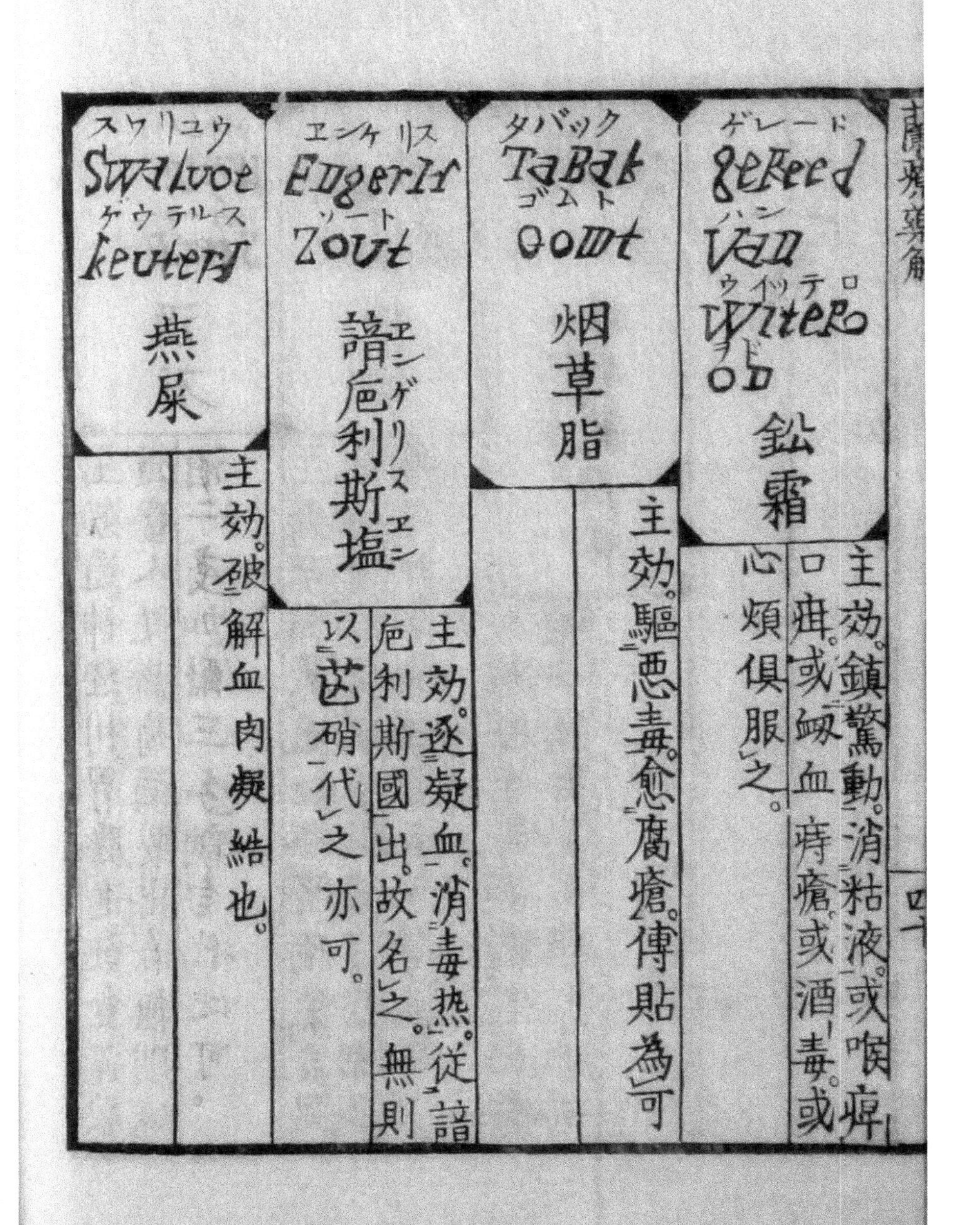
蘭藥解
ゲレード
geReed
ハン
Van
ウイッテロ
WiteR
オード
oD
鉛霜
主効。鎮驚動。消粘液。或喉痹口瘡。或衂血痔瘡。或酒毒。或心煩俱服之。
タバック
TaBak
ゴムト
Oomt
烟草脂
主効。驅悪毒。愈腐瘡。傅貼為可
エンゲリス
EngerIs
ソート
Zout
諳厄利斯塩
主効。逐凝血。消毒熱。從諳厄利斯國出。故名之。無則以芒硝代之亦可。
スワリユウ
Swaluwe
ゲウテルス
keuters
燕屎
主効。破解血肉凝結也。

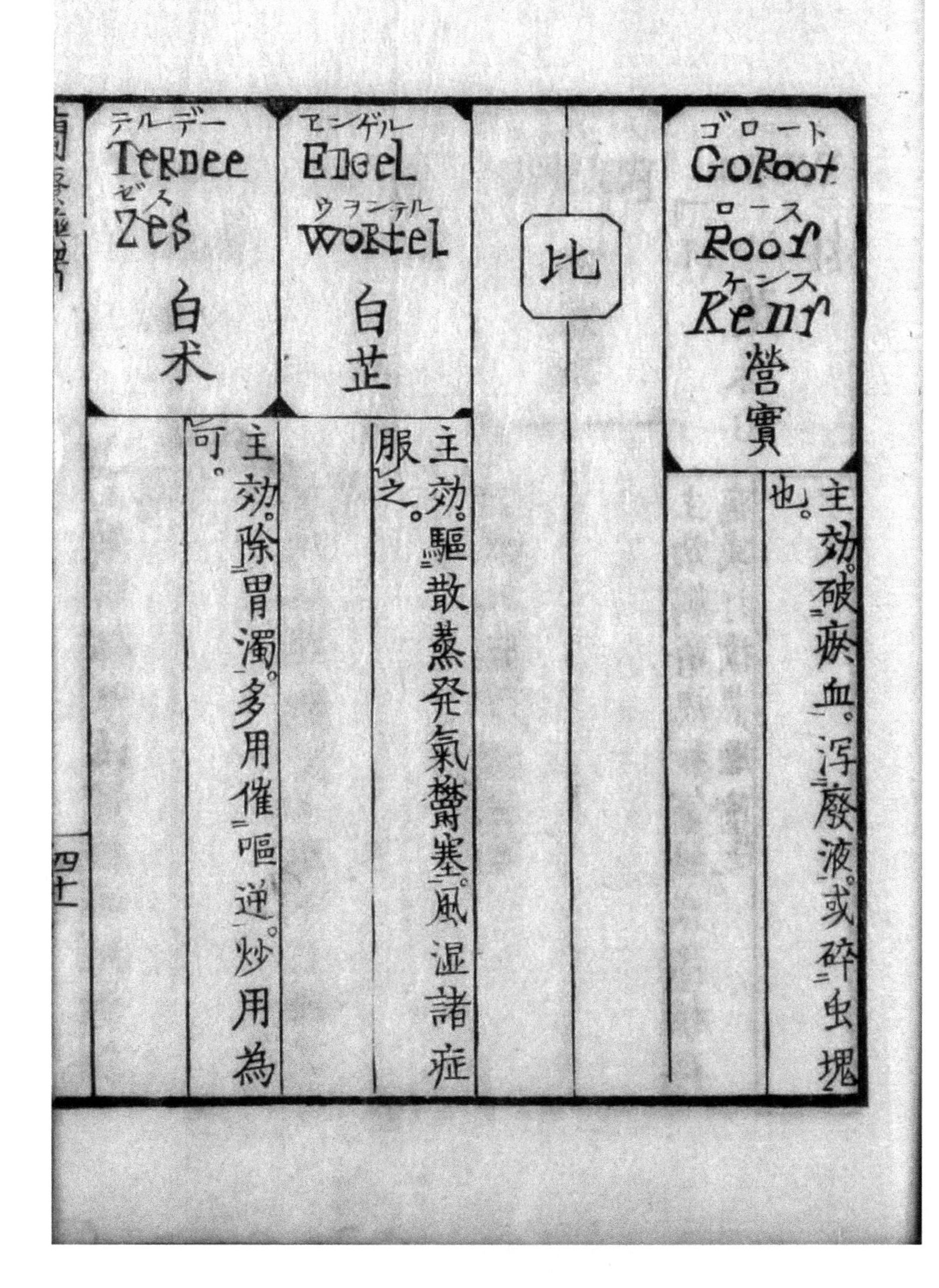

ゴロート
GoRoot
ロース
Roof
ケンス
Kenr
營實

主効。破瘀血。浮廢液。或碎虫塊也。

比

アンゲル
Engel
ウヲンテル
Wortel
白芷

主効。驅散蒸発氣欝塞。風湿諸症服之。

テルーデー
Terdee
ゼス
Zes
白朮

主効。除胃濁。多用催嘔逆。炒用為可。

四十

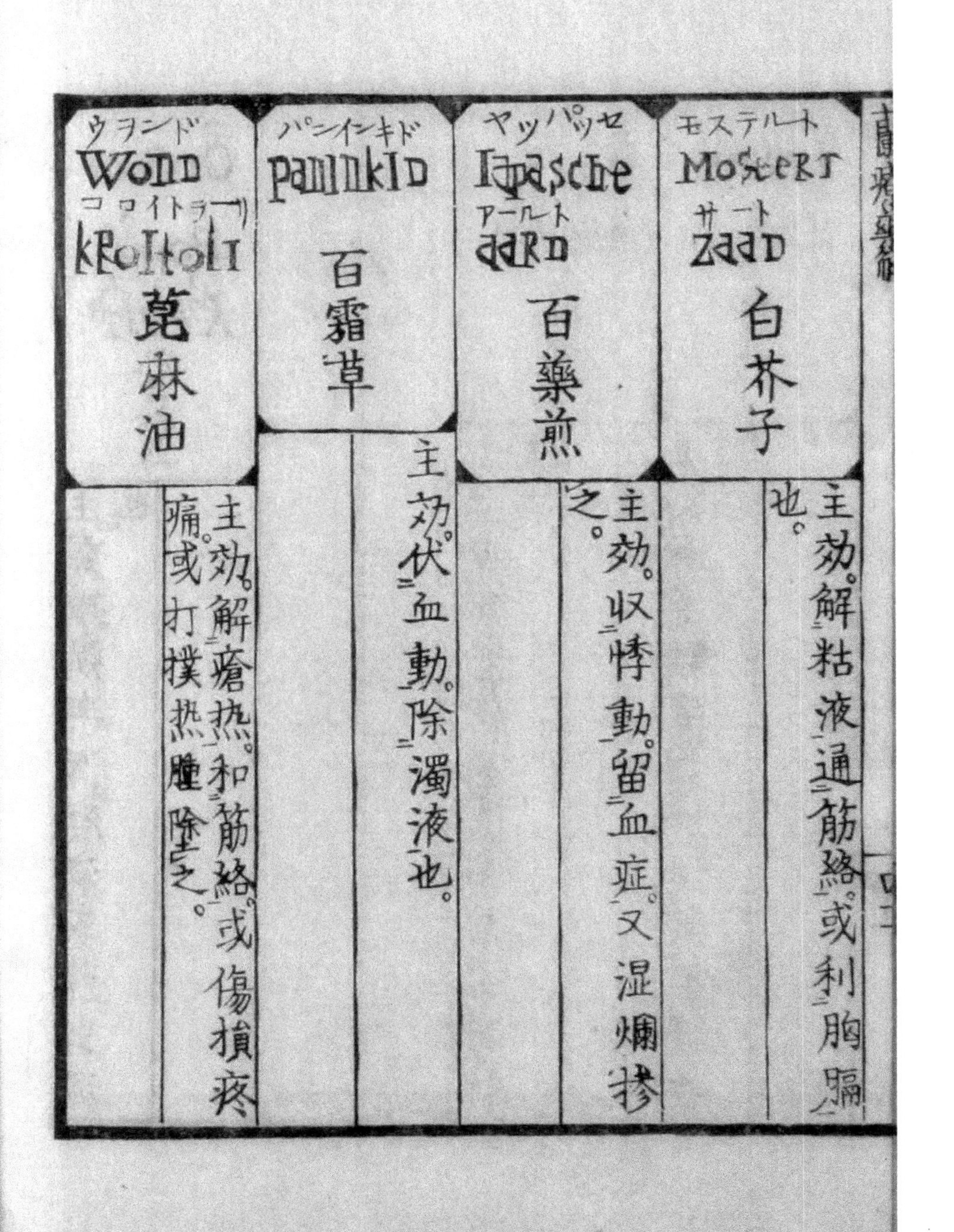

モステルト
Mosterт
サート
Zaad
白芥子
主効。解粘液。通筋絡。或利胸膈也。

セッパッヤ
Kapasche
アールト
aard
百藥煎
主効。収悖動。留血疵。又湿爛掺之。

パンインキド
Pannkid
百霜草
主効。伏血動。除濁液也。

ウヲンド
Wond
コロイトラーリ
kroitoli
蓖麻油
主効。解瘡熱。和筋絡。或傷損疼痛。或打撲熱腫。除之。

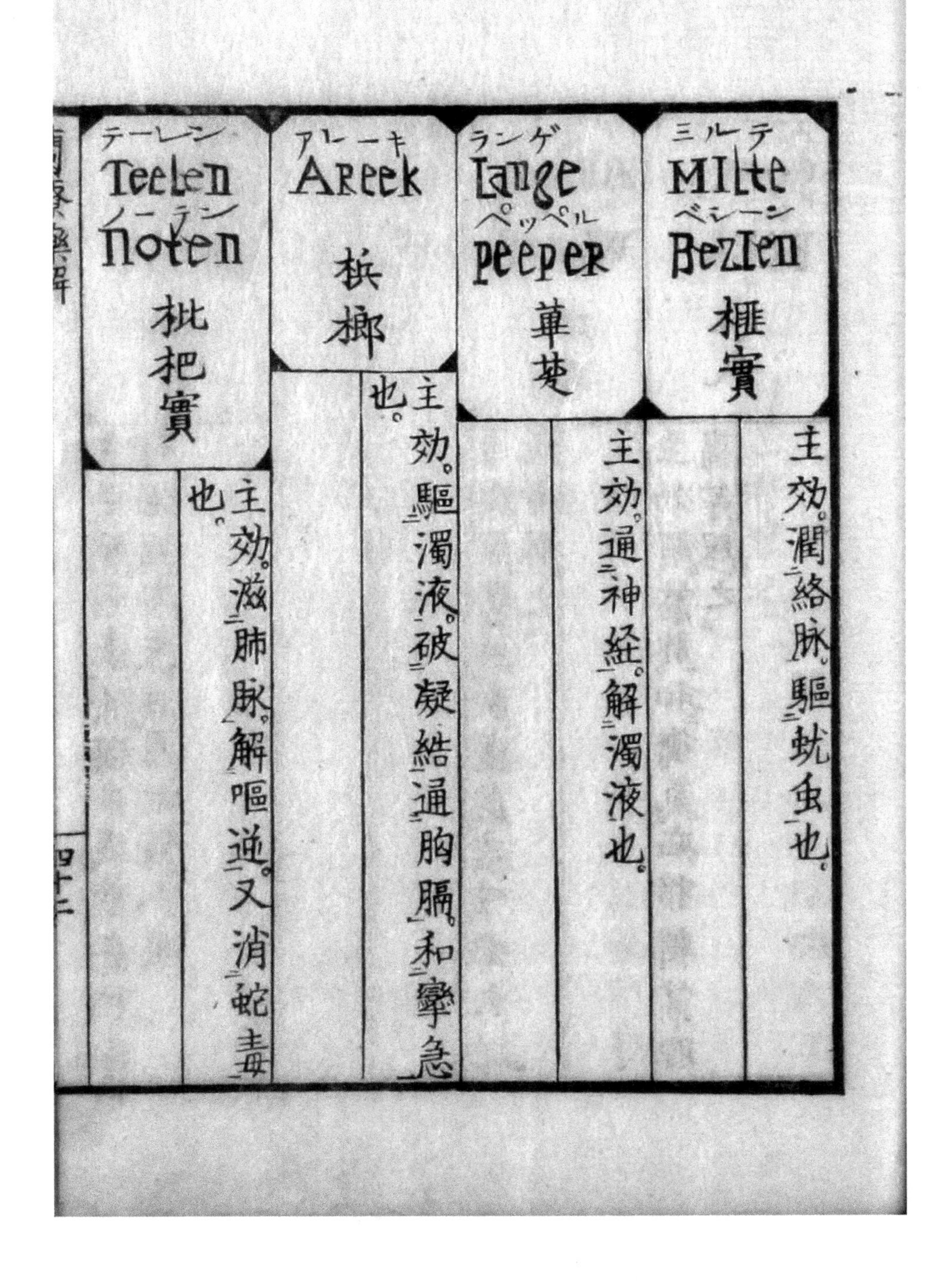

ミルテ　ベシーン
Milte Bezien
榧實

主効。潤絡脈。驅蚘虫也。

ランゲ　ペッペル
Lange peeper
華茇

主効。通神經。解濁液也。

アレーキ
Areek
檳榔

主効。驅濁液。破凝結。通胸膈。和攣急也。

テーレン　ノーテン
Teelen noten
枇杷實

主効。滋肺脈。解嘔逆。又消蛇毒也。

蘭療藥解　四十二

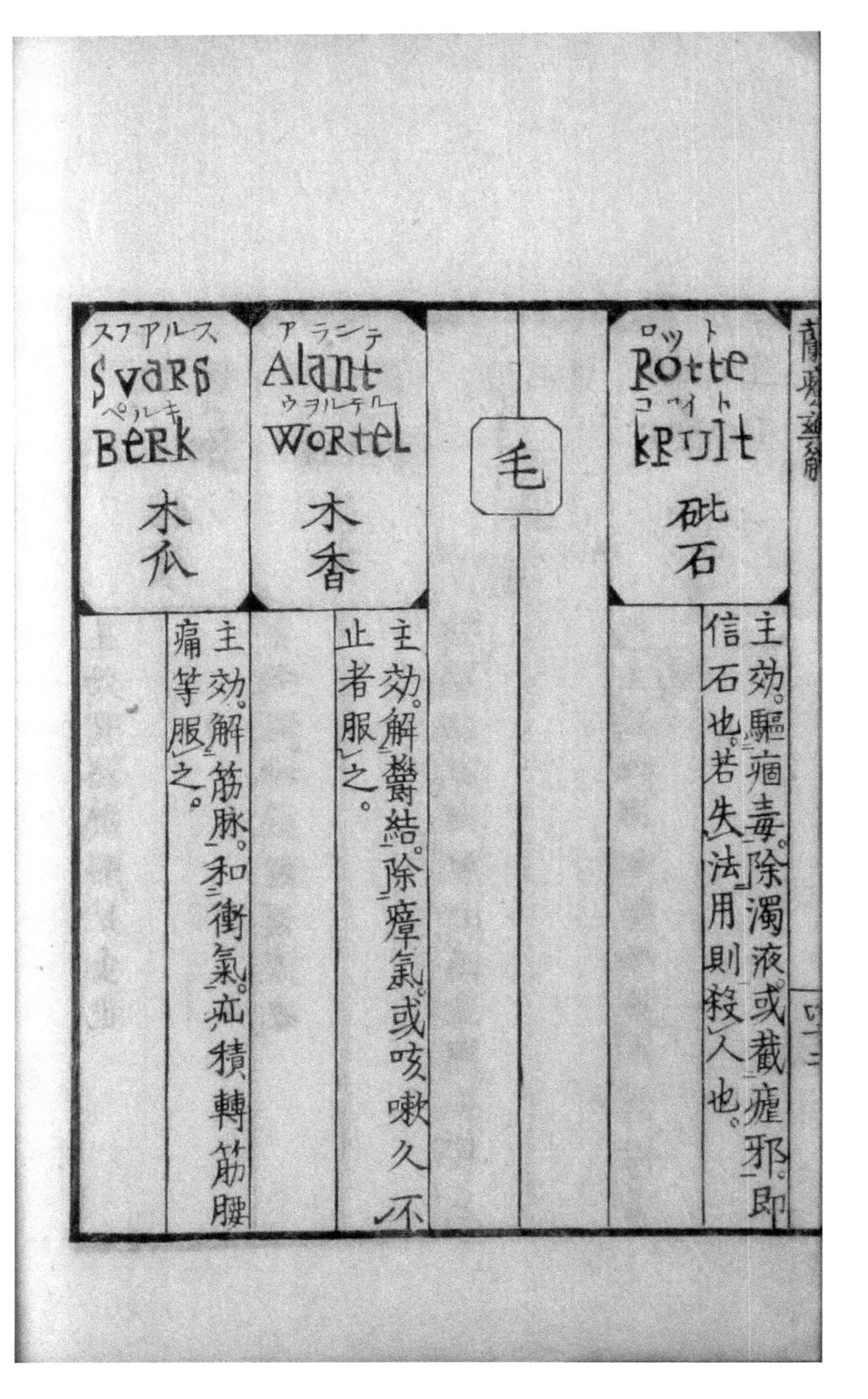

ロット
Rotte
コヘイト
kruit
砒石

主効。驅瘟毒。除濁液。或截瘧邪。即信石也。若失法用則殺人也。

毛

アランテ
Alant
ウヲルテル
Wortel
木香

主効。解鬱結。除瘴氣。或咳嗽久不止者服之。

スフアルス
Svars
ペルキ
Berk
木瓜

主効。解筋脉。和衛氣。疝積轉筋腰痛等服之。

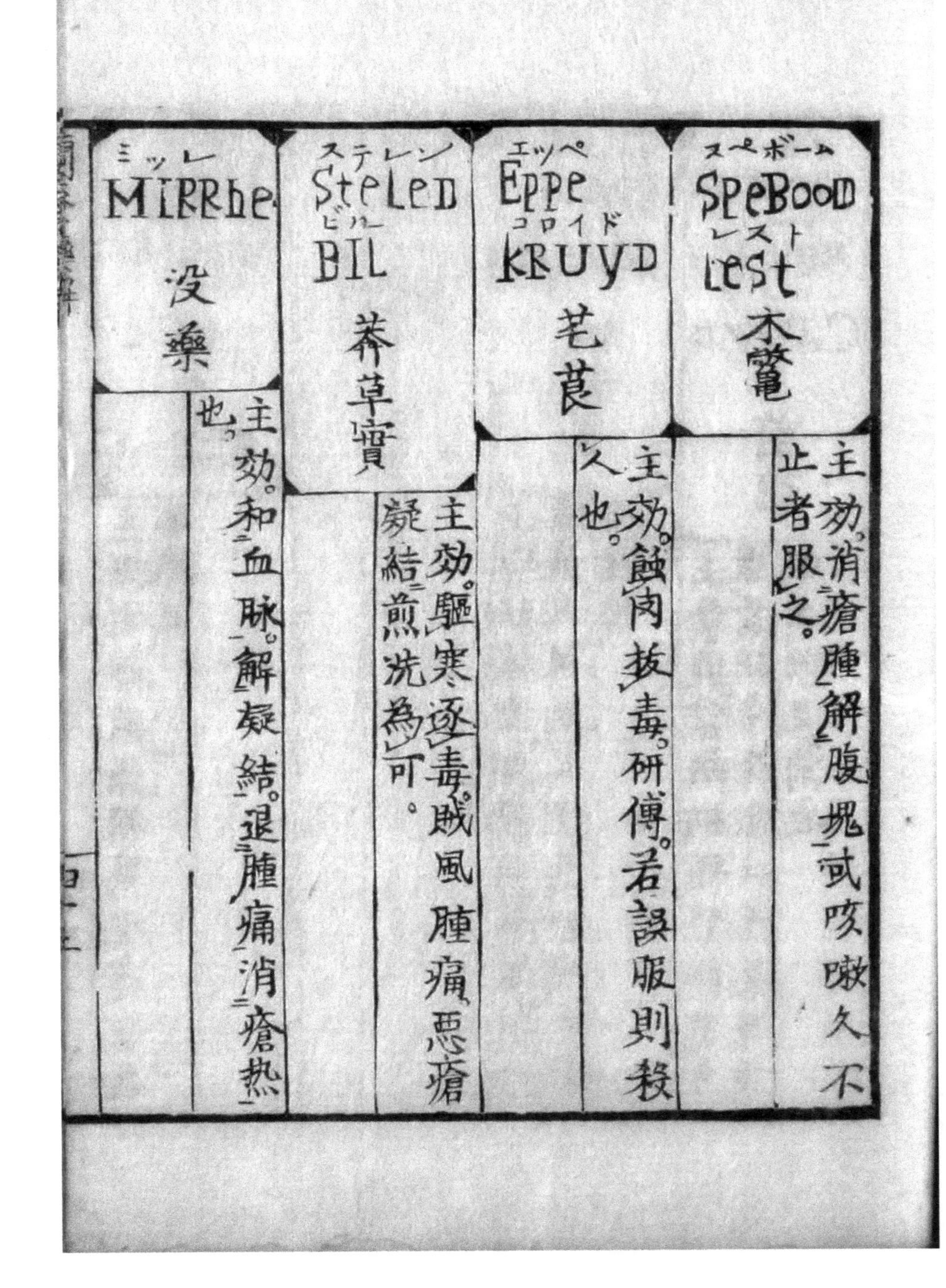

スペーボーム
SPEBOOM
レスト
LEST
木鼈

主効。消瘡腫、解腹塊、或咳嗽久不止者服之。

エツペ
EPPE
コロイド
KRUYD
芼莨

主効。蝕肉抜毒。研傅。若誤服則殺人也。

ステレン
STELEN
ビル
BIL
莽草實

主効。驅寒、逐毒、賊風腫痛、悪瘡凝結、煎洗爲可。

ミッレ
MIRRHE
没藥

主効。和血脉、解凝結、退腫痛、消瘡熱也。

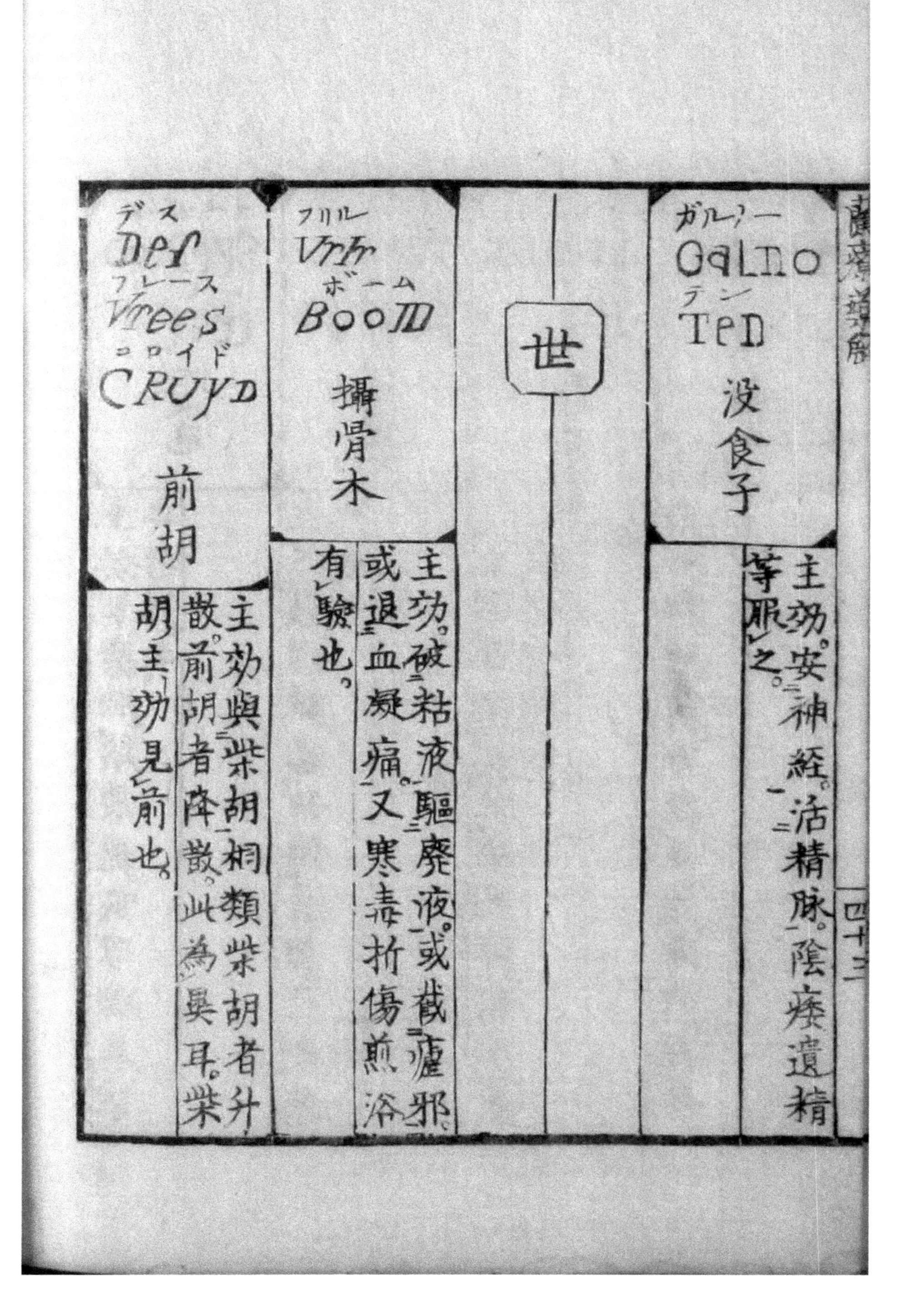
蘭療藥解
四十三
ガルノー テン
GalnoTeD
没食子
主効。安二神經一。活二精脉一。陰痿遺精等服レ之。
世
フリル ボーム
VrirBoom
攝骨木
主効。破二結液一。驅二廢液一。或截二瘧邪一。或退二血凝痛一。又寒毒折傷煎洛有レ驗也。
デス フレース コロイド
DesVreesCRUyD
前胡
主効與二柴胡一相類。柴胡者升散。前胡者降散。此為異耳。柴胡主効見二前胡一也。

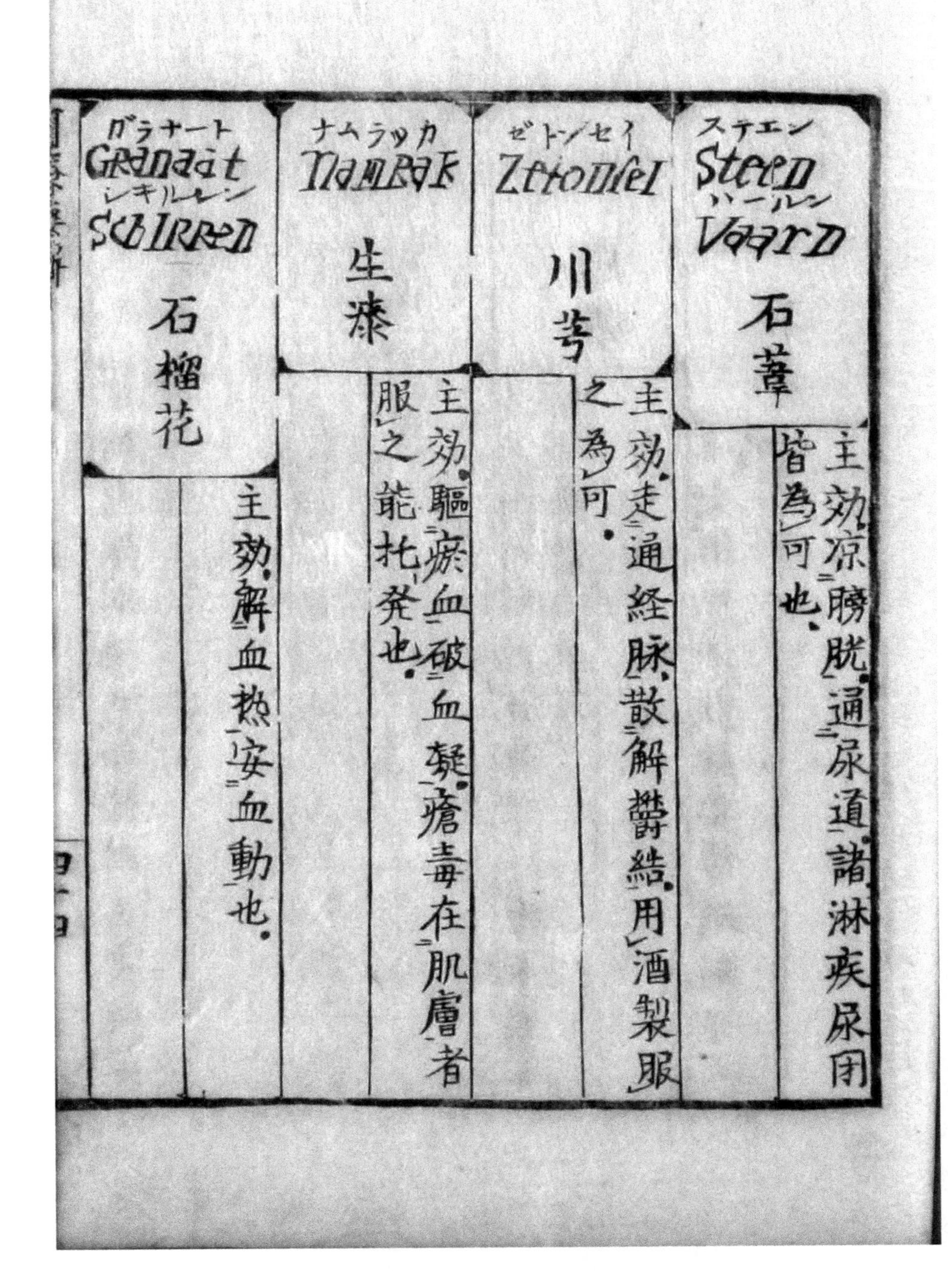

ステエン Steen ハールン Vaard
石葦
主効涼膀胱、通尿道、諸淋疾尿閉、皆為可也。

ゼトンセイ Zetomfel
川芎
主効走通経脈、散解欝結、用酒製服之為可。

ナムラッカ Namrak
生漆
主効驅瘀血、破血凝、瘡毒在肌膚者服之能托発也。

ガラナート Granaat レキルレン Schirred
石榴花
主効解血熱、安血動也。

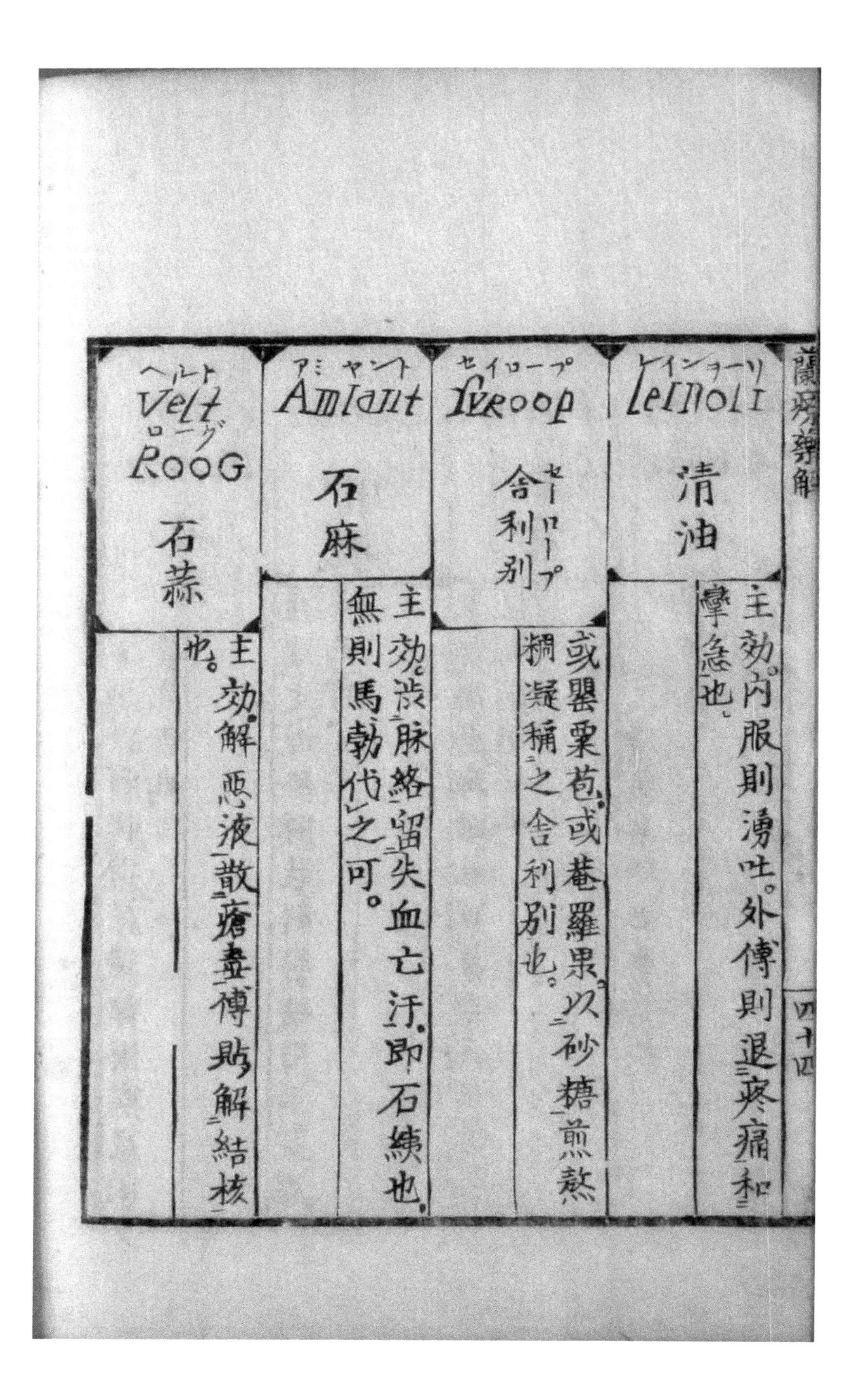
蘭[illegible]解
四十四
リーヨインレ
Lemoli
清油
主効內服則湧吐。外傳則退二疼痛一和二攣急一也。
プーロイセ
Syroop
セーロープ
舍利別
或罌粟苞。或菴羅果。以二砂糖一煎熬稠凝稱二之舍利別一也。
トンヤミア
Amiant
石麻
主効。洗二脉絡一留二失血亡汗。一即石絨也。無則馬勃代二之一可。
トルヘ
Velt
グーロ
ROOG
石蒜
主効。解二惡液一散二瘡毒一傅貼解二結核一也。

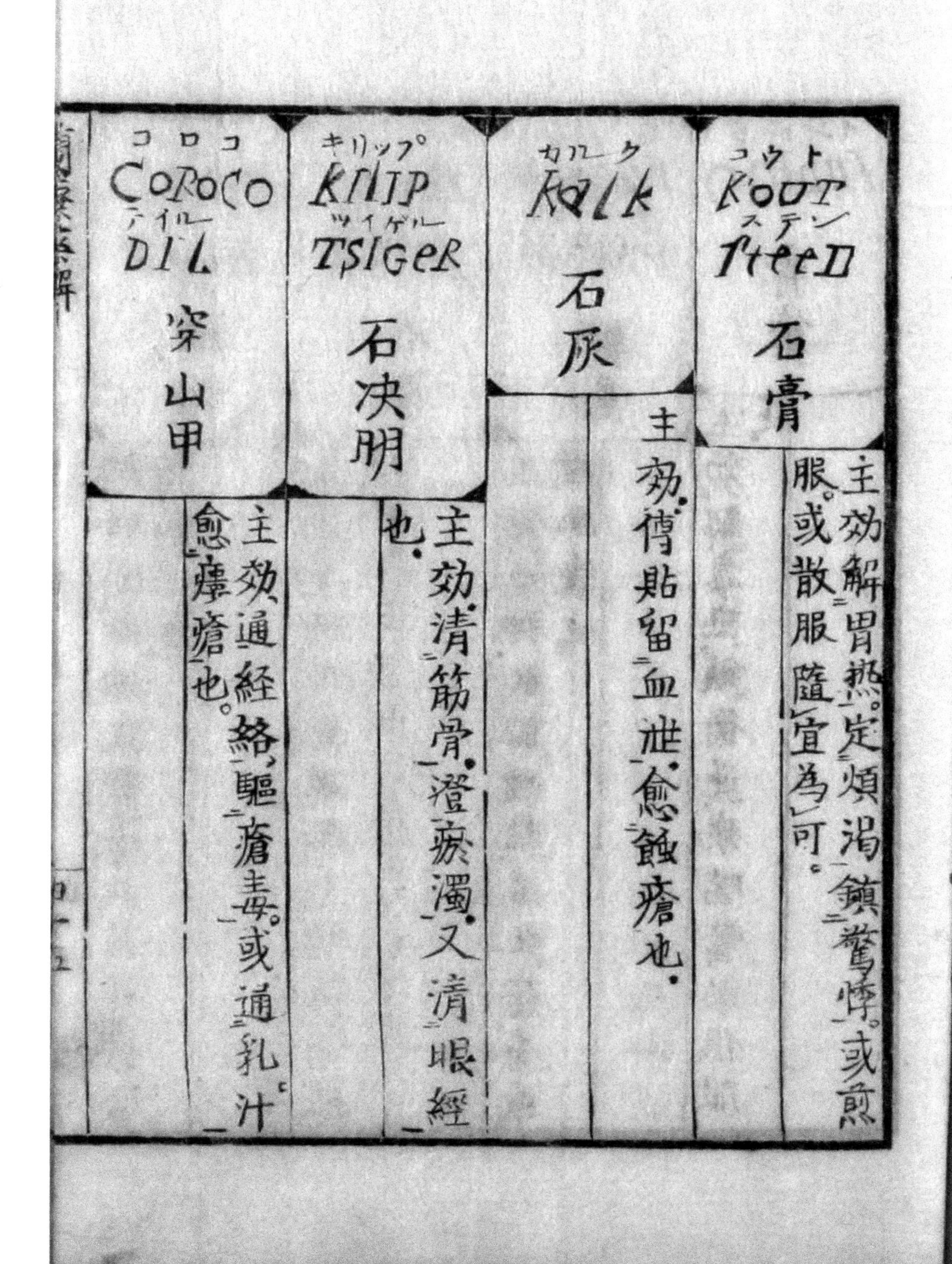

コウトステン KOUTSTEEN 石膏

主効解胃熱。定煩渇。鎭驚悸。或煎服。或散服。隨宜為可。

カルク Kalk 石灰

主効傅貼留血泄。愈蝕瘡也。

キリップツイゲル KLIP TSIGER 石決明

主効清筋骨。澄瘀濁。又清眼經也。

コロコディル COROCODIL 穿山甲

主効通經絡。驅瘡毒。或通乳汁。愈瘴瘡也。

蘭療藥解

ラム ボウト
Ram BOUT
蜻蛉

蜻蛉頭。研貼能穿瘡口。又流瘀濁愈蝕瘡也。

スコル ピヲン
fcoR poen
全蝎

主効。通経絡。或風眩。或驚癇。俱服之。

子ーゲン ヲーゴ
Neegen oogo
鱓魚

主効。活神經。解膜熱。或托瘡毒。或潤血液也。

インヂゴ
INDIGO
青黛

主効。解毒熱。鎮衝逆。痰喘驚動。俱服之。

四十五

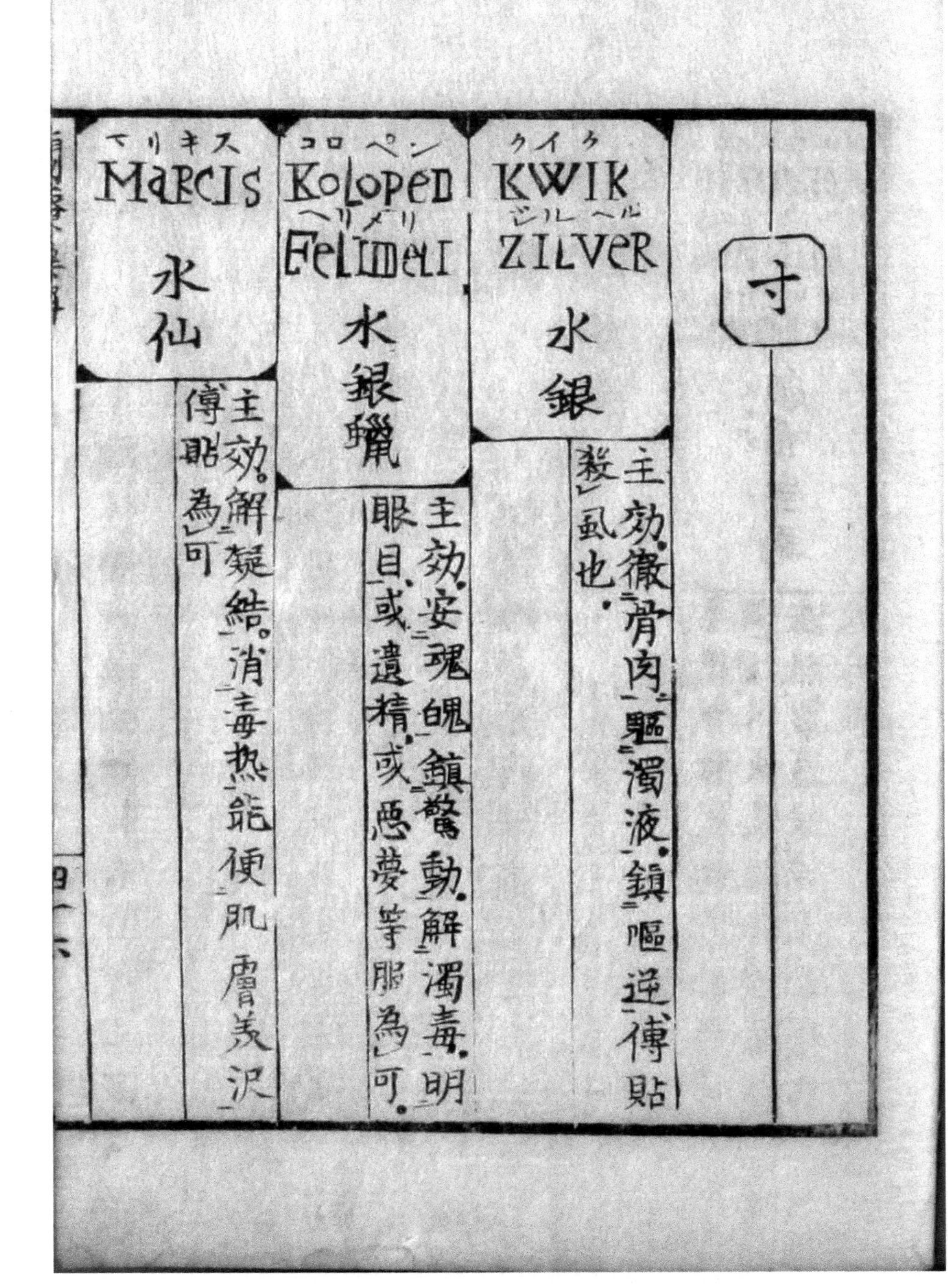

寸

クイク ジルヘル
KWIK ZILVER
水銀
主効徹骨肉、驅濁液、鎮嘔逆、傅貼殺虱也。

コロペン ヘリメリ
Koloped Felimeli
水銀蠟
主効安魂魄、鎮驚動、解濁毒、明眼目、或遺精、或悪夢等服為可。

マリキス
Marcis
水仙
主効解凝結、消毒熱、能便肌膚美沢、傅貼為可。

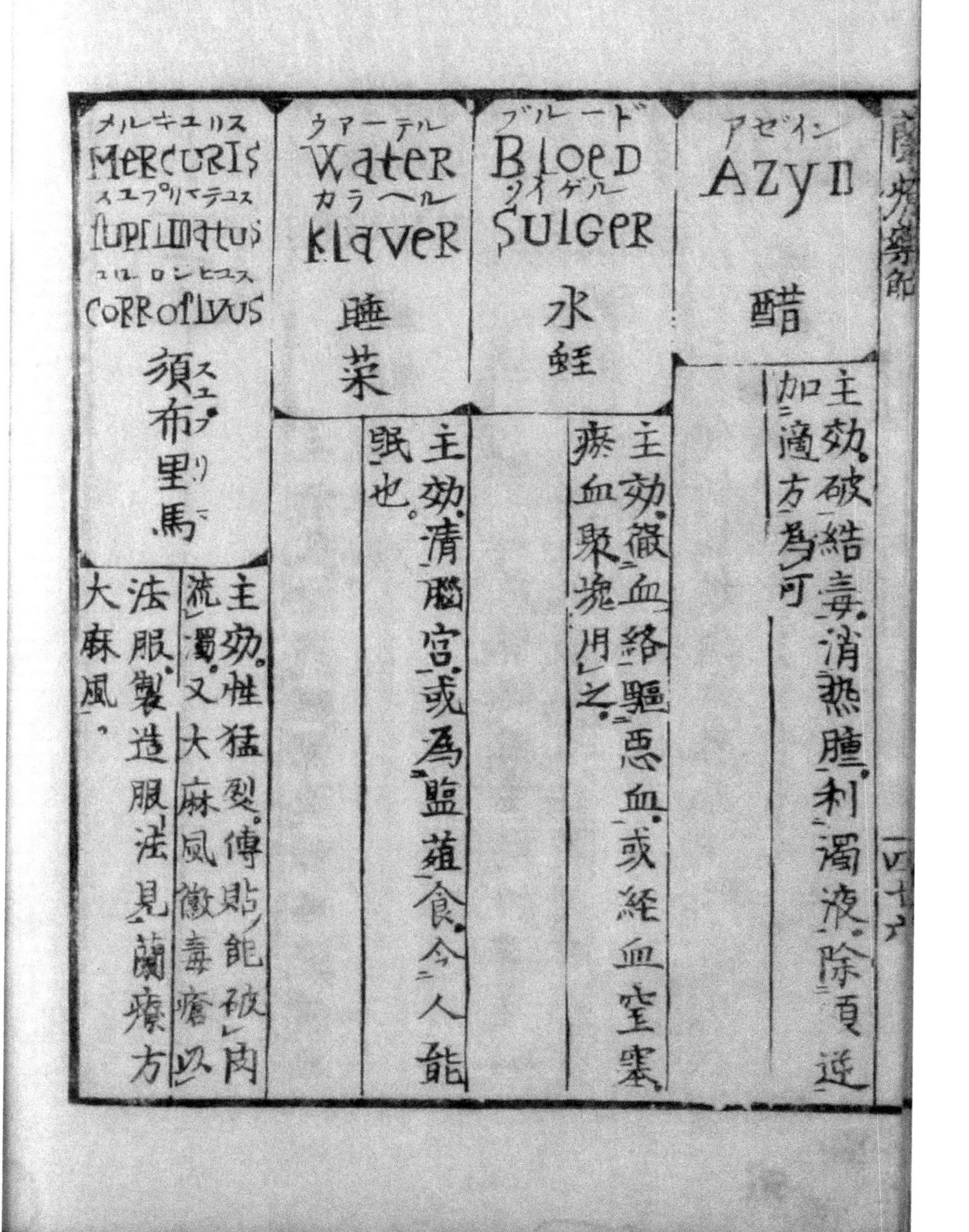

蘭療藥解　四十六

アゼイン
Azyn
醋
主効破結毒消熱腫利溺液除頁逆加適方爲可

ブルード
Bloed
ソイゲル
Sulger
水蛭
主効徹血絡驅惡血或經血窒塞瘀血聚塊用之

ウアーテル
Water
カラーヘル
Klaver
睡菜
主効清腦宮或爲監蒩食令人能眠也。

メルキユリス
Mercuris
スユブリマテユス
ſuplimatus
コルロシヒユス
Corroſivus
須布里馬（スユブリマ）
主効性猛烈傳貼能破肉流濁又大麻風黴毒瘡以法服製造服法見蘭療方大麻風。

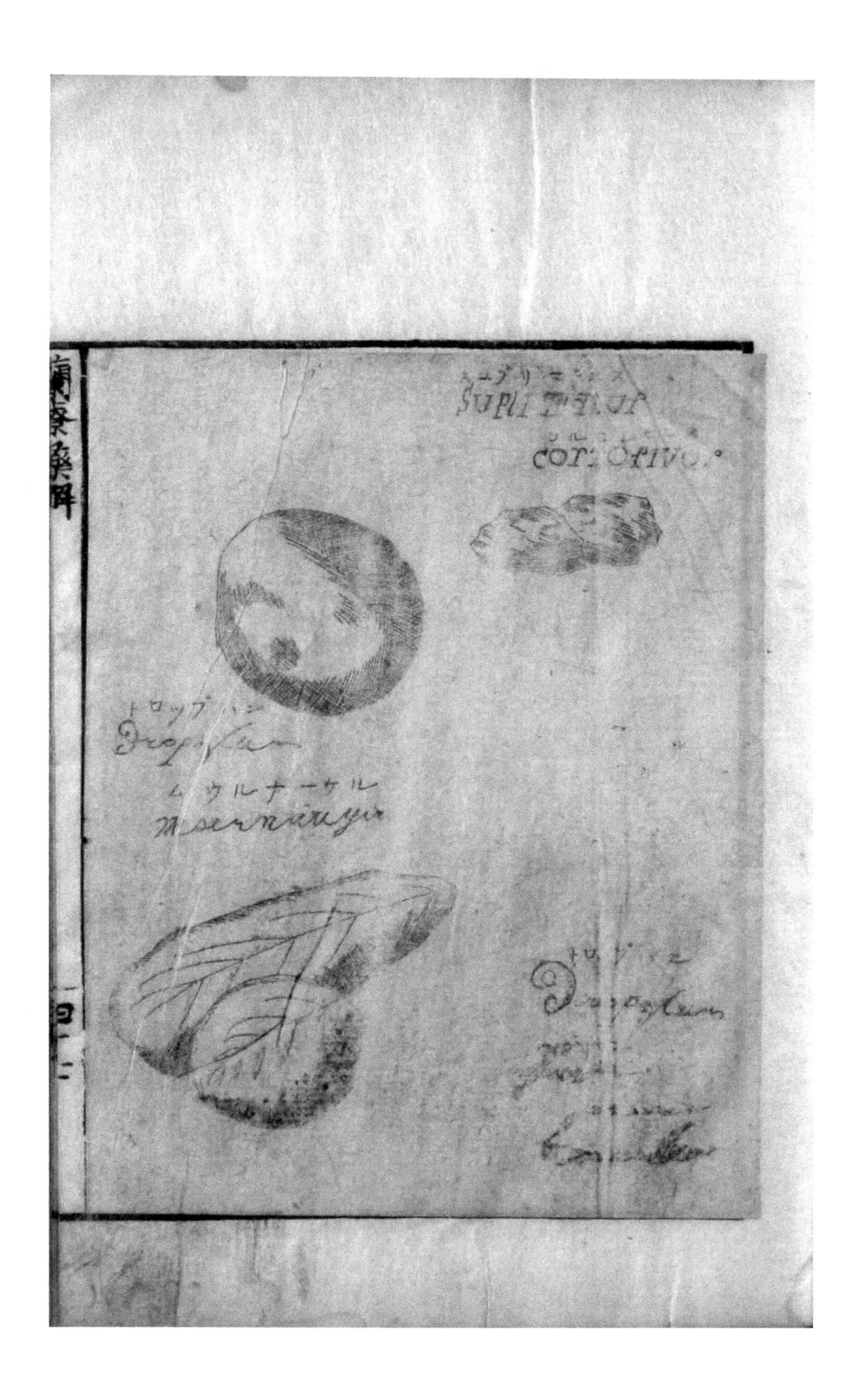
蘭療藥解
トロップハン
ムウルナーサル

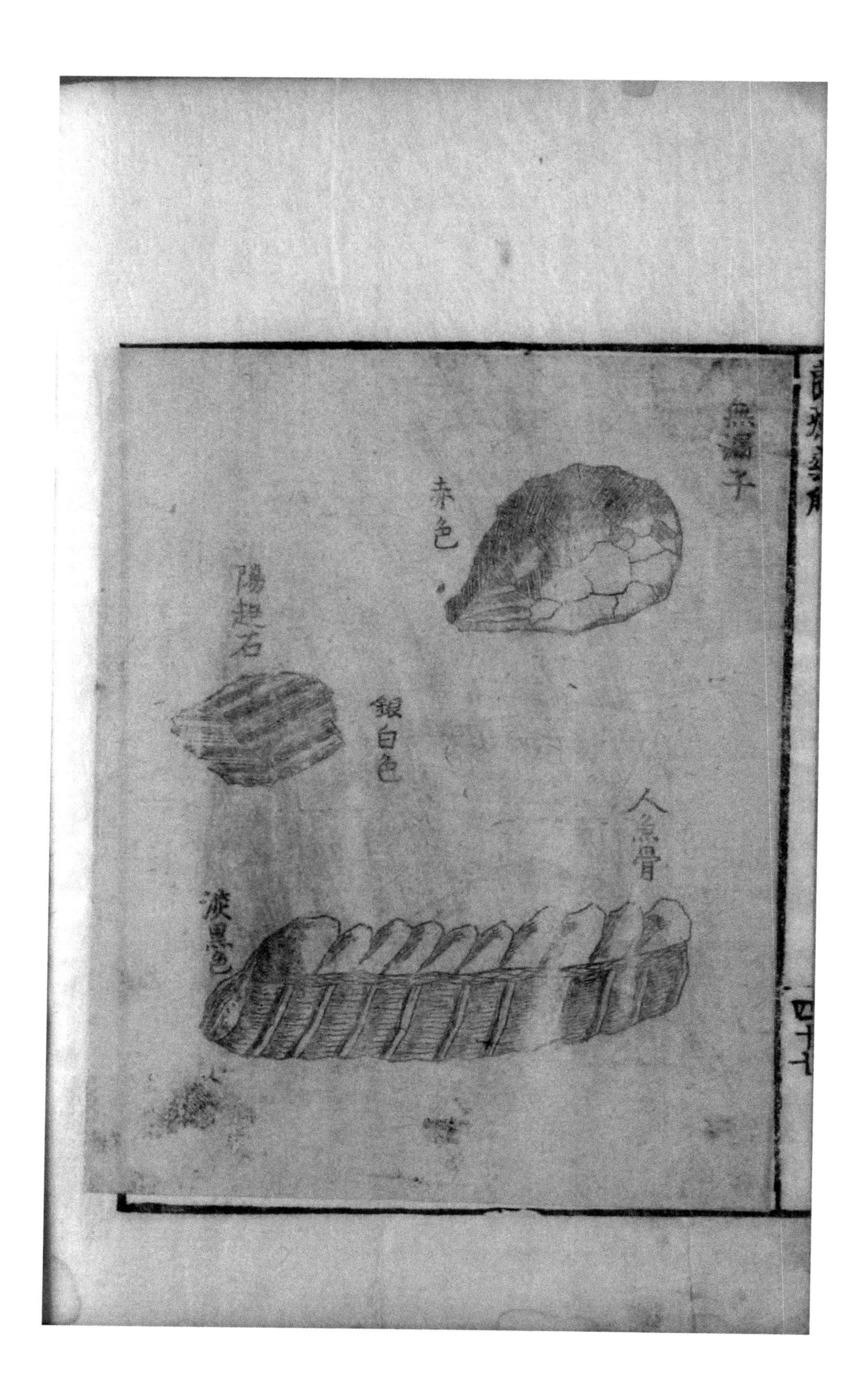
無漏子
赤色
陽起石
銀白色
人魚骨
淡黑色

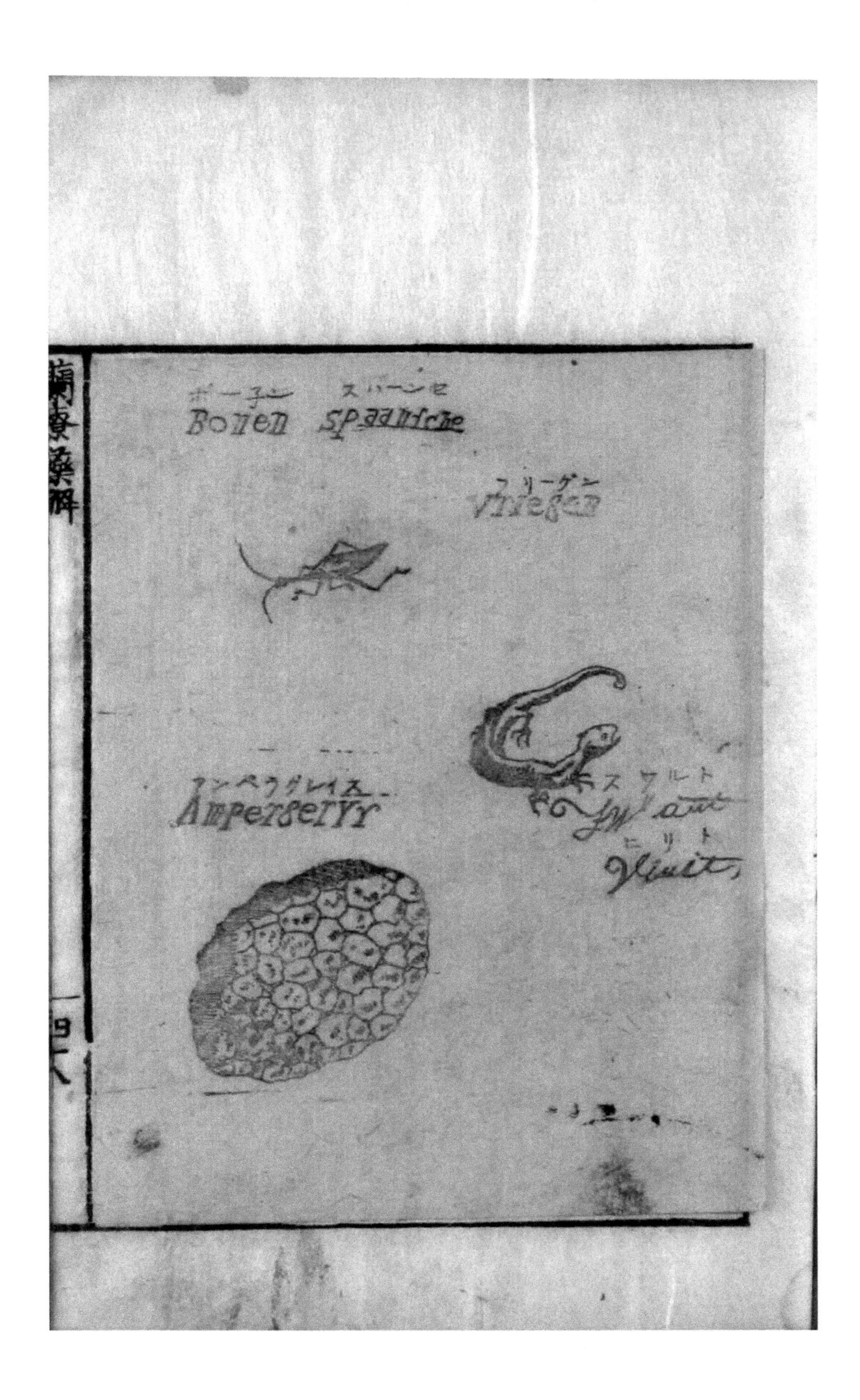
ボーネン　スパーンセ
Bonen Spaansche
フリーゲン
Vliegen
アンペルサレイス
Ampersely
スワルト
Swart
ヒリト
Vlieit

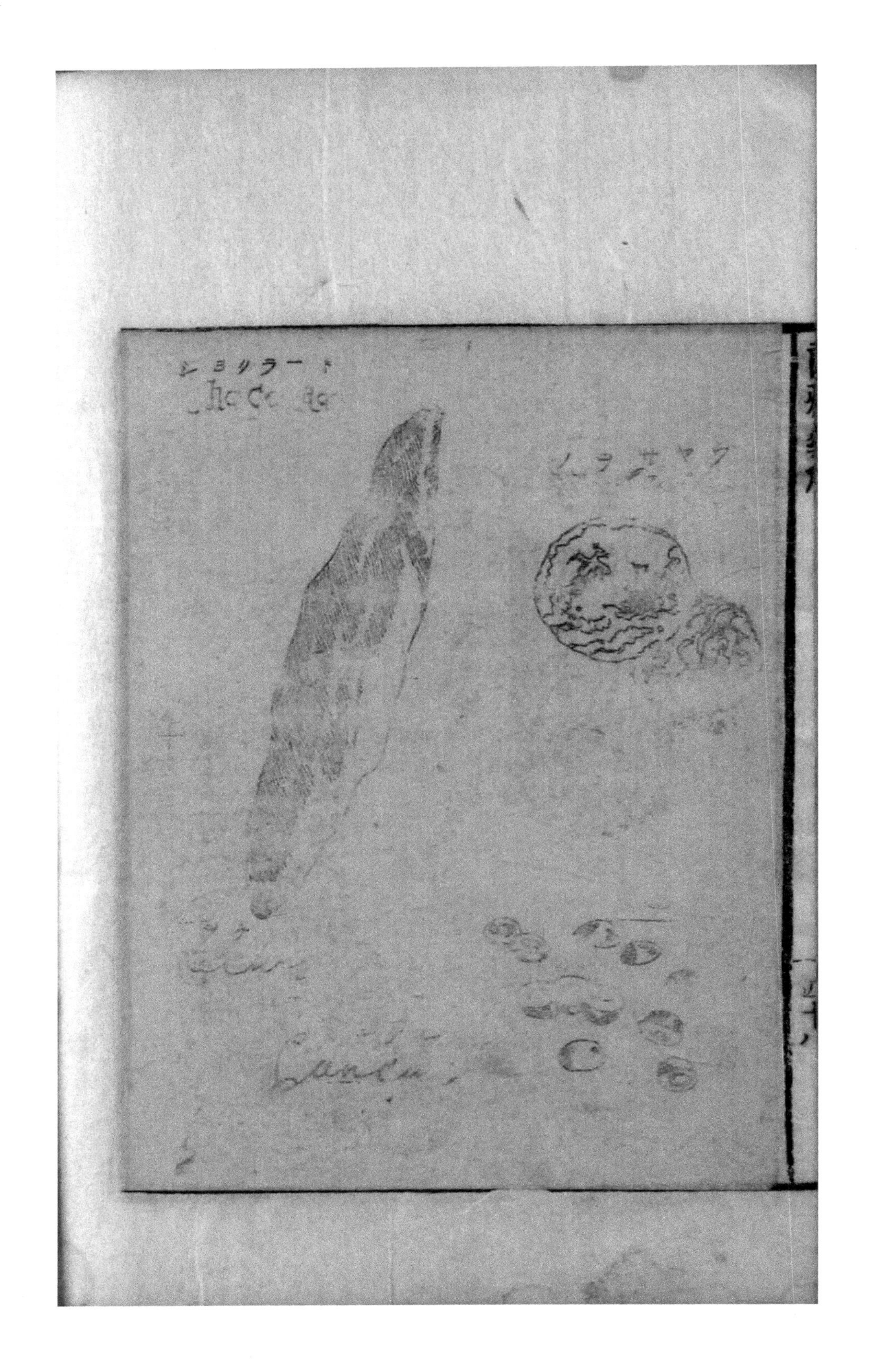

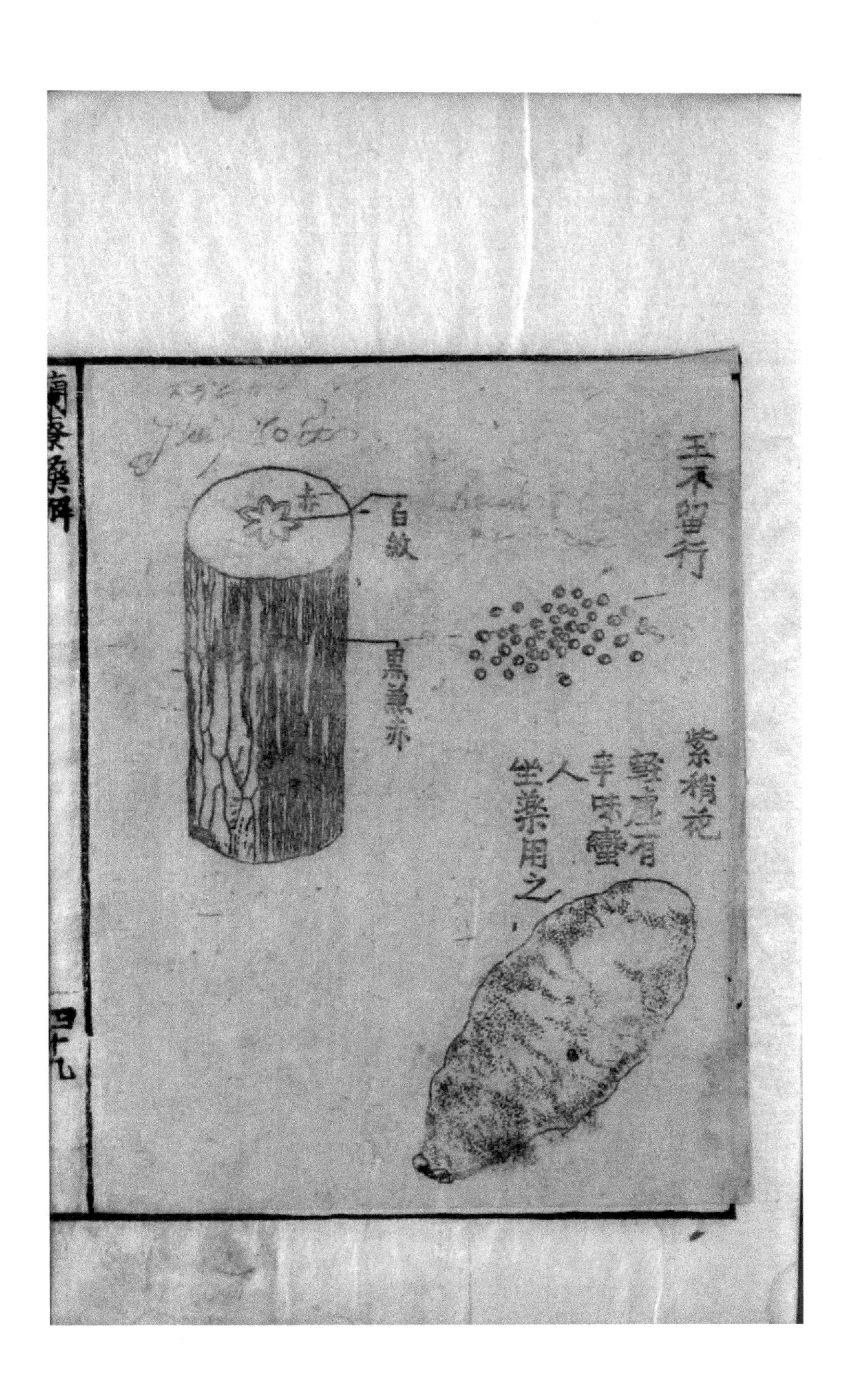
蘭療藥解
王不留行
赤
白紋
黒兼赤
紫梢花
發虛有
辛味靈
人
坐藥用之
四十九

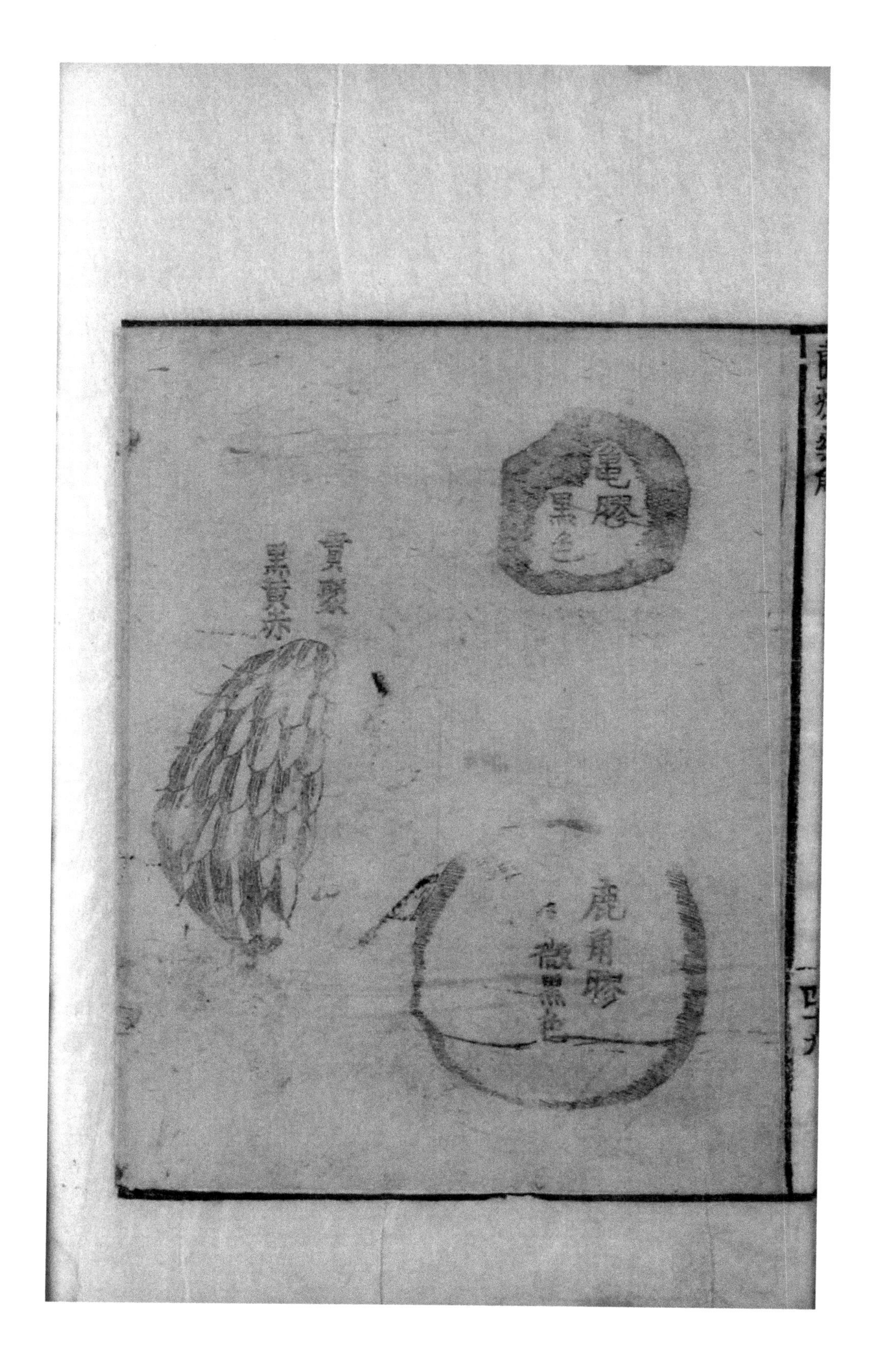
龜膠
黑色
貫衆
黑黄赤
鹿角膠
微黑色

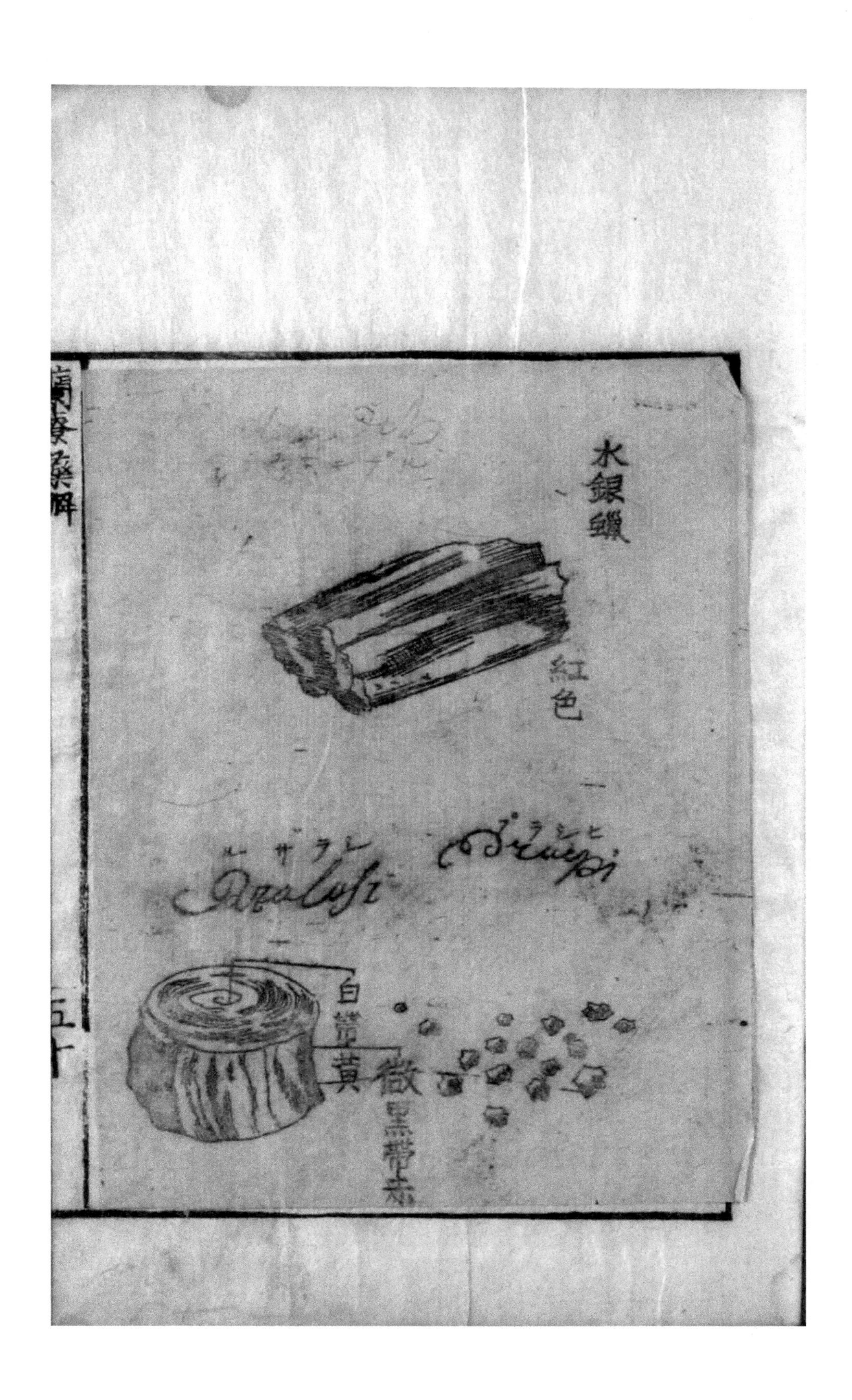
蘭療藥解
五十
水銀鑛
紅色
ルザラヒ
プラシヒ
白
黄
微黑帶赤

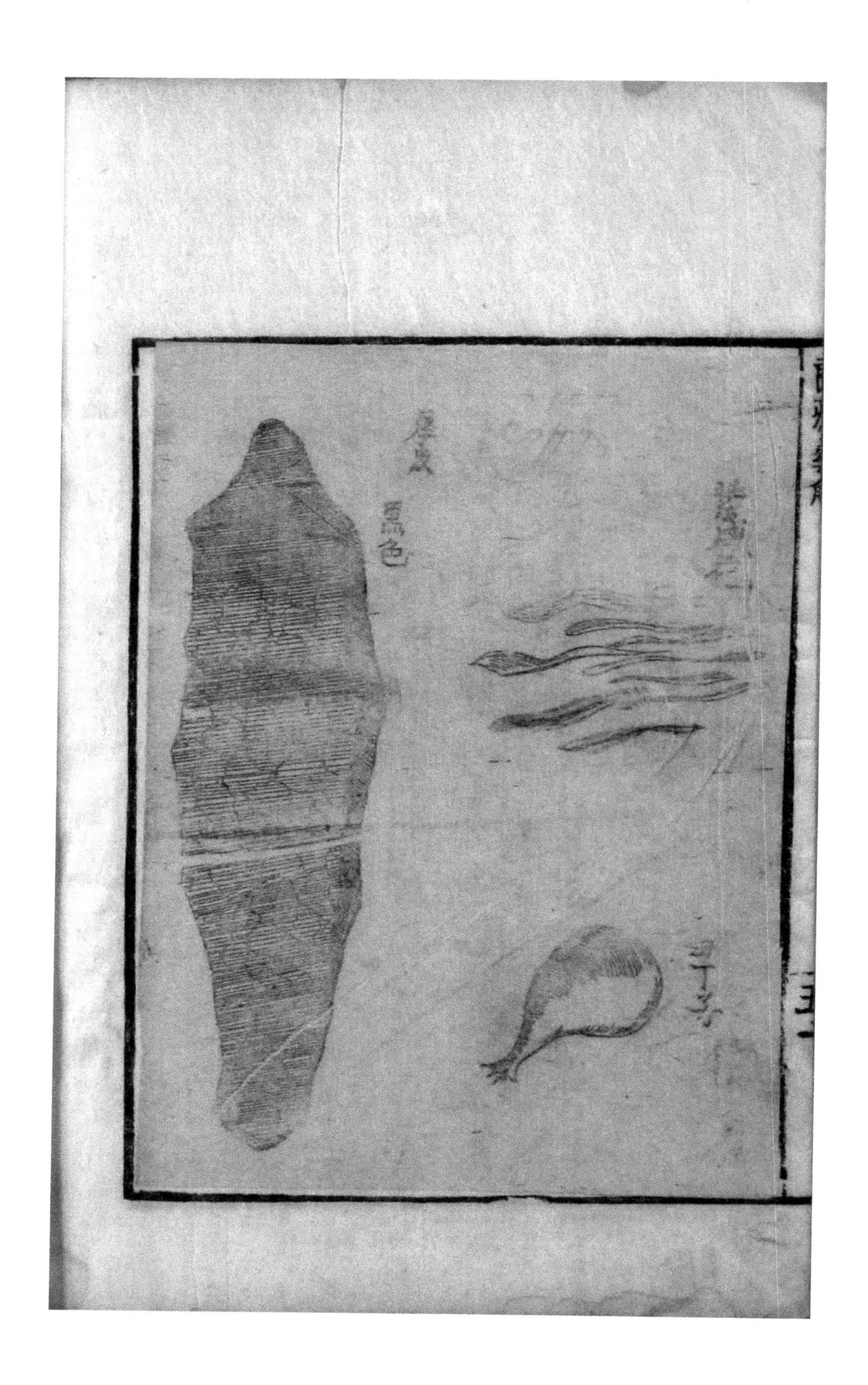
黑色

廣門先生翻譯蘭療方附以其圖。余性素有癖。偸盜先生門私嘗於銅彫法盡心。而非有師傳也。先生因乃令予做鐫法。以彫其圖也。顧以其無師傳故有未至者必矣。覽者幸勿嗤也。

文化三年丙寅春二月

京洛鐫斷　藤兼子

廣川先生著目

嬰兒論 大清周士祢著傷寒論ノ文法ニテ記ス廣川校正

麻疹論 大清春嶽先生傳

按腹傳 長崎鐵齋流

長崎聞見録 唐蠻及長崎ノ事ヲ記ス

瘡毒鎮丹録 長崎岡部氏著廣川校正次出

傷寒打碎辨 傷寒ノ治法ヲ手早ク示ス次出

銀海論 眼目ノ治法ヲ手早ク示ス次出

痘瘡論 痘瘡ノ治法及種痘ノ法ヲ示ス次出

石菖品彙 石菖ノ種類ヲ集メ畫圖ヲ以テ示ス次出

文化三年丙寅夏六月

瑶池齋藏

平安書舗　發行

二條通堺町東ェ入町　林喜兵衛

寺町通二条下町　林權兵衛